HALTE À LA MORT
DES LANGUES

DU MÊME AUTEUR

Aux Éditions Odile Jacob :

Le Français et les siècles, Paris, 1987.

Le Souffle de la langue : voies et destins des parlers d'Europe, Paris, 1992, nouvelle édition en 1994, coll. « Opus » ; « Poches Odile Jacob », 2000.

L'Enfant aux deux langues, Paris,1996.

Chez d'autres éditeurs :

Le Problème linguistique des prépositions et la solution chinoise, Louvain/Paris, Éd. Peeters, 1975.

La Structure des langues, Paris, PUF, coll. « Que sais-je ? », 1982, nouvelle édition en 1986.

La Réforme des langues : histoire et avenir, vol. I-II, 1983 ; vol. III, 1983-1984 ; vol. IV, 1989 ; vol. V, 1990 ; vol. VI, 1994 (avec I. Fodor), Hambourg, Buske.

L'Homme de paroles, Paris, Fayard, coll. « Le Temps des Sciences », 1985.

Le Français, histoire d'un combat, Paris, Éd. Michel Hagège, 1996.

CLAUDE HAGÈGE

HALTE À LA MORT DES LANGUES

ÉDITIONS
ODILE JACOB

Tous mes remerciements vont à ma collaboratrice et amie Anne Szulmajster-Celnikier, lectrice attentive et avisée, qui m'a aidé à établir les index.

C. H., octobre 2000.

© ÉDITIONS ODILE JACOB, NOVEMBRE 2000
15, RUE SOUFFLOT, 75005 PARIS

www.odilejacob.fr

ISBN : 2-7381-0897-0

Sommaire

III
LES LANGUES ET LA RÉSURRECTION

Introduction

A-t-on pris garde à un phénomène effrayant ? Sait-on, oui, sait-on seulement, qu'en moyenne, *il meurt environ 25 langues chaque année* ? Il existe aujourd'hui, dans le monde, quelque 5 000 langues vivantes. Ainsi, dans cent ans, si rien ne change, la moitié de ces langues seront mortes. À la fin du XXIe siècle, il devrait donc en rester 2 500. Sans doute en restera-t-il beaucoup moins encore, si l'on tient compte d'une accélération, fort possible, du rythme de disparition.

Ce cataclysme déroule ses effets imperturbablement, et cela, semble-t-il, dans l'indifférence générale. Est-ce une vanité, ou encore une pure présomption, que de vouloir alerter les esprits ? Il m'a semblé que non. C'est pourquoi j'ai entrepris d'écrire ce livre, avec l'espoir, ingénu sans doute, d'apporter une contribution, si modeste soit-elle, à la prise de conscience d'une nécessité : faire tout ce qui est possible pour empêcher que les cultures humaines ne sombrent dans l'oubli. Or une des manifestations les plus hautes, en même temps que les plus banalement quoti-diennes, de ces cultures, ce sont les langues des hommes. Les langues, c'est-à-dire, tout simplement, ce que les hommes ont de plus humain. Que préserve-t-on donc, en les défendant ? – Notre espèce, telle qu'en elle-même enfin ses langues l'ont changée.

Certes, comme les civilisations, les langues sont mortelles, et le gouffre de l'histoire est assez grand pour toutes. Et pourtant, à notre regard de créatures finies, la mort des langues a quelque chose de tout à fait insolite, et d'exaltant quand nous nous en avisons : les langues sont capables de résurrection ! Pour les humains, au contraire, la mort est ce qui régit la vie, la mort oriente la vie, pour en faire un destin. Certes, les langues qui recouvrent la vie sont très rares. Mais il en existe. Un cas, au moins, est tout à fait certain, celui de l'hébreu. Et d'autres langues, que la mort menace, s'obstinent à vivre, à défier l'inéluctable, en bravant tous les périls.

C'est à cette aventure dangereuse, à ce jeu follement téméraire des langues avec la mort, qu'est consacré le présent livre. Une première partie, LES LANGUES ET LA VIE, montrera quelle relation étroite les langues entretiennent avec les principes vitaux qui régissent l'univers. Elles sont pourvoyeuses de vie, en même temps que conservatoires de la vie passée (chapitre I). La raison en est qu'elles sont elles-mêmes, d'une certaine façon, des espèces naturelles (chapitre II). Mais pour comprendre à quel événement correspond exactement la disparition des langues, et pourquoi elle est si différente de celle d'autres espèces, il convient de définir un attribut essentiel : la parole. La parole est fugitive, mais la langue ne meurt pas tout à fait (chapitre III). Et la lutte des langues pour la vie est illustrée d'une façon saisissante par celle que mènent, au sein même des langues, ces entités dont elles sont constituées : les mots, qui vivent, meurent, renaissent parfois, perdent des sens, en gagnent d'autres indéfiniment (chapitre IV).

Dans une deuxième partie, intitulée LES LANGUES ET LA MORT, on verra ce qu'il faut entendre par la mort d'une langue (chapitre V), quel en est le processus (chapitre VI), quelles en sont les causes (chapitre VII), quel bilan on peut établir aujourd'hui du nombre de langues disparues ou menacées, et ce que cela signifie pour notre espèce (chapitre VIII), enfin quelles actions on peut entreprendre pour lutter contre la mort des langues (chapitre IX).

Je tenterai de dévoiler, dans une troisième partie, LES LANGUES ET LA RÉSURRECTION, les lueurs qui courent dans le sillage d'un resplendissant flambeau. Les hommes qui l'ont allumé ont ressuscité une langue : il s'agit de l'hébreu, dont la renaissance est le phénomène le plus impressionnant, jusqu'à présent unique par son importance et son degré d'achèvement (chapitre X). Je mentionnerai ensuite quelques autres cas qui peuvent trouver place dans cette partie (chapitre XI).

On pourra juger que ces notions de vie, de mort et de résurrection sont anthropomorphiques, ou au moins métaphoriques. En fait, leur emploi n'empêche pas de reconnaître que les langues sont les espèces les plus complexes, car seules elles possèdent des traits d'ordres cognitif et social. C'est précisément parce qu'elles ne sont pas faites de substance concrète périssable, c'est parce qu'elles sont des créations de l'esprit humain, que la mort des langues n'est pas identique à celle des autres composants du monde vivant. En dépit des signaux menaçants qui apparaissent aujourd'hui à l'horizon des cultures, le vaste cimetière des langues laisse entendre quelques sons. Sous l'apparence de la mort, dont le silence des tombes, dans les nécropoles humaines, est peut-être le symbole le plus saisissant, quelque chose, quand il s'agit des langues, rôde et balbutie encore, que l'on peut appeler la vie. C'est cela qu'il faut ranimer.

Ainsi, le propos de ce livre est très simple. Il veut montrer trois vérités : d'une part, que les langues sont peut-être ce que nos cultures humaines ont de plus vivant ; d'autre part, qu'elles sont mortelles, et meurent en quantités impressionnantes, si on ne lutte pas pour leur maintien ; enfin, que leur mort n'est pas un anéantissement définitif, et que certaines renaissent, si on sait les promouvoir. Défendre nos langues, et leur diversité, notamment contre la domination d'une seule, c'est plus que défendre nos cultures. C'est défendre notre vie.

I

LES LANGUES ET LA VIE

CHAPITRE PREMIER

Les langues, pourvoyeuses de vie

Les sociétés humaines et les langues comme sources vitales

Quand on examine les sociétés humaines, et les rapports qu'elles entretiennent avec leurs langues, une vérité s'impose, qui paraît relever du simple bon sens : les langues vivantes n'existent pas en soi, mais par et pour les groupes d'individus qui s'en servent dans la communication quotidienne. Cela ne signifie pas que les langues n'aient d'autre définition que sociale. En tant que manifestations de la faculté de langage, elles sont des structures cognitives complexes, qui reflètent la façon dont l'esprit fonctionne quand il produit et interprète des énoncés ; et elles portent les marques des opérations par lesquelles s'exprime l'univers des choses sensibles et des concepts. Mais en même temps, les langues accompagnent les groupes humains. Elles disparaissent avec eux ; ou au contraire, s'ils sont nombreux et prompts à se répandre au-delà de leur milieu d'origine, elles se diffusent, dans leur sillage, sur de vastes territoires. C'est donc de ceux qui les parlent qu'elles tirent leurs principes de vie et leur aptitude à accroître leur champ d'usage.

Pourtant, les langues sont aussi une des sources essentielles de la force vitale qui anime les communautés humaines. Aucune des propriétés définissant ce qui est humain ne possède au même degré que les langues le pouvoir de fournir à l'individu les bases de son insertion dans une société, c'est-à-dire, sur un autre plan que son enveloppe biologique et sa structure mentale, les bases mêmes de sa vie. Cette puissance vitale des langues apparaît sur deux points avec une clarté particulière : d'une part à travers l'énigme de l'enfant sauvage, d'autre part dans la relation des langues avec l'infini.

L'ÉNIGME DE L'ENFANT SAUVAGE

Il s'agit d'une expérience aussi révélatrice que consternante. On connaît, notamment, l'histoire de Kaspar Hauser. Ayant grandi entièrement seul dans un grenier puis au sein d'une forêt, sans avoir jamais eu le moindre contact humain jusqu'à l'âge de 18 ans environ, il apparaît vers 1828 à Nuremberg, où le criminaliste Feuerbach le recueille et devient son tuteur, jusqu'en 1833, date de son mystérieux assassinat, dont on ne réussit pas à identifier l'auteur ni à éclaircir les circonstances (cf. Blikstein 1995). Comme le montre le film que le cinéaste Werner Herzog réalisa en 1974, Kaspar Hauser, en dépit du dévouement de son tuteur, qui s'efforçait de lui apprendre à parler en lui enseignant l'allemand, ne parvint jamais à produire quelque son que ce fût qui ressemblât à une langue humaine. Il manifestait pourtant un désir ardent de parler, et multipliait les tentatives. Faute de pouvoir communiquer par le langage, il demeura radicalement étranger, durant son bref passage par les formes humaines de la vie, à tout ce qui l'entourait. Il scrutait fixement et longuement les visages, les objets, les lieux, il faisait des gestes et esquissait des mouvements que personne n'avait jamais utilisés ni observés, et qui paraissaient obéir à une série de logiques tout aussi insolites. Un jour, il fond en larmes au cours d'une réception, puis se retire soudain dans un coin d'ombre, où il se met à tricoter fébrilement. Tout, dans son comportement, semble indiquer la détresse de ne pouvoir se servir de la langue, et l'effort, tout à fait vain, pour compenser cette infirmité. Privé de langage, il apparaît comme environné de mort, et ses tentatives pour s'emparer de la parole, parce qu'elles échouent toutes, l'éloignent toutes, et toujours davantage, de la vie. Tant il est vrai que les langues en sont l'image et le principe. Est-il besoin de rappeler que l'enfant normalement alimenté, mais à qui personne ne parle jamais, ne survit pas longtemps, le plus souvent ?

LES LANGUES, REFLETS DE L'INFINI

Ce qui manque à Kaspar Hauser, ce n'est pas la faculté de langage elle-même. Tout humain naît avec elle, et le code génétique de l'enfant sauvage ne fait pas exception. Mais si des circonstances exceptionnelles ont empêché que la faculté de langage ne se résolve en langue, alors la possibilité de vivre est gravement compromise. Car les langues introduisent à la vie, non pas seulement parce qu'elles font accéder au champ social, mais aussi parce qu'elles sont elles-mêmes la manifestation de la vie.

La langue nourrit celui qui la parle, tout comme lui permet de vivre l'air qu'il respire. La langue procure même des talismans de survie. Ainsi, on rapporte que chez les Angmassalik, une population eskimo du sud-ouest du Groenland, certains vieillards, au seuil de la disparition, changent de patronyme. Par ce moyen, ils entendent demeurer hors d'atteinte de la mort. En effet, celle-ci, ne pouvant les identifier par leur nom usuel, ne saura donc pas où les trouver. Ainsi, pour eux, se dissimuler sous un pseudonyme, comme la langue nous permet de le faire, c'est prolonger sa vie.

Mais en deçà même de ces subterfuges, et de toutes les astuces que l'homme déploie en se servant des mots pour jouer des tours à la mort, l'existence des langues est un moyen très simple, et universel, de tromper le néant. Car ce sont les langues qui permettent l'Histoire, l'évocation des disparus par le discours public ou privé, la mention qui redonne corps à la poussière, la « résurrection du passé intégral », dans laquelle Michelet voulait voir sa mission. Aucune espèce animale ne possède de moyen d'évoquer son passé, à supposer que certaines ne soient pas dépourvues de mémoire, ou au moins de souvenirs. Ce sont les hommes qui font l'histoire des animaux, dans des ouvrages de paléontologie où leur langue leur permet de raconter un passé vertigineux.

Les langues changent, s'adaptent, s'appauvrissent, s'enrichissent. De la vie, elles ont les traits inattendus, les chatoiements, les pièges, la diversité. De la vie, elles ont l'instinct obstiné de continuité, puisque, même si elles meurent individuellement, elles ne cessent pas d'exister en tant qu'ensemble, réalisant en acte l'aptitude au langage, cette propriété définitoire par laquelle une seule espèce animale est devenue différente de toutes. Pourtant, il ne manque pas d'autres moyens pour communiquer, et l'époque contemporaine accroît encore leur foisonnement et leur efficacité. En se perpétuant, en continuant de lancer un défi à la mort même à travers de lourdes pertes (v. la IIᵉ partie), les langues nous proposent un modèle d'immortalité. Âmes sans bornes et sans contours, les langues sont des reflets de l'infini.

Langues artificielles et langues à pulsation de vie

UN RÊVE ANTIQUE : DÉFIER BABEL

Aussi vieux que les plus antiques civilisations, un rêve habite certains esprits, celui d'une langue auxiliaire artificielle, moyen unique et mondial de communication. Ceux qui n'admettent pas la domination d'une langue existante, ni l'impérialisme qui en est la suite ordinaire, considèrent l'espéranto comme un choix raisonnable. Si ce choix devenait une réalité, il n'y aurait pas de raison théorique de s'y opposer. Cela dit, une langue inventée a-t-elle la même puissance symbolique qu'une langue naturelle, est-elle également pourvoyeuse de vie ? Si l'hébreu moderne a pu cimenter l'union de tous les Juifs de la diaspora, c'est dans une large mesure parce que, bien qu'en partie artificiel, il a été reconstitué à partir d'états de langues absolument réels (cf. chapitre x), dont chacun avait pour les locuteurs une signification historique et culturelle considérable. L'inspiration de Zamenhof, lorsqu'il inventa l'espéranto, était d'un autre ordre (cf. p. 329).

LES LANGUES NATURELLES
COMME DÉPÔT DE LA VIE

Les langues contiennent notre histoire

Les langues ne permettent pas seulement de parler ou d'écrire pour retracer notre histoire bien au-delà de notre anéantissement physique. Elles la contiennent. Tout philologue, ou tout homme curieux des langues, sait qu'il s'y dépose des trésors qui racontent l'évolution des sociétés et les aventures des individus. Les expressions idiomatiques, les mots composés ont un passé, qui met en scène des personnages vivants. L'histoire des mots reflète celle des idées (cf. chapitre IV). Si les sociétés ne meurent pas, ce n'est pas seulement parce qu'elles ont des historiens, ou des annalistes ou narrateurs officiels. C'est aussi parce qu'elles ont des langues, et sont racontées par ces dernières.

Les langues, traces de mémoire et témoins de vie : propos d'un amoureux

Dans un recueil de réflexions et de récits composés durant le premier tiers du XXᵉ siècle et récemment réédités, un grand écrivain hongrois, très attaché à sa langue comme bien d'autres intellectuels de son pays, écrivait ces lignes, sous le titre « Les langues artificielles » et à propos de ces dernières (Dezső Kosztolányi 1996, 143-144) :

> « Issues des laboratoires de la raison, elles ont le caractère durable de la manchette de chemise en celluloïd [...]. Elles ne se fanent jamais. Mais elles sont inodores et incolores [...]. Or, ce qui fait le charme des langues, c'est leur aspect humain. Des générations entières y ont laissé la trace de leur vie [...]. Les mots sont des reliques, sanctifiées par la souffrance et défigurées par la passion. Les règles d'autrefois sont devenues exceptions et de superbes métaphores sont nées de simples malentendus. Les langues sont des trésors millénaires où sont déposés nos souvenirs familiaux [...]. En revanche, les langues artificielles sont dépourvues de mémoire, ne prenant racine ni dans l'espace ni dans le temps. Elles ne retiennent pas les accents régionaux. Elles ignorent les variétés régionales, et [...] n'ont d'autres traditions que celles qui découlent des lois de la raison. Impossible de les parler avec des fautes [...]. Comment, dans ces langues que le sentiment n'a jamais façonnées, s'exprimeraient un huissier ivre du XVIIᵉ siècle, un jeune dandy d'aujourd'hui ou un vieux monsieur compassé [...] ? »

Dans le même ouvrage, sous le titre « De l'infinie douceur de la langue maternelle », l'auteur écrivait (Dezső Kosztolányi 1996, 147-148) :

> « Depuis 1879, date à laquelle Marton Schleyer accoucha de son volapük, les langues artificielles font florès. De nobles rêveurs travaillent nuit et jour à mettre fin à la

confusion babélienne des langues, laquelle, malgré ses graves inconvénients, ne manque pas, comme la vie elle-même, d'un certain charme stimulant. Il est certes émouvant de voir la raison finie de l'homme engager un combat titanesque pour soumettre à ses lois cette âme infinie qu'est la langue [...]. Les langues artificielles nous permettent d'indiquer notre domicile, notre profession ou l'état de notre compte bancaire, mais se révèlent à peu près impuissantes pour caractériser [...] la berceuse que chantait notre mère ou le sourire qu'esquisse, en nous quittant dans la rue, la femme que nous aimons. Bref, elles peuvent dire tout ce qui ne mérite pas de l'être [...]. Depuis que le monde est monde, nos doigts nous servent – aussi – à compter, et la tête inclinée, reposant sur les mains, signifie partout qu'on a sommeil [...]. Or les langues auxiliaires ne disent rien de plus. En outre, pour le dire, privées de la chaleur [...] de la vie, elles se voient contraintes de multiplier les moyens qu'elles mettent en œuvre [...]. Ceux qui s'amusent à prédire l'avenir [...] se plaisent actuellement à répéter que [...] les langues nationales sont vouées à disparaître, devant laisser un jour la place à une langue universelle unique [...] ; il est significatif de voir une telle idée surgir précisément en ce siècle adorateur de la machine et négateur de la personnalité [...]. Destinée à être à tous, la langue universelle ne serait à personne [...]. Certes, je me suis résigné à disparaître un jour. Mais je n'accepte pas l'idée que ce fragment de ma spiritualité qu'est ma langue maternelle s'anéantisse à son tour et que, après ma mort, les mots auxquels j'ai prêté mon souffle [...] cessent de flotter au-dessus de ma tombe. Ils représentent la parole de l'âme, celle d'une continuité familiale qui défie la mort. »

Dans ces textes, où il n'est pas question de Zamenhof et de l'espéranto, l'appréciation portée sur les langues artificielles est en partie injuste et procède d'une information insuffisante. On ne sait si Dezső Kosztolányi a vraiment étudié de près une langue artificielle. Il n'est pas vrai, au moins si l'on songe à l'espéranto, qu'une langue artificielle soit un froid mécanisme produit par les lois de la pure raison. L'espéranto fut une œuvre de passion, animée par un puissant élan d'idéalisme. Il n'est pas vrai non plus qu'une langue artificielle ne permette de parler que de choses banales et soit inapte à l'expression des mouvements de l'âme. Il existe une poésie lyrique en espéranto, par exemple. En revanche, on peut comprendre quelle foi soulève ce Hongrois inspiré, pourquoi il voit dans les langues naturelles un trésor millénaire où est déposée la vie des générations par couches successives, et pourquoi il chante un hymne à l'idiome maternel comme souffle qui défie la mort. Tout cela rejoint le témoignage de ceux, nombreux, pour qui les langues, parce qu'elles conservent la trace de la vie, sont pourvoyeuses de vie. La sève qui nourrit puissamment les langues, et, à travers elles, ceux qui y puisent leur identité, est issue de racines enfouies dans une très profonde mémoire ; et c'est cet héritage, maintenu et enrichi au long de la durée, qui est un principe vital.

CHAPITRE II

Les langues, espèces vivantes

Le vitalisme en linguistique dans la seconde moitié du XIXe siècle

LES LANGUES COMME OBJETS DES SCIENCES NATURELLES

On peut considérer que si les langues sont pourvoyeuses de vie, comme on l'a vu au chapitre I, il est logique d'en induire qu'elles ont quelque chose à voir avec le monde des espèces vivantes. On a pris quelque distance, aujourd'hui, par rapport aux formulations vitalistes qui étaient courantes au XIXe siècle dans la pensée et les travaux des linguistes. Mais il est éclairant de relire ces travaux, même d'un œil critique. Car ils montrent combien les propriétés des langues rendent forte la tentation de les traiter comme des êtres naturels comparables à ceux qu'étudie la biologie.

Schleicher, de la botanique à la linguistique

C'est au nom d'A. Schleicher (1821-1868) qu'on associe, le plus souvent, la vision de la langue comme phéno-

mène relevant des sciences naturelles. Comme A. G. Haudricourt, savant français contemporain (disparu en 1996),
intéressé lui aussi par les traits qui, dans les langues, sug-
gèrent des regroupements en espèces, Schleicher était un
botaniste devenu linguiste. Sa pensée s'était façonnée dans
la fréquentation des œuvres des grands naturalistes du
XVIIIᵉ et du début du XIXᵉ siècle, essentiellement Linné,
inventeur de la taxinomie végétale, et Cuvier, fondateur
proclamé de l'anatomie comparée. Schleicher avait été
marqué ensuite, comme les autres linguistes de sa génération, par les travaux de F. Bopp, dont l'essai de 1816,
Sur le système de conjugaison du sanskrit comparé avec
ceux des langues grecque, latine, persane et germanique, est
considéré comme l'ouvrage fondateur de la grammaire
comparée.

F. Bopp et le principe de vie dans les langues

Dans son célèbre livre *Grammaire comparée du sans-*
krit, du zend, du latin, du lituanien, du vieux-slave, du
gotique et de l'allemand (1833), Bopp écrit : « Les langues
doivent être considérées comme des corps naturels, qui
sont construits selon des lois, et portent en leur sein un
principe de vie » ; et dans l'ouvrage reviennent constamment des expressions comme « physiologie du langage »
ou « anatomie linguistique ». En fait, cette manière de voir
remontait au XVIIIᵉ siècle, et par exemple à Leibniz, qui
avait étudié les langues sémitiques en termes de généalogie humaine, notamment à travers la notion de
« famille ».

VITALISME LINGUISTIQUE ET TRANSFORMISME, OU LE DARWINISME ET LES LANGUES

Un accord en apparence

Cette conception vitaliste de la langue est antérieure, chez Schleicher, qui l'hérite ainsi de Bopp, à la lecture qu'il fit du grand livre de C. Darwin, *The Origin of Species* (1859). Les idées de Darwin systématisaient un courant transformiste alors présent chez plusieurs savants, dont E. Haeckel, le naturaliste auquel on attribue l'établissement d'un parallélisme entre l'évolution des êtres (ontogenèse) et celle des espèces (phylogenèse) (cf. Hagège 1985, 31 s.). Celui qui attira l'attention de Schleicher sur *The Origin of Species* fut justement Haeckel, qui lui était lié par une amitié nourrie d'influences réciproques, les mêmes qui s'exerçaient à cette époque entre la biologie, notamment végétale, et la linguistique.

Schleicher, lorsqu'il prit connaissance du livre de Darwin, était en train de composer son ouvrage principal, *Abrégé de la grammaire comparée des langues indo-germaniques* (1861), qui systématise et vulgarise ce qui avait été accompli dans ce domaine, surtout par F. Bopp, R. Rask, J. Grimm et W. von Humboldt. Un an après l'ouvrage de Schleicher paraît *On the Geological Evidence of the Antiquity of Man*, de C. Lyell, fondateur de la géologie moderne, lequel avait exercé une certaine influence sur Darwin (cf. Jacquesson 1998, 121). Ce livre contient un chapitre intitulé « Comparaison de l'origine et du développement des langues avec ceux des espèces » (cf. ici p. 64), qui applique aux langues la sélection naturelle des transformistes. En 1863, Schleicher fait paraître une lettre publique à Haeckel, intitulée « La théorie darwinienne et la linguistique », où on peut lire le passage suivant :

« Les langues sont des organismes naturels qui [...] naissent, croissent, se développent, vieillissent et meurent ; elles manifestent donc, elles aussi, cette série de phénomènes qu'on comprend habituellement sous le nom de vie. La [...] science du langage est par suite une science naturelle, sa méthode est d'une manière générale la même que celle des autres sciences naturelles. Aussi l'étude du livre de Darwin [...] ne m'a-t-elle pas paru m'écarter trop de mes positions. »

De fait, Darwin lui-même, dans un passage où il désirait rendre son propos plus clair à des lecteurs moins informés des classifications zoologiques que des faits linguistiques familiers, s'appuyait sur la généalogie des langues telle qu'elle était établie depuis Bopp. Schleicher rappelle qu'il a toujours cru à la gradualité des changements dans les langues, tout comme Darwin en ce qui concerne les espèces vivantes.

En réalité, un malentendu. La sélection naturelle

En notant, dans l'ouvrage de Darwin, des idées évolutionnistes qui lui paraissaient être déjà courantes parmi les spécialistes des sciences de la nature, Schleicher méconnaissait le point central sur lequel *The Origin of Species* apportait une nouveauté remarquable, à savoir la notion de sélection naturelle (cf. Jacquesson 1998, 122). Schleicher ne voulait retenir dans les langues que leur propriété d'être des espèces vivantes, comme celles de la nature. Il niait qu'elles fussent aussi des faits sociaux. Dès lors, il voyait dans la science des langues, qu'il appelait la *glottique*, non pas une science humaine, mais bien une science naturelle. Or, lorsqu'on entreprend de transposer en linguistique la découverte de Darwin, on s'aperçoit que la sélection naturelle, à condition de la concevoir en termes économiques et sociaux, peut être interprétée comme un moteur des évolutions qui marquent le destin des langues. C'est ce qui apparaîtra plus loin (cf. p. 135).

Les langues et la lutte pour la vie

La lutte pour la vie telle que la concevait Darwin en zoologie peut être transposée dans les sciences humaines, et singulièrement en linguistique. Tout comme les animaux et les plantes, les langues sont en concurrence pour se maintenir vivantes, et n'y parviennent que l'une aux dépens de l'autre. La domination des unes sur les autres et l'état de précarité auquel sont conduites les langues dominées s'expliquent par l'insuffisance des moyens dont elles disposent pour résister à la pression des langues dominantes. C'est ce que l'on verra plus en détail dans la deuxième partie du livre.

L'oubli de la dimension historique des langues

Schleicher, assez curieusement, rejette hors de l'étude des langues la dimension historique. Il distingue nettement la glottique de la philologie, écrivant que contrairement à cette dernière, « la science linguistique [...] n'a rien d'une discipline historique, et relève de l'histoire naturelle » (1860, 119). C'est dire que pour lui, seule l'histoire des sociétés humaines est de l'histoire, celle des espèces naturelles n'en étant pas une, bien qu'elle soit appelée ainsi ! L'histoire des langues est séparée par lui de celle des hommes, ce qui prive la première de bien des explications que fournit la seconde. Ainsi, une théorie qui voit dans les langues humaines des objets vivants dont l'étude relève des sciences naturelles en vient à retenir surtout l'aspect mécanique de cette vie. Pourtant, Schleicher, d'une manière contradictoire, insistait aussi sur un aspect clairement historique des langues. Mais, comme on va le voir, il le faisait en imaginant une certaine orientation.

LA VIE DES LANGUES EN TANT QU'ÉVOLUTION
SELON UN AXE ORIENTÉ

Les trois types de langues chez les linguistes allemands de la première moitié du XIXᵉ siècle : langues isolantes, langues agglutinantes et langues flexionnelles

Schleicher a popularisé la fameuse typologie qui, des frères Schlegel (1808 et 1818) à Pott (1849) en passant par Bopp (1833) et Humboldt (1836), répartissait les langues en trois catégories : celles où les mots sont invariables et indépendants les uns des autres (langues isolantes, comme le chinois), celles où ils sont constitués d'une racine et d'affixes identifiables (langues agglutinantes, comme le turc), et celles où ils sont faits de racines modifiées par combinaison avec des éléments plus ou moins amalgamés à elles et entre eux (langues flexionnelles, comme celles de la famille indo-européenne).

L'interprétation « évolutionniste »

Schleicher ne s'est pas contenté de donner à cette typologie, dans son livre de 1861, une importante audience. Systématisant une idéologie évolutionniste dont on vient de voir qu'elle a précédé Darwin, Schleicher voyait dans les langues isolantes celles des âges primitifs de l'humanité, dans les agglutinantes l'esquisse d'un progrès, et dans les flexionnelles, qu'il situait au sommet de l'évolution, les seules qui permettent le développement d'une pensée raffinée. Cette vision est depuis longtemps abandonnée aujourd'hui. Pour ne mentionner qu'un argument, le chinois n'est certainement pas la langue d'un peuple primitif ; et par ailleurs, les témoignages anciens que l'on possède laissent penser que le chinois a d'abord été flexionnel, et que ses propriétés isolantes sont le résultat d'un changement étalé sur plusieurs millénaires. Il est également impossible de ratifier des jugements comme celui-ci, à propos d'une autre famille :

> « Les tribus indiennes d'Amérique du Nord [...] sont inaptes à la vie historique à cause de leurs langues aux complications sans fin [...], hérissées de formes surabondantes ; elles ne peuvent connaître que la régression, et même l'extinction » (Schleicher 1865).

On verra au chapitre VII que les causes de l'extinction des langues amérindiennes ont peu à voir avec leur structure interne, et qu'il en est de même, au reste, pour n'importe quelle langue.

Ainsi, il ne manque pas de dérives ni de systématisations pesantes dans la pensée de Schleicher. Mais tout cela n'invalide pas l'inspiration vitaliste qui la nourrit. À condition d'éviter les incohérences et les *a priori*, il n'est pas du tout illégitime de traiter les langues comme des êtres vivants, même si on a quelque peine, aujourd'hui, à ratifier les naïvetés d'une théorie qui ne veut y voir que des espèces relevant des sciences de la nature. Or il va apparaître ci-dessous que les vues de Schleicher sur les langues et la vie ont reçu chez ses successeurs une nouvelle orientation.

La vie des langues, parallèle à celle des sociétés humaines. L'héritage de Schleicher assorti d'une composante anthropologique

L'ENSEIGNEMENT DE H.-J. CHAVÉE

Les théories naturalistes des langues ont continué de fleurir après la disparition de Schleicher. Ses disciples publiaient déjà de son vivant. L'un des principaux, H.-J. Chavée, né à Namur, fut lui aussi, dans sa jeunesse, un botaniste passionné. Il assura la promotion de l'œuvre de Schleicher à Bruxelles, puis à Paris, où il commença d'enseigner ce qu'il appelait la *lexiologie*, ou science de la formation des mots, en l'illustrant d'exemples indo-européens, destinés à montrer que les mots sont des êtres vivants. Il fréquentait les anthropologues, et croyait à l'évolution parallèle des langues et des communautés humaines, animées les unes et les autres d'un même élan vital, comme il tentait de le montrer dans son livre de 1862, intitulé, selon la terminologie alors courante, *Les Langues et les races*. Son inspiration se reflète clairement dans le sous-titre de la *Revue de linguistique et de philologie comparée*, qu'il fonda en 1867, à savoir « Recueil trimestriel de documents pour servir à la science positive des langues, à l'ethnologie, à la mythologie et à l'histoire ». Pour ce périodique, qui ouvrait sa théorie aux préoccupations philologiques écartées par Schleicher, ainsi qu'aux sciences humaines, dont ce dernier se souciait peu, Chavée s'assura le concours de disciples enthousiastes.

Pour les membres de ce groupe, chaque mot d'une langue possède deux vies, l'une phonétique et matérielle, l'autre sémantique et intellectuelle. Le foisonnement vital des langues est inscrit dès l'origine de leur destin. Les langues sont des organismes naturels, comme l'enseignait Schleicher, mais elles sont en outre les reflets des « races » qui les ont spontanément créées, et l'histoire naturelle des langues est parallèle à l'histoire naturelle desdites races. Les langues sont des systèmes polygénétiques, c'est-à-dire qu'elles sont nées différentes, et non d'une même souche.

A. HOVELACQUE ET LES LANGUES COMME ENTITÉS VIVANTES À RECONSTITUER DEPUIS LA PRÉHISTOIRE

La visée anthropologique

Lecteur de Schleicher et disciple de Chavée, auprès duquel il avait appris la linguistique générale et quelques langues slaves et orientales, Hovelacque succéda à son maître comme directeur de la *Revue* mentionnée ci-dessus, et fonda en 1876 avec P. Broca l'École d'anthropologie (cf. Desmet et Swiggers 1993). Le courant naturaliste dont il est le principal représentant en France dans la seconde moitié du XIXᵉ siècle se réclame du matérialisme scientifique, qui guida aussi l'action politique d'Hovelacque (inscrit au groupe socialiste, et deux fois élu député du XIIIᵉ arrondissement de Paris, ce qui, bien davantage que sa notoriété de chercheur, à peu près nulle aujourd'hui (même, semble-t-il, parmi les linguistes), explique qu'une rue proche de la mairie de cet arrondissement porte son nom). Les linguistes qu'il réunit autour de lui, dont J. Vinson, spécialiste connu du tamoul, voyaient dans les langues des entités vivantes, dont il faut étudier les stades les plus antiques, et notamment la formation préhistorique, ainsi que la relation avec les races. Néanmoins, Hovelacque demeure plus réservé que Chavée et Broca sur le parallélisme entre races et langues (cf. N. Dias et B. Rupp-Eisenreich, dans Auroux 2000, 293).

Le problème de l'origine des langues et les interdits de la Société de linguistique de Paris

Deux ans seulement avant la fondation de la *Revue de linguistique et de philologie comparée*, soit en 1865, avait été fondée la Société de linguistique de Paris. On sait (cf. Leroy 1985, 219) que Chavée ne prit aucune part à ses activités. Certes, sa revue ne se posait pas explicitement en rivale du *Bulletin de la Société de linguistique de Paris*, créé presque en même temps : elle n'en eut pas la longévité, puisqu'il existe toujours, et qu'elle cessa de paraître en 1916 ; elle n'en eut pas davantage l'audience : presque aucun historien de la linguistique ne fait mention de la *Revue* de Chavée, et la plupart des linguistes français d'aujourd'hui que l'on interroge ignorent son existence et celle des auteurs qui y écrivaient. Néanmoins, il apparaissait aux contemporains que les deux périodiques étaient à distinguer nettement, sinon à considérer comme adversaires. On le vit lorsque la Société de linguistique de Paris, s'organisant officiellement en 1866, décida, dans ses statuts, d'exclure toute communication concernant l'origine du langage, ainsi que la création d'une langue artificielle. La première exclusion visait les spéculations d'amateurs, alors florissantes, sur les origines diverses partout débusquées, notamment par ceux qu'habitait l'obsession celtomaniaque (cf. Decimo 1998). La seconde exclusion visait les inventeurs de langues, nombreux aussi à cette époque.

On a moins souvent remarqué que les fondateurs de la Société de linguistique de Paris souhaitaient aussi prendre leurs distances à l'égard des organicistes de l'école de Chavée et de leurs recherches anthropologiques. Tant il est vrai que lorsque l'on insiste sur la puissance vitale qui caractérise les langues humaines, on est conduit à s'interroger sur leur naissance, avec les risques scientifiques qu'implique une telle interrogation, alors que quand on s'en tient à l'étude des structures qui sous-tendent le fonctionnement des langues, on tend à reléguer dans l'inconnaissable le problème de leur genèse, en assumant le risque opposé de sécheresse et de visée courte.

Les limites du naturalisme : les facteurs sociaux et historiques comme constituants nécessaires de la vie des langues

Hovelacque et son école voyaient dans les langues des organismes vivants. Il ne semble pas qu'ils aient accordé d'attention à la distinction entre espèce et organisme, ni aperçu qu'il est plus exact de traiter les langues comme des espèces que comme des organismes, car leur vie et leur développement sont, tels ceux des espèces naturelles, étroitement dépendants de l'environnement, en fonction duquel elles connaissent des variations importantes (cf. Mufwene 1998, 28-30). Le caractère d'espèces vivantes que l'on peut assigner aux langues en implique deux autres, eux-mêmes reliés, et mis en évidence en biologie, comme je l'ai rappelé, par Darwin : la lutte pour la vie et la sélection naturelle. Si cette conception permet de revigorer le courant vitaliste, elle ne fait pas assez de place, cependant, aux facteurs sociaux, politiques et culturels. Hovelacque, bien qu'il ne leur assigne guère de rôle dans sa construction théorique, ne peut éviter de reconnaître leur importance dans les cas concrets qu'il mentionne. Il les cite, par exemple, expressément, à propos des raisons pour lesquelles l'arabe ne s'est pas implanté en Espagne au Moyen Âge, ni plus tard le turc dans les Balkans (cf. ici p. 153-154).

Les facteurs historiques, paradoxalement, ne sont pas non plus pris en considération, par l'école naturaliste, comme ils devraient l'être. Les disciples de Schleicher en viennent à être exclusivement comparatistes, à la manière des botanistes d'autrefois, examinant séparément et parallèlement, dans chacun des végétaux, les propriétés de leur croissance, sans se préoccuper de la reconstitution d'un tronc commun, c'est-à-dire, pour les linguistes, d'une langue d'origine à partir de laquelle s'expliqueraient les changements dans les divers idiomes qui en dérivent. Cette critique de l'école naturaliste est, notamment, celle que formule F. de Saussure dans son œuvre posthume fonda-trice, le *Cours de linguistique générale* (1916, 16-17). L'école des néogrammairiens, dont Saussure fut lui-même, au début de sa carrière (1878), un représentant génial, appor-tera la rigueur qui manquait aux naturalistes. Mais elle ne démentira pas leur intuition principale, celle de la vie bruissante qui traverse les langues à la manière d'une sève nourricière. Au contraire, elle lui fournira de nouvelles preuves, plus solides. Et un grand linguiste que Saussure estimait et citait, D. Whitney, montre, certes, qu'un vouloir collectif des groupes humains construit les langues, et qu'elles ne peuvent, en conséquence, être tenues pour de simples organismes naturels, mais écrit aussi (1867, II, 34-48), en caractérisant ce qu'est une langue, que « sa nais-sance, son développement, son déclin et son extinction sont comme [ceux] d'une créature vivante ».

La diversité des langues, symbole de la vie

Enfin, une propriété essentielle des langues doit être rappelée, que ne retiennent pas les écoles naturalistes, peut-être à cause de sa trop grande évidence, qui conduit à l'oublier. C'est leur diversité. Dans le monde du vivant, le foisonnement des espèces est une des images de la vie, qu'il s'agisse des insectes ou des graminées. La diversité des langues, surgissement torrentueux de la vie, est un motif d'émerveillement pour ceux qui n'ont pas peur de les apprendre, et aussi, on veut l'espérer, pour les linguistes eux-mêmes.

L'autre face de la vie

En dépit, ou plutôt en symétrique naturel, de ce souffle de vie qui traverse et anime les langues humaines, il existe un phénomène dont on a déjà rencontré la mention dans ce chapitre, et qui est impliqué par la notion même de vie. C'est le dépérissement et la mort. La mort est, dans le domaine du vivant, une partie de la vie, pourrait-on dire. Cela est vrai aussi dans le domaine des langues. Les linguistes organicistes qui recourent le plus volontiers aux termes biologiques pour parler de la vie des langues sont aussi ceux qui parlent, selon la même formulation, de leur mort. Hovelacque, par exemple, dit des langues :

> « Elles s'éteignent comme s'éteignent les nations et souvent les individus : elles périssent par la concurrence vitale, elles périssent dans une lutte malheureuse pour l'existence. C'est là un fait historique, c'est là un fait qui se passe sous nos yeux » (1877, cité dans Desmet et Swiggers, 142).

Mais les langues périssent-elles totalement ? C'est à cette question que va répondre le chapitre suivant.

CHAPITRE III

La langue et la parole

L'opposition de la langue et de la parole dans les études linguistiques

AVANT LE DÉBUT DU XXᵉ SIÈCLE

Le but de ce chapitre n'est pas de procéder à un exposé didactique sur la manière dont les théories du langage traitent le problème de la mort des langues. Il ne s'agit pas non plus de céder aux complaisances de la quête des précurseurs. On rappellera une opposition, bien connue des historiens de la linguistique, que faisait Humboldt, en se servant de termes grecs, lorsqu'il soulignait que la langue est une *energeia* ou capacité créatrice et dynamique, par laquelle les humains produisent et interprètent des énoncés linguistiques, et non pas seulement un *ergon* ou pur résultat de cette capacité. On dit souvent que cette conception, à travers Haman, Herder et Condillac, devait quelque chose à... Aristote lui-même.

CHEZ F. DE SAUSSURE

Les définitions saussuriennes

Qu'il ait ou non été influencé par cet héritage, F. de Saussure (cf. p. 34) est largement original quand il propose la célèbre distinction de la langue et de la parole. En fait, l'une et l'autre participent de l'élan créateur de l'*energeia* humboldtienne, et il n'y a pas de réelle symétrie entre les deux auteurs sur ce point essentiel. Saussure définit la langue comme étant

> « à la fois un produit social de la faculté de langage et un ensemble de conventions nécessaires, adoptées par le corps social pour permettre l'exercice de cette faculté chez les individus » (1962, 25).

Plus loin, il précise que la langue

> « est un trésor déposé par la pratique de la parole dans les sujets appartenant à une même communauté, un système grammatical existant virtuellement dans chaque cerveau, ou plus exactement dans les cerveaux d'un ensemble d'individus ; car la langue n'est complète dans aucun, elle n'existe parfaitement que dans la masse » (*ibid.*, 30).

En revanche, quand il en vient à l'acte particulier à travers lequel le système de la langue se manifeste, Saussure souligne que cet acte ne saurait être accompli par l'ensemble des sujets parlants : pour lui,

> « l'exécution n'est jamais faite par la masse ; elle est toujours individuelle, et l'individu en est toujours le maître ; nous l'appellerons la *parole* » (*ibid.*, 30).

L'opposition conceptuelle ainsi proposée est fondamentale, et Saussure insiste sur ce qu'elle signifie :

> « En séparant la langue de la parole, on sépare du même coup : 1° ce qui est social de ce qui est individuel ; 2° ce qui

est essentiel de ce qui est accessoire, et plus ou moins accidentel.

La langue n'est pas une fonction du sujet parlant. Elle est le produit que l'individu enregistre passivement.

[...] La parole est au contraire un acte individuel de volonté et d'intelligence, dans lequel il convient de distinguer : 1° les combinaisons par lesquelles le sujet parlant utilise le code de la langue en vue d'exprimer sa pensée personnelle ; 2° le mécanisme psychophysique qui lui permet d'extérioriser ces combinaisons » (*ibid.*, 30-31).

On voit que si la langue est principe de vie en tant que système dynamique où se sont accumulées les constructions de mots et de phrases de nombreuses générations, en revanche, elle n'est rendue vivante, au sens littéral, que par l'activité de parole.

D'un ajustement terminologique

Le terme *parole* n'est peut-être pas le plus heureux. Certains linguistes lui ont préféré celui de *discours* (cf. Guillaume 1969, 28, 36, ou Buyssens 1970, 40), qui est plus souple et moins ambigu. Celui de *parole* évoque, entre autres sens, le flot sonore produit par le locuteur lorsqu'il ouvre la bouche, ce qui n'a rien à voir avec le propos de Saussure. Celui-ci, par ailleurs, a été servi par le hasard d'une opposition disponible en français mais moins évidente dans d'autres langues européennes. On le voit par la difficulté de traduire, dans plusieurs d'entre elles, le couple *langue/parole*. Certes, l'espagnol peut opposer *lengua* et *habla*, le russe *jazyk* et *reč'*, le hongrois *nyelv* et *beszéd*, mais en italien, *parola*, qui veut tout simplement dire « mot » beaucoup plus couramment que le français *parole*, ne s'oppose pas aussi clairement à *lingua* ; en anglais, le terme *language*, signifiant aussi bien, selon le contexte, « langage » que « langue », et n'ayant ce dernier sens d'une manière certaine que lorsqu'il est au pluriel, est ambigu, et *speech* l'est aussi, pouvant prendre les sens de « discours »,

« langage », etc. ; en allemand, il faut recourir à des composés que l'on façonne tout exprès pour exprimer le sens voulu : *Sprachgebilde* (« construction de langue ») et *Sprechakt* (« acte de parole ») ; en suédois, *språk* peut rendre *langue*, mais *tal* veut dire aussi bien « langage » que « parole », et il en est à peu près de même de leurs quasi-homonymes en danois et en norvégien.

Ainsi, les termes entre lesquels Saussure institue une opposition fondamentale ne reçoivent peut-être pas de noms tout à fait adéquats ni clairement traduisibles dans des langues familières. Il importe de rappeler l'histoire assez singulière du *Cours de linguistique générale*. Saussure, habité de doutes et conscient de la complexité profonde du langage comme objet d'un savoir scientifique, refusait d'écrire un ouvrage où il eût dû consigner sa pensée sous une forme trop rigide. Il fit à l'université de Genève, de 1907 à 1911, une série de cours lumineux, que certains de ses élèves et collègues décidèrent de publier en 1916, trois ans après sa mort. L'ouvrage qui domine la linguistique moderne a donc été rédigé sur la base de notes d'étudiants, ce qui explique bien des incertitudes. Cela ne signifie pas que la notion de parole n'ait pas été longuement explorée par Saussure. Mais il n'eut pas le temps d'en examiner toutes les implications.

Pourtant, son intuition est féconde, et ouvre la voie à une meilleure compréhension de ce qu'il faut entendre par la vie des langues, et donc par leur mort. Mais pour cela, il convient de nuancer cette opposition, comme on va le voir.

Une opposition trop radicale

• Les apories d'un clivage abrupt

Un rapprochement que propose Saussure est emprunté au domaine musical. On lit dans le *Cours* (p. 36) :

> « [...] on peut comparer la langue à une symphonie, dont la réalité est indépendante de la manière dont on l'exécute ; les fautes que peuvent commettre les musiciens qui la jouent ne compromettent nullement cette réalité. »

Par souci pédagogique, Saussure, si du moins le texte du *Cours* reproduit fidèlement tout son propos, recourait fréquemment à des comparaisons. Mais comparer n'est pas sans risques, et ici, l'opposition entre langue et parole paraît trop forte. Pris dans la logique de cette opposition, Saussure en vient à des conclusions qui l'embarrassent lui-même, comme il apparaît à propos de la phrase. « Jusqu'à quel point appartient-elle à la langue ? », se demande-t-il, pour ajouter ensuite : « Si elle relève de la parole, elle ne saurait passer pour l'unité linguistique » (1972, 148) ; dans un autre passage, il tranche en ces termes : « La phrase [...] appartient à la parole, non à la langue » (1972, 172).

Saussure veut dire, probablement, que la langue contient non pas des phrases, mais les règles de leurs constructions. À quoi bon, pourtant, ce clivage ? Pourrait-on énoncer des phrases si on ne possédait pas le système grammatical qui les ordonne et les unités lexicales dont elles sont faites, c'est-à-dire tout ce qui appartient à la langue ? En outre, on peut considérer qu'il existe dans la langue, en termes de structure, des familles de phrases, comme il existe des familles de mots. L'exercice de la parole est la manifestation concrète des structures, dont la langue est le siège.

• Les passerelles de la langue vers la parole

Toutes les langues possèdent des outils qui ont pour effet d'actualiser le système, c'est-à-dire de le faire passer dans l'acte de parole. Ainsi, les démonstratifs actualisent les noms, et les temps actualisent les verbes. On peut en donner des exemples empruntés à un épigone de Saussure, C. Bally, qui fut son successeur sur la chaire de linguistique de l'université de Genève : le concept virtuel de « livre », déposé dans la langue, s'actualise dans la parole si l'on emploie le démonstratif *ce*, d'où *ce livre*, qui réfère à un livre concret, présent, au moment où l'on parle, dans la situation ou dans le contexte antécédent ; parallèlement, le concept de « régner », virtuel en soi, s'actualise si l'on dit *(il) régnait*, formule référant à un règne concret localisé dans le passé (cf. Bally 1965, 82-83). La langue est impliquée par la parole et, d'une certaine manière, lui préexiste, puisque c'est la langue qui fournit les outils d'actualisation. Mais inversement, ce sont ces outils qui permettent à la langue de ne pas rester une simple possibilité, définie par la virtualité des concepts. Il faut rappeler, en outre, que sur un tout autre plan que le plan statique auquel on s'en tient ici, à savoir du point de vue génétique, la parole a logiquement précédé la langue, puisqu'il a bien fallu, pour nos ancêtres, proférer d'abord des embryons sonores de communication, pour que l'ensemble, au bout d'une très longue période, s'organisât en un système.

La reconnaissance d'un conditionnement réciproque

En dépit du clivage abrupt qu'il propose, le *Cours* de Saussure ne méconnaît pas l'importance du conditionnement réciproque entre langue et parole. S'il est vrai que la langue est supposée par la parole, en revanche celle-ci possède une priorité sur deux plans : celui de l'apprentissage et celui de l'évolution :

> « [...] c'est en entendant les autres que nous apprenons notre langue maternelle ; elle n'arrive à se déposer dans notre cerveau qu'à la suite d'innombrables expériences. Enfin, c'est la parole qui fait évoluer la langue : ce sont les impressions reçues en entendant les autres qui modifient nos habitudes linguistiques. Il y a donc interdépendance de la langue et de la parole ; celle-là est à la fois l'instrument et le produit de celle-ci » (1962, 37).

Ces considérations renforcent encore l'idée d'un lien de conditionnement réciproque entre langue et parole, tel qu'on le mettait en évidence plus haut en rappelant que la parole fait passer la langue de la virtualité d'un système à la réalité d'un acte. Cela ne signifie pas que la langue, parce qu'elle est une virtualité, soit une abstraction. Les signes linguistiques que sont les mots, ainsi que leurs associations, sont des réalités, que ratifie la communauté parlant une langue donnée, et dont on peut considérer qu'elles ont leur siège dans le cerveau, en attendant les études fines de neurophysiologie linguistique qui pourraient un jour révéler le détail et le fonctionnement de ces connexions.

La notion de langue morte à la lumière de l'opposition entre langue et parole : les langues mortes, structures sans voix, mais non sans existence

Dans ce chapitre, c'est pour une raison précise que j'ai rappelé, et réexaminé, l'intuition saussurienne d'une distinction entre langue et parole. Cette raison est que l'on peut tirer de Saussure un enseignement primordial pour le sujet du présent livre.

DISPARITION DE LA PAROLE N'EST PAS MORT DE LA LANGUE

À propos de deux faits frappants

Deux faits méritent de retenir l'attention. D'une part, si un homme, à la suite d'un accident quelconque, est privé de l'usage de la parole, il conserve, néanmoins, la langue tant qu'il entend les sons et qu'il en comprend le sens. D'autre part et surtout, les langues dites « mortes » ne sont plus parlées, mais cela ne signifie nullement qu'on ne puisse pas apprendre leur grammaire et même leur phonétique, c'est-à-dire les assimiler en tant qu'organismes, comme on le fait pour toute langue vivante.

Vivre et exister : deux situations distinctes

L'enseignement qu'on peut tirer des deux faits que je viens de rappeler est important. L'étroite relation entre parole et langue vaut pour les langues qui sont vivantes, mais elle n'a pas pour conséquence qu'une langue qui n'est plus parlée cesse, pour autant, d'exister. Être vivant et exister, ce sont là deux notions, et deux situations, qu'on ne saurait confondre. Ainsi, la distinction de la langue comme système et de la parole comme activité nous conduit à cette conclusion essentielle : une langue dite morte n'est autre chose qu'une langue qui a perdu, si l'on ose ainsi dire, l'usage de la parole. Mais on n'est pas en droit de dire qu'elle soit morte comme le serait un animal ou un végétal, quel qu'il soit. C'est ici que les métaphores trouvent leur limite. Car une langue morte continue d'exister.

LES LANGUES, ESPÈCES IMMORTELLES

On a vu, au chapitre II, que les formulations vitalistes dans les sciences du langage sont une tentation très ancienne. De là l'application qui est faite, aux langues, des notions de vie, de mort, d'évolution, etc. Mais les langues possèdent une propriété tout à fait singulière, comme on vient de le voir : celle d'être des systèmes virtuels qui, certes, passent à l'état d'actes dès qu'ils sont mis en paroles, mais qui, cependant, n'ont pas besoin d'être mis en paroles pour exister. Aucune des espèces vivantes n'a cette double nature. La vie, pour n'importe laquelle d'entre elles, est un tout, donné ou annulé comme tel. C'est pourquoi la mort, pour elles toutes, est absolument sans rémission. C'est, certes, l'épilogue naturel de la vie, et comme un anéantissement annoncé, inscrit dans le programme génétique, donc dans la définition même. Mais on ne revient pas de la mort. Un mort ne peut regagner les rivages de la vie comme on rentre d'un voyage ou s'éveille d'un songe.

Au contraire, il « suffit » qu'une langue disparue soit de nouveau parlée, pour qu'elle cesse d'être morte. La mort d'une langue n'est que celle de la parole. Les langues en tant que systèmes de règles ne sont donc pas mortelles, bien qu'elles n'aient pas de vie par elles-mêmes, et ne vivent que si des communautés les mettent en parole(s). Cela ne signifie pas qu'il soit facile de ressusciter une langue, c'est-à-dire de lui rendre la parole. C'est au contraire une entreprise d'une immense difficulté. Mais il apparaîtra au chapitre x qu'un groupe d'individus résolus a réussi, pour une langue particulière, à relever ce défi. Il y a plus : cette langue était morte depuis des temps très anciens. Qu'en conclure, sinon que la mort des langues n'est pas la fin de tout espoir de les faire revivre ?

CHAPITRE IV

Les mots et la lutte pour la vie

Pourquoi les mots sont-ils mortels ?

Les mots meurent. « Pourquoi ? », dira-t-on. On pourrait, tout aussi bien, se demander pourquoi ils ne devraient pas être mortels. Ils ont de nombreuses raisons de ne pouvoir vivre sans limites. Ici, j'examinerai les quatre principales. Les deux premières concernent la disparition des mots eux-mêmes, les deux dernières, celle de leur(s) sens, remplacé(s) par un ou plusieurs autres.

UNE CAUSE DE LA MORT DES MOTS :
LES CHANGEMENTS ÉCONOMIQUES ET SOCIAUX

Les changements de la société et des relations économiques ne peuvent laisser le lexique intact. Car les mots reflètent les cultures et les idées. Pour me limiter à un cas précis, et donc plus propre à illustrer d'une manière simple le phénomène dont il s'agit, j'examinerai le vocabulaire français durant la période qui s'étend entre 1900 et 1960.

Les transformations des techniques et de la vie

Que se produit-il entre ces deux dates (cf. Dubois 1962) ? L'électricité et le moteur à explosion, pour ne mentionner que ces phénomènes, transforment profondément, en devenant des forces de production essentielles, les modes de vie et les techniques de masse, à travers l'automobile, l'avion, la radio, la télévision, etc. Le capitalisme industriel entraîne d'importantes concentrations urbaines. Les petits artisans et les métiers traditionnels doivent affronter la concurrence d'entreprises vastes et complexes. Les professions se diversifient et se spécialisent fortement, multipliant dans la vie quotidienne les objets nouveaux. Les moyens d'information et la publicité, dont la puissance ne cesse de croître, font écho avec rapidité aux changements techniques et sociaux, ainsi qu'aux idéologies politiques, ce qui leur permet d'exercer une pression de plus en plus forte sur la population. Le développement des villes conduit à l'extension d'un secteur tertiaire investi dans les services. Les besoins économiques tendent à impliquer l'ensemble du pays, et non plus des entités régionales différenciées. La centralisation du pouvoir politique s'accentue, reflétée, notamment, par la place grandissante de ses organes sociaux et fiscaux. L'instruction gagne de nouvelles portions de la société. La science accélère fortement son mouvement de vulgarisation.

Les répercussions sur le vocabulaire

Il n'est pas difficile d'imaginer les conséquences que peuvent produire sur le lexique toutes ces transformations, qu'il s'agisse des marques imprimées par les idéologies sur le vocabulaire courant, du reflet du jargon publicitaire sur l'usage parlé (cf. sur ce point, et pour une époque plus récente, Berthelot-Guiet 1997), de l'effet d'unification qu'exerce sur la langue commune la centralisation, ou du processus par lequel les termes techniques se banalisent en mots quotidiens.

• De quelques mises au tombeau

Ne pouvant, évidemment, traiter ici l'ensemble, ni même une partie, d'un aussi vaste domaine, je rappellerai seulement les conséquences que les bouleversements rappelés plus haut ont eues sur le sort de certains suffixes français, qui sont depuis longtemps d'importants éléments de formation des mots dont la langue a besoin. Considérons les suffixes *-ard*, *-oir*, *-on* et *-ure*, qui servent à former des noms d'instruments pour les trois premiers, et pour le dernier, des noms indiquant le résultat d'une opération technique ou d'un événement. Entre les éditions 1949 et 1961 du *Petit Larousse*, les disparitions sont particulièrement nombreuses (cf. Dubois 1962, 60). Ne figurent plus dans la deuxième édition les mots suivants, pour ne retenir qu'un petit nombre des victimes du « progrès » : *boitard, fingard, meulard, affenoir, clysoir, ébourroir, linçoir, moletoir, accoinçon, écoinçon, étoupillon, lanceron, trésillon, acérure, avalure, empatture, limure, ténure*, etc.

• Les causes morphologiques

La morphologie d'une langue est un système dont les éléments sont reliés par une certaine cohésion. On ne saurait donc oublier les causes proprement linguistiques de la fossilisation de tant de vocables, pourtant méritants. Les dérivés entretiennent avec leur base, qu'ils élargissent par un suffixe, un rapport de motivation. Pour peu que le dérivé cesse d'être interprété comme dépendant sémantiquement de sa base, la valeur d'emploi du suffixe se dissout. C'est ce qui s'est produit pour *écoinçon*, qui n'a plus été senti comme dérivé de *coin*, ainsi que pour *avalure*, terme d'hippiatrique ancienne, qui se référait à une altération du sabot du cheval, due au détachement de la corne par rapport à la peau : *avalure* est un dérivé d'*avaler*, non au sens moderne de ce verbe, mais au sens ancien de « se détacher ». On peut encore citer *trésillon*, dont la base a disparu, en admettant que l'on puisse retrouver une origine verbale pour ce terme, qui désignait autrefois, en marine, une pièce de bois utilisée pour la ligature de deux cordages ; *trésillon* avait produit un verbe lui-même dérivé, *trésillonner*, attesté dans le *Dictionnaire* de Littré.

Bien d'autres termes que ceux qui portent les suffixes étudiés ici ont disparu pour cette même raison morphologique qu'est l'absence de leur base. Parmi eux, *affronterie*, qui, signalé dans la première édition du *Dictionnaire de l'Académie française* (1694), était dérivé du verbe *affronter*, dont le sens était « tromper » ; *affronterie* désignait donc un acte de tromperie, et même d'escroquerie ; mais *affronter* possédait déjà un deuxième sens, « braver », « se mesurer avec », et produisait pour ce sens un dérivé, *affrontement*. L'éviction du sens « tromper » entraîne celle du dérivé *affronterie*, d'autant plus qu'il se forme un champ lexical *effronté/effronterie*, qui s'oppose clairement à *affronter/affrontement*.

• Les causes économiques et sociales

Les faits qu'on vient de citer montrent que la langue organise et réorganise selon ses lois propres les champs lexicaux, et qu'on ne saurait négliger les facteurs internes. Cependant, l'exclusion de beaucoup de mots s'explique par le fait qu'ils correspondent à des réalités économiques et sociales dépassées, ou considérées comme telles dès que les rapports de production, les types de professions et les techniques ont changé.

UNE AUTRE CAUSE DE LA MORT DES MOTS :
LA LOI DU TABOU ET SES RAVAGES

Au cours de l'histoire des langues, et sous toutes les latitudes, de nombreux tabous frappent les mots. Un groupe humain choisit de ne pas proférer un mot, soit parce qu'il souhaite détourner les effets maléfiques qu'il provoquerait, pense-t-il, en le proférant (conduite d'évitement, ou apotropaïque, comme disent les érudits), soit parce qu'il décide de remplacer ce mot par un nom métaphorique et alliciant, afin de se concilier les puissances mauvaises par une antiphrase qui les présente comme bonnes (conduite propitiatoire).

Le tabou frappant les noms d'animaux

Le phénomène est clairement illustré par les noms d'animaux avec lesquels ont été en relation les chasseurs nomades des âges reculés. Ainsi, dans les langues des populations slaves, l'usage était, pour éviter de désigner l'ours par son nom réel, que toutes ces langues possédaient évidemment, de remplacer ce nom par une périphrase signifiant « mangeur de miel » (par exemple, en russe, *m'edv'ed'*). Il n'y avait pas, pour expliquer cette pratique lexicale, de cause externe : l'ours se rencontrait partout, et il s'agissait d'une espèce assez unifiée, ne comportant pas de variétés nombreuses ni accusées, qui fussent susceptibles de justifier plusieurs désignations. Il n'y avait pas davantage de cause interne aux langues : le nom indo-européen de l'ours, tel qu'on le trouve en sanskrit (*r̥kṣaḥ*), en grec (*arktos*, d'où vient l'adjectif français *arctique*), en latin (*ursus*), comporte un thème en *-o-* d'un type tout à fait courant, dissyllabique, donc ni trop bref ni trop long pour se maintenir (cf. Meillet 1958, 286) ; ainsi, ce nom n'avait aucune raison proprement linguistique de disparaître. À cela s'ajoute que l'on rencontre la même tabouisation chez d'autres populations du nord de l'Europe, Finlandais, Estoniens, Sames (« Lapons »),

> « qui évitent d'appeler l'ours par son nom et qui le qualifient de "la gloire de la forêt", "le vieux", "la superbe patte de miel", "le poilu", "le pied large", "le mangeur de fourmis blanches", etc. On sait d'ailleurs que d'une manière générale, l'un des tabous de vocabulaire les plus fréquents porte, durant la saison de chasse, sur le nom de la bête qu'on chasse. Chez les Celtes, où le nom de l'ours n'a pas disparu [...], on retrouve des périphrases analogues ; le moyen-gallois a *melfochyn* [...], littéralement "porc à miel" [...], l'irlandais a [...] *maith* "bon", le gaélique écossais *math* "bon" » (Meillet 1958, 285).

Le nom d'un autre animal de chasse, le cerf, est aussi l'objet d'un interdit. La racine indo-européenne, qui, cette fois, se conserve en russe (*ol'en'*), a été remplacée dans d'autres langues par une épithète signifiant « cornu », comme en anglais (*hart*) ou en allemand (*Hirsch*). Des tabous de vocabulaire comparables, ici d'inspiration propitiatoire, s'appliquent également à d'autres animaux. Le français moderne appelle *belette* (= « jolie petite (bête) ») un animal qui se nommait en français médiéval *mostoile*, du latin *mustela*,

> « qui vit encore dans le nom de poisson *mustelle* et le terme de classification zoologique *mustélidés*, ainsi que dans les dialectes de l'Est, du Nord-Est et de nombreux patois méridionaux » (Rey 1992, 204).

Par les blandices de cette appellation flatteuse, on évitait de nommer, et on pensait se rendre favorable, un redoutable carnassier, qui ravage les basses-cours, et entre dans les terriers, où il saigne les lapins.

Les dévastations du vocabulaire

Les tabous de vocabulaire peuvent avoir des effets dévastateurs. Si l'on compare les langues indo-européennes avec celles d'Australie, on est frappé par les différences que les deux familles présentent entre elles en termes de reconstruction du lexique ancien. En effet, dans les langues indo-européennes, les tabous dont je viens de donner divers exemples n'ont pas été assez nombreux pour rendre difficile l'établissement de familles associant des groupes génétiquement apparentés. Des correspondances phonétiques régulières entre les mots d'une langue et ceux d'une autre fournissent une base solide pour démontrer l'origine commune de ces langues. Au contraire, dans de nombreuses parties de l'Australie, lorsqu'un membre d'une tribu meurt, le mot qui est à la base de son nom se trouve proscrit, et on le remplace par un mot emprunté à une langue voisine. Ainsi, dans une tribu vivant au confluent des fleuves Murray et Darling, le mot signifiant « eau » a été remplacé neuf fois en cinq ans, car durant cette période, huit hommes sont morts, dont le nom comportait ce mot ! (cf. Dixon 1980, 19-33). Certaines tribus, comme les Walbiri et les Tiwa, avaient en stock des mots de rechange déjà prêts pour les éventualités du même type ! De tels usages ont pour conséquence une transformation massive, et plus ou moins erratique, du vocabulaire. Il n'y a, le plus souvent, aucune parenté étymologique entre le mot initial et son substitut.

Des phénomènes semblables existent en Afrique, où les tabous s'appliquent, dans de nombreuses populations, non seulement aux noms de personnes décédées, mais aussi à ceux d'êtres surnaturels, de certains animaux de gibiers, et même aux mots qui leur sont étymologiquement apparentés, ou qui se trouvent avoir avec eux une parenté phonétique. Il en est ainsi encore, dans des langues amérindiennes, comme le twana,

de la famille salish, naguère parlé en Colombie britannique ou, de la même famille, le comox (cf. Hagège
1981).

Les euphémismes de marchands

On voit que les mots sont victimes de toutes sortes
d'agressions, et que le tabou n'est pas une des moindres. Il
existe partout et à toutes les époques, sous des formes différentes, comme celle de l'euphémisme, bien connu
aujourd'hui dans les sociétés occidentales : en français par
exemple, sous la pression des marchands d'illusions, qui,
de l'édulcoration des faits, attendent quelque profit, les
mots *cancer, aveugle, sourd, vieillard*, sans sortir tout à fait
de l'usage, cèdent la place à *longue et pénible maladie, mal
voyant, mal entendant, troisième* (ou *quatrième*) *âge*. On
pourrait multiplier les exemples.

SUR DEUX CAUSES DE LA DISPARITION DES SENS

Les circonstances de la transmission : la recréation par l'enfant

La transmission de la langue aux enfants n'est pas un
processus continu. Si elle l'était, l'enfant recevrait toute
faite la langue de ses parents. Mais il ne peut en être
ainsi, puisque l'ontogenèse de son apprentissage est aussi
celle de son être physique, de l'enfance vers l'adolescence
puis au-delà, et que par conséquent, il n'est pas en état de
recevoir la langue familiale comme s'il était lui-même
adulte. Il recrée donc la langue à son usage, en réinter-
prétant ce qu'il entend. Il modifie non seulement les
formes, qu'il prononce comme le lui permettent ses capacités articulatoires, mais aussi les sens. Il désigne par
analogie, par métonymie, par généralisation, nommant
chien, par exemple, tout animal, ou par transfert du possédé au possesseur, appelant *papa* l'ordinateur ou le

violon de son père. Les déplacements sémantiques deviennent plus subtils à mesure que l'enfant grandit. Mais ils continuent de se produire. Ainsi, lorsqu'un mot est utilisé d'une manière particulière dans la langue des adultes, l'enfant, qui perçoit cet emploi, concentre sur lui son attention ; et dès lors, le sens premier de ce mot, que l'adulte lui attribue dans la plupart des occurrences, mais que l'enfant ne connaît pas, finit par se diluer et disparaît dans la génération suivante. Un cas connu est celui du mot *saoul,*

> « dont le sens ancien est "rassasié" ; on en est venu à appliquer ce mot aux gens ivres, qui sont "rassasiés de boisson" ; les premiers qui ont ainsi employé le mot *saoul* s'exprimaient avec une sorte d'indulgence ironique et évitaient la brutalité du nom propre *ivre,* mais l'enfant qui les entendait associait simplement l'idée de l'homme ivre à celle du mot *saoul,* et c'est ainsi que *saoul* est devenu le synonyme du mot *ivre,* qu'il a même remplacé dans l'usage familier ; par là même le mot *saoul* est celui qui maintenant exprime la chose avec le plus de crudité » (Meillet 1958, 236).

La dissolution des liens et la déroute des sens

• Le mécanisme de la perte

Le sens d'un mot n'est pas seulement celui qu'il prend dans le contexte où il s'emploie. C'est aussi celui qu'il possède en soi, et que donne le début d'une entrée de dictionnaire. Mais en outre, des rapports associatifs construisent un champ de solidarité entre ce mot et d'autres. De même que les dérivés devenus sémantiquement autonomes sont menacés d'extinction parce que rien ne les rattache plus à leur base, comme on l'a vu p. 49-50, de même, un mot que les circonstances historiques dissocient du groupe d'affinités auquel il s'intégrait est exposé sans défense aux pressions qui altèrent son sémantisme. Car il cesse d'être arrimé à un contenu susceptible de le préserver.

• Le chétif, le vif et le nid

Ainsi, le mot latin *captivus* « prisonnier » était peu susceptible, pour les locuteurs latinophones, de perdre ce sens, puisqu'il était tout naturellement associé par eux au verbe *capere* « prendre ». Mais dans les langues issues du latin, ce verbe a soit disparu, relayé par les descendants de *prehendere*, comme le français *prendre* et l'italien *prendere*, soit adopté des sens particuliers, comme celui qui apparaît dans l'héritier français de son dérivé fréquentatif *captare*, c'est-à-dire *capter*. Cette situation, ayant pour effet d'isoler *captivus* du verbe auquel il était associé en latin, expose cet adjectif aux pressions extérieures. Les contextes de son utilisation finissent par lui faire prendre le sens de « mauvais, méprisable », qui est celui de sa forme italienne *cattivo*, ou le sens de « misérable, malheureux », qui est celui de sa forme en ancien français, *chétif* ; cette évolution sémantique n'est probablement pas sans rapport avec le sens de « prisonnier du péché », que les auteurs chrétiens des premiers siècles donnaient à *captivus*.

Le mot évolue ensuite vers le sens actuel de *chétif*, mais le sens de « malheureux » n'est pas tout à fait mort en France, puisque c'est celui du [šti] (forme dialectale picarde de *chétif*) que l'on trouve dans *ch'ti-mi* « pauvre (de) moi ! », interjection devenue, depuis la Première Guerre mondiale, un terme plaisant pour désigner, en les imitant, les Français du Nord. Une réfection savante, allant à rebours de cette évolution spontanée, produira *captif* à partir de *captivus* et avec le même sens que lui. Une évolution sémantique comparable est celle de l'adjectif allemand *schlecht* « uni, simple », que son *e* et son emploi dans des contextes variés finissent par éloigner du verbe *schlichten* « unir, aplanir », dont il est dérivé. *Schlecht* prend alors le sens nouveau, qui est exclusivement le sien aujourd'hui, de « mauvais » ; cela sans doute parce qu'un homme simple, dans une société féodale très hiérarchisée comme celle des peuples germaniques du haut Moyen Âge, était un homme sans valeur.

Ce combat sémantique, au cours duquel les mots finissent par ne plus pouvoir sauvegarder leur sens, est encore illustré par le cas de l'adjectif latin *vivus* « vivant », qui, en devenant le français *vif*, perd ses liens avec le verbe *vivere* « vivre ». Dès lors l'acception de « vivant », qui était son sens principal, disparaît, sauf dans des expressions figées, transmises du passé, comme *mort ou vif* ou *brûlé vif* ; et les sens secondaires s'imposent, ceux de « pétillant ; animé ; rapide ; abrupt ».

Un dernier exemple est offert par le mot latin *nidus* « nid », que l'on fait remonter à la combinaison des deux mots indo-européens **ni* « de haut en bas » et **ždo*, d'où est venu le verbe latin *sedere* « être établi » (on met un astérisque aux formes reconstruites). Alors que dans une langue indo-européenne du Caucase, l'arménien, le mot issu de ce composé, à savoir *nist*, a gardé le sens ancien et signifie « résidence », et qu'il en est de même dans une autre langue de la même famille, le sanskrit (*nīḍáḥ*), au contraire, en latin et dans les langues romanes, ainsi qu'en germanique, en celtique, en slave et en baltique, le mot a pris le sens particulier de « lieu où est établi un oiseau ». Ce mot a donné en roman un dérivé **nidiacem*, d'où l'italien *nidiace* et le français *niais*, tous termes désignant à l'origine, en langue de fauconnerie, l'oiseau pris au nid. Mais le rapport entre *nid* et *niais* n'étant plus senti par les locuteurs, l'isolement de *niais* a accéléré l'évolution sémantique, et ce mot, qui appartenait, comme beaucoup d'autres, au vocabulaire de la chasse, a pris le sens de « maladroit, sot, benêt ».

Les hécatombes

Je ne prendrai d'exemples, ici, que dans une seule langue, le français, afin de tenir sous le regard, à travers diverses périodes, un tout cohérent. Par ailleurs, ce chapitre, il convient de le rappeler, a pour objet une caractérisation de la manière dont les langues, par le biais des mots, luttent contre l'usure et s'adaptent, en vertu d'une sorte d'instinct vital. Il n'est donc pas question de présenter de listes, mais de choisir des exemples qui paraissent révélateurs.

Les oubliettes lexicales des âges préclassiques

Les amateurs de textes médiévaux reconnaîtront certainement, mais la majorité des francophones d'aujourd'hui ne peuvent identifier, des mots de jolie facture, comme *ardre* « brûler », *bloutre* « motte de terre renversée par le soc », *chaloir* « importer », *convice* « reproche », *cuider* « penser », *déduit* « divertissement, plaisir », *dextre* « droite », *s'e(s)baudir* « se réjouir », *férir* « frapper », *guerdon* « récompense », *issir* « sortir », *los* « louange », *piéça* « depuis longtemps », *pilloter* « butiner », *soulas* « consolation ». Ces mots n'ont pas tous disparu sans laisser de trace. On voit qu'*ardent* est le participe présent d'*ardre* ; on se sert de l'adjectif *outrecuidant*, dont la seconde partie est le participe présent de *cuider* ; on emploie encore un composé savant de *dextre*, soit *ambidextre*, et un dérivé, soit *dextérité* ; *férir* se survit avec son sens dans *sans coup férir*, probablement pris, cependant, comme un tout qu'on n'analyse pas ; *issue* garde quelque chose d'*issir*, dont il est le participe passé féminin ; *chaloir* n'est pas entièrement mort, puisque l'on peut toujours dire *peu me chaut*, au sens de « peu m'importe » ; mais l'utilisation de cette tournure s'assortit d'un sourire, ce qui est une façon courante de juger sa propre expression en prenant quelque distance, afin de signifier qu'on la sait désuète, ou que, par divertissement, on la veut ainsi ; on peut en dire autant de *s'e(s)baudir*, emploi volontairement archaïsant, comme en signe de complicité ; quant à *pilloter*, qui, d'origine médiévale, était, selon A. Rey (1992, 1521), « devenu d'usage familier (1829) puis a disparu », il pourrait appartenir aussi à ce registre de l'ironie tendre, si l'on en juge par une récente anthologie critique, intitulée *Pillotage* (Duhamel 1995), et dont l'auteur, pour indiquer le profit qu'il a tiré de la lecture des textes choisis, met en exergue ce mot de Montaigne (*Essais*, I, 26) : « Les abeilles pillotent deçà delà les fleurs, mais elles en font après le miel, qui est tout leur. »

Les tristes bilans du postclassicisme et de l'époque moderne

Peuvent être considérés comme disparus à la fin de l'époque classique, après de bons services et en dépit de vaillants efforts pour se maintenir, *bobeliner* « rapiécer », *controuver*, dont le participe passé parvient à vivre encore aujourd'hui en style assez soutenu, au sens de « mensonger, inventé de toutes pièces », *extoller* « exalter », *déclore* « ouvrir » (qui se survit en emploi recherché ; dans un texte écrit, il me semble que pour aider modestement ce mot à ne pas mourir, je n'hésiterais pas à parler, par exemple, d'« un regard déclos sur le mystère »).

D'autres mots, bien que quasiment sortis de l'usage dès la fin du XVIIIᵉ siècle, figurent encore dans le Littré (1877 avec le Supplément), qui, cependant, leur décoche une mention « vieux », propre à hâter leur inhumation : *cavillation* « faux raisonnement, vaine subtilité », *chevance*

« bien que l'on possède » (et *chevir* « disposer de »), *gavache* « homme misérable et mal vêtu », *passefin* « qui dépasse les autres en ruse ». Certains termes sont de facture très latine, comme *patavinité*, « provincialisme de la culture ou du style (par référence à l'historien romain Tite-Live, à qui l'on attribuait ce trait, et qui était né à Padoue, en latin Patavium) », ou *vécordie* « absence de cœur, dureté », où l'on retrouve le vieux préfixe privatif latin *ve-* de *vésanie* « aliénation mentale ».

Au début du XIXe siècle disparaissent un grand nombre de mots qui avaient réussi à survivre jusqu'à la fin de la Révolution, dont *bailler* « donner » (de ses homonymes *bayer* « ouvrir une bouche béante (= *bée*) » et *bâiller*, seul vit aujourd'hui le second, le premier n'étant plus attesté que dans l'expression figée « *bayer aux corneilles* »). Le grand nombre de ceux qui meurent alors s'explique par le fait que les réalités qu'ils évoquent ont elles-mêmes disparu, comme c'est le cas pour les noms suffixés que j'ai examinés plus haut (cf. p. 49-50).

Il ne s'agit ici, évidemment, que des mots véritablement tombés en désuétude dans la langue courante, et non des termes qui, même quand ils sont anciens, vivent encore dans la langue technique des traités savants. Pour ne prendre qu'un seul exemple, on pourrait trouver aujourd'hui, dans un ouvrage de numismatique, une expression comme « bractéates et autres pièces incuses », désignant des monnaies à face frappée en creux.

DISPARITIONS ET SUBSTITUTIONS DE SENS

Les cimetières de mots sont aussi ceux des sens. Un mot peut se maintenir sans que, pour autant, son sens demeure. C'est même une des données fondamentales des langues, et dans la mesure où l'histoire des mots reflète celle des hommes et de leurs représentations, on peut considérer ces changements comme tout à fait normaux.

Pour répondre aux poussées externes, les vocabulaires se restructurent d'une manière permanente, en modifiant les relations entre les mots constituant divers champs sémantiques. Je ne retiendrai encore que quelques exemples. Les mots *biberon, candide, dévot, galanterie, meurtrir, offenser, route, séminaire* ont perdu les sens qu'ils avaient autrefois, soit respectivement « qui aime à boire », « sincère », « vénérable », « quête d'aventures amoureuses », « tuer », « attaquer militairement », « déroute », « plantation, pépinière ».

Les mots qui perdent leur sens en acquièrent un autre ou d'autres. Quant à ceux qui disparaissent entièrement pour rejoindre sans funérailles les vastes cimetières de mots dont ils augmentent encore l'étendue, ils sont remplacés par d'autres. La mort des mots n'est qu'une face d'un phénomène complexe, dont l'autre face est la naissance de nouveaux mots, ainsi qu'on va le voir.

Les riches moissons de la néologie

Je m'en tiendrai ici aussi au seul exemple du français. Le foisonnement de mots nouveaux que les auteurs de la Renaissance, notamment ceux de la Pléiade, introduisirent dans leurs œuvres en puisant surtout dans les langues régionales et étrangères fut suivi au début du XVIIᵉ siècle, on le dit souvent, par une sévère entreprise d'épuration. Néanmoins, il reste aujourd'hui de nombreux mots dont l'introduction date du XVIᵉ siècle. Les uns sont d'origine provençale, comme *auberge, badaud, bouquet, cadenas, caserne, daurade, escalier, girolle, luzerne, triolet*. D'autres, qui étaient menacés avant même cette époque, et qui devenaient de plus en plus rares, ont pourtant pu demeurer en vie jusque dans la langue moderne. Parmi eux, *affoler, émoi, hacher, hideux, rancœur*. D'autres encore se sont formés à cette époque par dérivation ou composition, ou par réactivation de formes anciennes : *aboutir, bigoterie, clairvoyance, décomposer, déplorable, désordre, marmaille, non-dit, soussigner*. On en emprunte à l'italien : *banque, balcon, bosquet, (à l')improviste, soldat, sonnet*, etc., ou à l'espagnol, comme *bizarre, escamoter, fanfaron, hâbleur, mascarade* (cf. Brunot 1966, III, Ire partie).

On a coutume de considérer que le français sort exsangue de l'âge classique. Les causes qu'on en donne sont l'action de Malherbe, puis, l'Académie étant plus souple, le magistère de Vaugelas, dont on cite souvent le mot sévère : « Il n'est permis à qui que ce soit de faire de nouveaux mots, non pas même au souverain. » Mais il ajoute :

> « [...] si quelqu'un en peut faire qui ait cours, il faut que ce soit un Souverain, ou un Favory, ou un principal Ministre [...] ; cela se fait par accident, à cause que ces sortes de personnes ayant inventé un mot, les Courtisans le recueillent aussitôt, et le disent si souvent que les autres le disent aussi à leur imitation ; tellement qu'enfin il s'établit dans l'usage, et est entendu de tout le monde » (Vaugelas 1647, I, 40).

Que ce soit par ce biais, ou par celui des créations plus spontanées, accréditées par les autorités qui régentaient alors la langue, le français s'enrichit au XVIIe siècle de plus de mots qu'on ne pourrait croire. Ainsi, divers suffixes nominaux permettent de construire des substantifs dérivés comme *causerie, cirage, discernement, douanier, exactitude, félicitation, machiniste, orangeade, plaisanterie, ponctualité, républicain*, etc. Peuvent aussi être considérés comme nouveaux les verbes *débarrasser, détromper, griffonner, ironiser, régaler*, et les adjectifs *inconcevable, indiscernable*, etc. À cette même époque, le français continue d'emprunter largement au latin : *diffusion, éluder, insidieux, sévir, subordination, surreption*, tous mots attestés, en réalité, depuis quelques siècles alors, mais que Vaugelas considère comme nouveaux. On emprunte également au grec : *anachronisme, homonyme, polyglotte*, etc., ainsi qu'à l'italien : *bagatelle, cascade, miniature, riposter*, etc., à l'espagnol : *baroque, disparate, sarabande*, à l'allemand : *halte, sabre*, etc. (cf. Brunot, *ibid.*, 215-223).

Le XVIIIᵉ siècle créera, ou consacrera dans l'usage, un nombre considérable de mots nouveaux, en particulier, mais non pas seulement, durant la période révolutionnaire. Les verbes en -*iser* ne sont qu'un chapitre, parmi beaucoup d'autres, où la force créatrice de la langue se déploie. Les adjectifs *complémentaire* et *supplémentaire*, par exemple, ou encore le nom *éventualité*, le verbe *sauvegarder* sont de cette époque, pour ne citer que des mots d'allure si moderne, qu'on pourrait les croire moins anciens.

Le XIXᵉ siècle et l'époque contemporaine sont notamment, comme il est bien connu, des moments où affluent les mots anglais. Certains des mots français que la pression de l'anglais met en situation précaire ou tend à faire disparaître sont des synonymes de ceux que l'anglais, à la suite de la conquête normande, avait empruntés au normand puis au français, du XIᵉ au XIIIᵉ siècle. Ainsi, *approche, challenge, contrôle, initier, majeur, opportunité, pratiquement, réaliser, réhabiliter* s'emploient de plus en plus, aujourd'hui, au lieu de *méthode, défi, maîtrise, commencer, important, occasion, quasiment, se rendre compte, remettre en bon état* (cf. Hagège 1987, 57-58). Dans d'autres domaines, les mots français, recommandés par des commissions de terminologie, ont réussi à s'imposer face à des mots anglo-américains pourtant favorisés par la puissance économique et industrielle des États-Unis, et, de surcroît, cautionnés par les médias, en France comme dans les autres pays européens. Pour les succès remportés par des mots français comme *logiciel, matériel* et *ordinateur*, qui, depuis plus de trente ans, se sont imposés face à *software, hardware* et *computer*, et pour d'autres succès semblables, je renvoie à un livre (Hagège 1987) où ces faits sont étudiés en détail.

Ainsi, les mots vivent et meurent comme tous les êtres naturels. Il est intéressant de relire ce qu'écrivait en 1862 C. Lyell, un partisan des thèses transformistes qui s'intéressait à la vie des mots, bien qu'il fût géologue (cf. p. 25) :

> « [... c'est] un assez curieux sujet de recherche que l'étude des lois en vertu desquelles se fait l'invention et même la sélection de certains mots ou de certaines expressions qui prennent cours de préférence à d'autres, car, puisque la mémoire de l'homme n'a qu'une puissance limitée, il faut aussi qu'il y ait une limite à l'accroissement du vocabulaire et à la multiplication des termes : il faut donc qu'il y ait une disparition d'anciens mots [...]. Les plus légers avantages résultant d'une nouvelle prononciation ou d'une nouvelle orthographe, pour cause de brièveté ou d'euphonie, peuvent faire pencher la balance, comme il peut y avoir d'autres causes plus puissantes de sélection qui décident du triomphe ou de la défaite entre les rivaux ; tels sont : la mode, l'influence d'une aristocratie de naissance ou d'éducation, celle des écrivains populaires, des orateurs et des prédicateurs, telle est encore celle d'un gouvernement centralisateur qui organise des écoles en vue expresse de propager l'uniformité de la diction et d'assurer l'emploi des dialectes provinciaux et locaux les meilleurs. »

Ce texte date, certes, par certains aspects de son inspiration, et de surcroît, les facteurs de l'évolution des mots et ceux de l'évolution des langues y sont confondus. Néanmoins, la vision transformiste n'est pas inadéquate pour faire apparaître le jeu des forces selon lesquelles, lorsque des mots meurent, d'autres les remplacent. On pourrait dire que, d'une certaine façon, les langues vivent parce que les mots meurent. La mort des mots ne menace pas la vie des langues ; elle en est, au contraire, une condition.

II

LES LANGUES ET LA MORT

CHAPITRE V

Qu'est-ce qu'une langue morte ?

Langue morte et langue classique

On dit d'ordinaire qu'une langue est morte lorsqu'elle n'a plus d'usagers (ou « locuteurs », en termes plus techniques). Mais il existe bien des façons, pour une langue, d'être morte. Ainsi, il y a fort longtemps que le latin et le grec ont cessé d'être parlés. Pourtant, en France, ils figurent, tous deux (au moins jusqu'ici et en redoutant qu'ils ne soient de plus en plus écartés des programmes), parmi les matières d'enseignement. L'administration scolaire les appelle « langues anciennes », le grec étant justement dit « classique » (par opposition au grec d'aujourd'hui, qui est dit « moderne », et qui se parle). Les élèves peuvent choisir le grec classique et le latin au même titre que les langues dites vivantes, alors qu'il s'agit de langues mortes au sens très simple qui vient d'être donné.

C'est que le statut du latin et du grec classique leur donne, en France et dans les autres pays de langue romane (Italie, Espagne, Portugal, Roumanie), une place particulière dans la culture. En effet, le français est historiquement issu du latin pour l'essentiel, et du grec pour une part importante du vocabulaire savant. La présence de ces langues anciennes dans l'enseignement officiel tel que le dispensent de nombreux États est l'indice d'une continuité au moins symbolique, sinon réelle.

Pour éclairer encore ce qu'il faut exactement entendre par « mort d'une langue », je rappellerai à grands traits l'histoire du latin. Mais à côté de cet exemple révélateur, il en existe d'autres à travers le monde, et je montrerai que dans chaque cas, il s'agit d'une langue certes disparue de l'usage, mais néanmoins douée de prestige, et regardée comme part inaliénable de la culture. Un autre cas, enfin, mérite également un examen. C'est celui de l'arabe littéraire, lui aussi enseigné dans les écoles de tous les pays concernés, et pourtant absent de la communication quotidienne. Qui soutiendrait que l'arabe littéraire est une langue morte ? Et qui, néanmoins, affirmerait qu'on peut l'entendre parler par des locuteurs ordinaires, dans n'importe quel pays arabe ? Telles sont les situations, riches en enseignements sur ce qu'est une langue morte, par lesquelles il paraît opportun de commencer cette étude.

QUAND LE LATIN EST-IL « MORT » ?

Latin littéraire et latin vulgaire

De bons esprits sont tentés, en Occident, de poser une question abrupte : à quelle date a-t-on cessé de parler en latin ? Pour y répondre, il convient d'examiner au moins les dernières étapes. Dans la plupart des sociétés complexes qui occupent un vaste territoire et sont hiérarchisées en classes, il tend à s'établir des différences linguistiques. On peut souvent les subsumer, en simplifiant beaucoup, sous une opposition entre langue littéraire et langue vulgaire, cette dernière étant définie comme celle que parlent des locuteurs sur qui les modèles scolaires et écrits exercent une influence limitée, en sorte qu'ils accueillent plus facilement les apports extérieurs, et contribuent, de cette manière, à hâter les évolutions.

Une telle opposition existait dans la Rome antique, depuis une époque que nous ne pouvons pas fixer avec précision, mais qui, sans doute, avait commencé longtemps avant la République. Les pièces de théâtre de Plaute, à la fin du IIIᵉ et au début du IIᵉ siècle avant l'ère chrétienne, nous conservent l'exemple d'un latin vulgaire où se sont amorcés divers changements ; du latin littéraire, beaucoup plus stable, une image nous est donnée, pour la même époque, dans les fragments conservés du poète Ennius, cultivant une norme soigneuse, qui compensait les origines osque et grecque de ce Calabrais romanisé. Les élites cultivées de cette époque, et surtout des suivantes, eurent conscience des changements qu'induisait le développement du latin vulgaire. Dès le Iᵉʳ siècle avant J.-C., le grammairien Varron fixait les normes du « bon usage », cependant que César ciselait une prose aussi proche que possible de l'idéal classique, et que, dans son *Brutus*, Cicéron regrettait l'époque où les habitants natifs de Rome, non soumis à « quelque influence barbare au sein de leur famille, s'exprimaient comme il faut », et déplorait l'altération que produisaient en latin « les foules cosmopolites parlant une langue corrompue » (cité dans Banniard, 1992, 243, dont d'autres passages sont utilisés ci-dessous) ; un siècle plus tard, le rhéteur Quintilien insistait sur le choix de locuteurs dignes de servir de modèles.

Un fait apparaît donc clairement : le latin parlé était depuis longtemps en train de s'imposer dans l'usage lorsqu'au début du IVᵉ siècle, tandis que la puissance romaine était en plein déclin face à la pression continue des Barbares, Constantin commença d'accorder aux chrétiens une réelle importance dans la vie de l'État. Dès lors un problème se pose : le latin littéraire, évidemment promu par l'Église, en voie de devenir seule héritière légitime de Rome, est l'instrument de la prédication chrétienne, et, langue écrite prestigieuse, il ne connaîtra pas de changements trop considérables par rapport à la langue classique de Cicéron et César ; tout à l'inverse, la masse des fidèles, auxquels s'adressent les Pères de l'Église dans leur mission d'évangélisation, parlent un latin vulgaire qui ne cesse d'évoluer, comme toute langue orale. Il s'ensuit que la « mort » du latin coïncidera avec le moment où la communication verticale entre lettrés prédicateurs et fidèles auxquels ils s'adressent en langue écrite sera devenue impossible, du fait de l'écart de moins en moins franchissable entre cette langue et le latin vulgaire, évoluant pour aboutir finalement à plusieurs langues romanes distinctes.

Les trois étapes de la « mort » du latin

On peut distinguer trois étapes. De 400 à 650 environ, c'est-à-dire du dernier siècle de l'Empire romain au milieu de la dynastie mérovingienne (fondée en 481), les prédicateurs parviennent à se faire comprendre de la masse, bien que leurs attitudes soient variables : Grégoire le Grand dans l'Italie lombarde, et en Afrique Augustin, qui appréciait la latinité rustique en tant que terreau vivant de la pédagogie chrétienne, prennent leurs distances à l'égard des choix classicistes du traducteur Jérôme et de son maître le grammairien Donat ; au contraire, Isidore de Séville dans l'Espagne wisigothique, ou Grégoire de Tours dans la Gaule des successeurs de Clovis regrettent, tout en s'y adaptant par nécessité, ce qu'ils considèrent comme un abâtardissement du latin. Lors d'une deuxième étape, que l'on peut situer entre 650 et 750, la communication fonctionne d'une manière de plus en plus approximative entre illettrés d'un côté, et de l'autre des lettrés en quête d'un moyen de se faire entendre de ces derniers, au prix, parfois, d'un latin vulgarisé, comme chez le moine Marculf.

À la dernière étape enfin, après 750, c'est-à-dire à la clôture de l'époque mérovingienne, une crise linguistique s'installe, et de façon irréversible. Les efforts d'Alcuin, lettré de langue maternelle northumbrienne (vieil-anglaise), que

Charlemagne charge, au début du IXᵉ siècle, de restaurer les études latines, n'ont d'autre effet, dans une Gaule carolingienne où de surcroît la cour et l'aristocratie, de langue tudesque, sont coupées de la population, que d'approfondir le fossé qui sépare du latin cette dernière, laquelle, bien entendu, ne participe pas au bilinguisme latin-tudesque des élites intellectuelles franques. La coupure est plus radicale encore en Espagne, où les lettrés latinophones de Cordoue, surtout Alvare et Euloge, représentants de ces chrétiens que l'on appelait étrangement mozarabes (« arabisés »), cultivent, pour s'affirmer face au pouvoir musulman, qui ne persécute pas l'Église mais la tient sous son joug, une langue aussi pure que possible ; cela accentue l'écart avec le parler des masses ; certes, dans l'Andalousie, politiquement arabe, mais en majorité romanophone, du milieu du IXᵉ siècle, la langue parlée évoluait moins vite qu'en Gaule et ne subissait pas d'influence aussi forte que celle qu'exerça le franc germanique sur le latin vulgaire pour produire, par l'effet de cette convergence, l'ancêtre du français ; néanmoins, le parler des masses romanes en Espagne était déjà si éloigné du latin, que la communication avec les prédicateurs latinophones devint impossible. La rupture est plus tardive en Italie, mais elle est consommée au milieu du Xᵉ siècle.

Ainsi, la compétence passive des masses, en Occident chrétien, à l'égard du latin, c'est-à-dire leur capacité de le comprendre à peu près tout en ne le parlant pas (cf. Hagège, 1996, 246 s.), n'a cessé de décroître. Mais corollairement, la compétence active des prédicateurs décroissait à raison même de leur effort d'adaptation à leurs publics. La romania avait cessé d'être latine pour devenir romane, du nom que l'on a donné aux nouvelles langues. On les appelle aussi « néo-latines ». Et de fait, pendant une assez longue période, qui commence sans doute avant même la fin de la république à Rome, et se poursuit jusqu'au haut Moyen Âge, les usagers ont dû considérer qu'ils parlaient « en latin », même quand déjà la communication avec des latinophones était devenue difficile. Ces derniers étaient, par exemple, des Romains parlant aux vétérans mercenaires, d'origines linguistiques diverses, qui gardaient au milieu du IIᵉ siècle le *limes*, frontière de l'empire opposée aux incursions barbares sur les marches de la Dacie, de la Pannonie ou de la Mésie (respectivement aujourd'hui, à peu près, la Roumanie, la Hongrie et la Bulgarie) ; beaucoup plus tard, les latinophones seront les prédicateurs s'adressant aux masses mais ne recourant pas, pour les christianiser, à la langue vulgaire qu'elles utilisaient, d'où la difficulté de la communication.

On voit que les langues néo-latines ne pouvaient pas être issues du latin littéraire. Elles ne pouvaient venir que des formes parlées du latin, de même que le grec moderne n'est pas issu du grec classique (essentiellement attique) qu'écrivaient les auteurs anciens à l'époque où rayonnait Athènes, mais bien de la *koinê* qui s'était développée après cette époque, c'est-à-dire à partir du IVᵉ siècle avant notre ère. La promotion des idiomes néo-latins comme langues de plein droit est assurée à partir du moment où il est avéré que l'écriture en latin est devenue inapte à transcrire les paroles de la masse.

Car il faut souligner que le latin était langue écrite non seulement au sens de langue littéraire et de prestige, mais aussi dans la mesure où, pour les lettrés du haut Moyen Âge, en Occident, il n'était pas pensable d'écrire en une autre langue que le latin. C'est donc la nécessité de concevoir une nouvelle *scripta* qui signe l'accession des langues romanes à la reconnaissance. Bien entendu, il s'agissait de langues nouvelles sur un autre plan encore, essentiel, celui de leur forme interne : il faut rappeler ce fait bien connu que dans toutes les langues romanes, dès cette époque, on note, pour s'en tenir aux domaines autres que le vocabulaire, les traits suivants : il n'y a plus de neutre (le roumain est un cas particulier, cf. Rosetti 1985), les déclinaisons sont en voie de disparition au bénéfice d'un accroissement du nombre et du rôle des prépositions, une nouvelle catégorie d'articles est en train d'apparaître, le futur simple du latin est remplacé par une forme composée, les désinences du moyen et du passif s'étiolent, l'infinitif des propositions compléments est de plus en plus remplacé par un mode personnel, le système des conjonctions est renouvelé.

D'aucuns soutiendront que la notion de mort ne s'applique pas de manière évidente au latin, dans la mesure où les langues néo-latines sont issues de lui. Cela n'est que partiellement vrai, puisqu'en fait, elles proviennent, nous venons de le voir, des diverses formes du *latin vulgaire*, et non du latin que nous ont transmis les grands textes classiques. Quant au point de vue de ceux pour qui les langues néo-latines ne sont autre chose que du latin, il n'est pas acceptable. Il ne peut suffire d'une origine génétique avérée pour conclure que l'ancêtre et son descendant sont un seul et même objet. Seule la fierté nationaliste d'une Espagne chrétienne et latine restaurée dans la péninsule après l'achèvement de la *Reconquista*, qui avait mis fin à près de huit siècles d'occupation arabe, au demeurant fort brillante, pouvait expliquer l'étrange impression, chez certains Espagnols, à partir de 1492, d'apporter aux Indiens d'Amérique, dont les langues étaient si exotiques, la latinité elle-même à travers le castillan, d'où la notion, surprenante si l'on y réfléchit, d'« Amérique latine ».

En fait, il y avait longtemps, alors, en Espagne comme en France, que les langues néo-latines s'étaient émancipées, et leurs formes, à cette époque, n'étaient pas aussi éloignées qu'on pourrait le croire de celles qu'elles ont aujourd'hui. Ce n'est que par métaphore que l'on peut dire que le latin se survit dans les langues romanes. En outre, il faut souligner que l'emploi, certes encore timide, des langues vernaculaires, même dans les sciences et dans les traités philosophiques, à partir du milieu du XVIIe siècle, est aussi le signe d'une émancipation de la pensée par rapport aux dogmes d'autorité, qui s'exprimaient en latin.

Cela dit, on doit aussi rappeler que dans l'Europe de l'âge classique, comme dans celle de l'époque médiévale, les savants et les lettrés continuaient le plus souvent de communiquer en latin, et cela même en pays non latins : Allemagne, Pologne, Suède, Angleterre, Irlande. En outre, le latin n'a pas partout disparu de l'usage. Il est encore la langue de l'Église romaine, comme il fut jadis celle de l'Empire romain. Sa manière particulière de n'être plus vivant sans être tout à fait mort est typique du destin des langues humaines.

SUR CERTAINES VIEILLES LANGUES DE PRESTIGE

Une langue disparue de l'usage peut aussi se maintenir dans un état qui n'est pas celui de la vie définie par sa présence au sein de l'échange quotidien, mais qui, pour autant, n'est pas véritablement un état de mort.

Copte

Ainsi, le copte est utilisé aujourd'hui encore dans la liturgie et les solennités religieuses des chrétiens d'Égypte. Or le copte n'est autre que la forme « moderne » d'une langue dont l'antiquité est celle de l'égyptien pharaonique lui-même ! Une continuité directe, à travers plus de... cinq mille ans, relie le copte à la langue, écrite en hiéroglyphes, de l'ancien empire, fondé à Memphis par Ménès en -3400 ; cette ligne continue passe par le moyen-égyptien de l'empire thébain (vers -2000), qui se sert toujours d'hiéroglyphes, mais tracés selon une écriture cursive, dite hiératique, puis par le néo-égyptien des nouvelles dynasties, celles des Ramsès (à partir de -1580 environ), enfin par l'égyptien, dit démotique ainsi que l'écriture simplifiée qui le note, des dernières dynasties, celles des Psammétiques, avant la conquête de l'Égypte par les Perses de Cambyse en -525, suivie, deux siècles plus tard, de l'hellénisation lors des victoires d'Alexandre. Ainsi se maintiennent, à travers cette immense durée, les états successifs, bien entendu très différents entre eux, d'une « même » langue, et la vitalité du copte, dernier de ces états, ne sera jugulée, à partir du IXe siècle de l'ère chrétienne, que par la diffusion de l'arabe, dans une Égypte devenue musulmane en majorité. Des villageois auraient encore parlé le copte au milieu du XIXe siècle. Quoi qu'il en soit, la profondeur vertigineuse de son histoire ne peut manquer de conférer un certain prestige à cette langue qui se survit dans l'usage cultuel.

Chinois archaïque tardif

C'est ainsi que l'on peut désigner, par opposition au chinois archaïque de l'époque des Zhou occidentaux et orientaux (XIe-VIe siècle avant J.-C.), la langue classique, appelée *wén yán*, de l'âge des Royaumes combattants (Ve-IIIe siècle avant l'ère chrétienne). C'est celle des grands ouvrages considérés comme fondateurs, avec ceux qui illustrent le chinois archaïque, de la culture chinoise : *Discours et conversations* de Confucius, *Écrits* de Mencius, de Mozi, de Zhuangzi et d'autres. Parmi les sinologues, les uns pensent que le chinois archaïque tardif dans lequel sont rédigés ces livres célèbres reflète la langue parlée du temps ; d'autres voient dans cette langue assez elliptique une construction artificielle ne correspondant à aucun idiome qui ait jamais été parlé ; d'autres enfin (cf. Hagège 1975, 21-22) y voient un des états anciens du chinois littéraire. Quoi qu'il en soit, cette langue n'a jamais évolué, alors que dès la fin, sinon dès le milieu, de l'époque suivante, celle de la dynastie des Han antérieurs (de -206 à 26), la langue parlée commence à connaître des changements de plus en plus importants. Le *wén yán* est enseigné depuis toujours en Chine, où les livres classiques sont lus et étudiés dans le système scolaire. C'est donc une langue non parlée, certes, mais dont la « mort » n'exclut pas une présence constante dans la culture.

Sanskrit et pāli

Tel est aussi, en Inde septentrionale, le statut du sanskrit par rapport aux langues de la famille indo-aryenne, et même par rapport aux langues non indo-aryennes de l'Inde méridionale, dites dravidiennes, et qui ont, du fait que leurs locuteurs pratiquent depuis longtemps la même religion brahmanique que ceux des langues du Nord, emprunté au sanskrit un important vocabulaire. La fixation des règles du sanskrit par le célèbre grammairien Pāṇini vers le Vᵉ siècle avant l'ère chrétienne, puis par un de ses successeurs, Patañjali qui, trois siècles plus tard, formalise surtout l'interprétation des textes, a donné une sorte de rigidité au sanskrit védique, langue sacrée des quatre grands recueils d'hymnes religieux versifiés, de leurs commentaires et gloses spéculatives en prose, et des manuels relatifs aux rites. Mais sur l'immense période d'un millénaire qui sépare de Pāṇini les premières attestations védiques, cette langue, dont on doute souvent qu'elle ait jamais été parlée, a probablement connu des variantes orales et évolutives, tout comme les états qui lui succèdent, dont le sanskrit bouddhique à partir du IVᵉ siècle avant J.-C., et bien entendu, les langues que l'on appelle les prākrits : il s'agit des formes initiales du moyen indien, qui, vers les premiers siècles précédant l'ère chrétienne, ont commencé de se développer pour aboutir, vers le Xᵉ siècle, aux nombreuses composantes de l'indo-aryen moderne, origines des langues actuelles de l'Inde du Nord.

Mais d'autres langues d'Asie ont aussi puisé, pour des raisons culturelles et confessionnelles, dans le fonds prestigieux du vocabulaire sanskrit ; c'est le cas, notamment, du khmer, du javanais, et même du malais, dont l'islamisation devait pourtant faire plus tard un emprunteur de mots arabes. Comme le latin et le grec dans les pays européens de civilisation chrétienne, le sanskrit est enseigné en Inde ; certains déclarent même qu'il y est encore parlé, mais si cela est vrai, il ne peut, vraisemblablement, s'agir que d'un emploi savant entre lettrés. Quoi qu'il en soit, le sanskrit est aujourd'hui une parmi la vingtaine de langues officielles reconnues dans la Constitution de l'Union indienne.

Une autre langue religieuse célèbre, le pāli, est celle que les successeurs du Bouddha choisirent au lieu du sanskrit pour diffuser son enseignement, en prenant pour base les langues vernaculaires de l'Inde du Nord. Le pāli, langue des canons bouddhiques de Ceylan, a conservé un usage liturgique dans cette île, ainsi qu'en Birmanie et dans beaucoup des régions d'Asie du Sud-Est où il avait été le vecteur du bouddhisme. Mais en outre, et pour cette raison même, le pāli a été une importante source d'emprunts de vocabulaire religieux, philosophique et administratif en birman, en thaï, en laotien et dans les langues de diverses ethnies. Grâce à ce statut de fontaine généreuse à laquelle s'abreuvent tant de vocabulaires modernes, on pourrait dire qu'il n'est pas tout à fait mort.

Guèze

Attesté depuis des temps moins anciens, le guèze, forme première de l'éthiopien, se maintient également de nos jours dans l'usage liturgique et savant. Le guèze fut la langue d'Axoum, capitale du royaume d'Abyssinie au IVe siècle de notre ère, où le souverain introduisit le christianisme dans ses États. Les langues sémitiques d'Éthiopie, en particulier le tigrigna et surtout l'amharique, idiome d'Addis-Abeba et de la plus grande partie du haut plateau abyssin, ont évolué en dehors de l'influence savante du guèze, mais celui-ci a été et demeure pour elles un pourvoyeur d'emprunts ; il en est donc, de cette langue d'Afrique orientale par rapport aux idiomes modernes d'Éthiopie, tout comme des langues sacrées d'Asie par rapport aux idiomes modernes de cet autre continent.

L'ARABE CLASSIQUE EST-IL UNE LANGUE VIVANTE ?

Si, comme pour le latin, on utilise la définition proposée au début de ce chapitre, on pourra, avec quelque précipitation, déclarer que l'arabe classique est mort. Pourtant, une expérience très courante démontre le contraire. Dans de nombreuses circonstances empreintes de quelque solennité, l'arabe classique est utilisé aujourd'hui, et non pas seulement en situation de monologue. Que peut-on en conclure quant à la définition d'une langue morte ?

On connaît la complexité de ce qu'on appelle langue arabe. Sa singularité apparaît dès sa désignation. Si l'on mentionne « l'arabe », sans adjectif, les uns entendront qu'il s'agit de l'arabe classique, que l'on appelle aussi littéraire, ou littéral, ou coranique, sans qu'il y ait d'adéquation entre les réalités que désignent ces termes, il s'en faut de beaucoup. D'autres, peut-être moins nombreux, penseront qu'il s'agit d'arabe dialectal, c'est-à-dire d'une des formes de l'arabe qui sont parlées au Maghreb (marocain, algérien, tunisien, libyen), ou en Afrique saharienne (mauritanien, ou hassaniya), ou en Orient (égyptien, soudanais, tchadien, saoudien, jordanien, palestinien, libanais, syrien, irakien, yéménite, omanais, parlers du Dathina et du Hadramaut) ou dans un des sultanats de la péninsule syro-arabe, ou encore de l'arabe qu'utilisent des chrétiens, comme les Maltais ou les habitants de Kormakiti en Crète.

Il est probable que la situation de diglossie qui prévaut dans le monde arabe, à savoir l'existence d'une variante littéraire réservée à l'usage écrit et de variantes dialectales qui se parlent dans les divers pays arabes, est fort ancienne (cf. Hagège 1973, 3), et que l'arabe du Coran n'était pas une langue parlée dont les dialectes seraient historiquement issus, mais bien une norme de prestige, dans laquelle le Prophète a reçu et a voulu transmettre la révélation de l'Islam. La situation est donc différente de celle du latin, en dépit du point commun qu'est l'opposition entre l'écrit et le parlé. De plus, l'arabe littéraire, contrairement au latin, s'utilise couramment aujourd'hui dans toute la littérature en arabe, puisque les dialectes, en principe, ne s'écrivent pas (sur la distinction entre langue et dialecte, cf. p. 195). Il est utilisé à la radio, à la télévision, dans les discours officiels, les communications scientifiques, et en toutes autres circonstances formelles.

Ce qui permet, néanmoins, de dire qu'il ne s'agit pas d'une langue parlée au sens ordinaire du terme est un fait simple : l'arabe littéraire n'est en principe la langue maternelle de personne ; les habitants des pays arabes ne parlent dans la vie quotidienne, et ne transmettent à leurs enfants, que le dialecte du pays où ils vivent. On sait que les dialectes arabes peuvent être assez différents, y compris au sein d'un même ensemble géographique et culturel, et à plus forte raison entre deux ensembles : un Yéménite et un Marocain peuvent éprouver quelque difficulté à communiquer en parlant chacun son dialecte. C'est pourquoi le recours à la langue arabe littéraire peut être envisagé dans ce cas. Mais ce recours suppose que chacun la connaisse assez pour s'en servir dans l'échange oral, ce qui est loin d'être assuré, du fait de la forte hétérogénéité des niveaux de scolarisation et d'éducation. À cela s'ajoute que l'utilisation de cette langue dans la communication parlée apparaît à la plupart des arabophones comme artificielle et affectée, les dialectes seuls ayant une réalité d'instruments de conversation.

De tout ce qui précède, il résulte que la définition d'une langue morte comme langue qui n'est plus parlée appelle, à la lumière des cas comme ceux du latin, de certaines vieilles langues de prestige et de l'arabe, une précision importante : à la présente étape de cette réflexion sur la mort des langues, seront réputées mortes les langues que ne parle plus aucun locuteur, certes, mais qui, en outre, n'ont laissé, dans la culture des descendants de ceux qui ont disparu avec ces langues, que peu de traces encore bien vivantes.

Langues mortes et sans statut classique

Un autre cas va nous permettre d'approcher davantage encore de ce qu'il convient d'entendre sous cette notion de mort d'une langue. De nombreuses langues disparues depuis plusieurs millénaires ne nous sont connues que par des inscriptions, textes ou monnaies, matériaux sur lesquels les épigraphistes, numismates, philologues, grammairiens et autres chercheurs exercent leur art. Il s'agit donc de langues d'investigation scientifique. Contrairement à celles que je viens de présenter, ces langues n'ont pas aujourd'hui de statut classique, dans la mesure où elles ne connaissent aucun emploi liturgique, ou plus généralement culturel, à travers lequel elles puissent se survivre, et par ailleurs ne sont pas enseignées à l'école primaire ni secondaire, même si elles le sont dans certaines universités et établissements de recherche. Mais précisément parce qu'elles ont cette propriété d'être objets de l'investigation savante et d'un enseignement de niveau académique, on peut considérer qu'elles font partie de la culture dans chacune des aires où elles ont laissé des traces archéologiques. Le nombre de ces traces est évidemment très variable. Tantôt la documentation est abondante, tantôt elle est fragmentaire.

LES CAS D'ABONDANCE DES DOCUMENTS

Sumérien, akkadien, ougaritique, libyque

Les traces que l'on possède de l'une des plus vieilles langues écrites de l'humanité, à savoir le sumérien, toujours énigmatique car on ne peut le rattacher à aucune famille linguistique connue, sont considérables : on peut remonter le temps jusqu'à -3300 au moins, grâce aux dizaines de milliers de textes en cunéiforme : hymnes, rituels, contrats, stèles, annales, dédicaces, écrits juridiques, médicaux, mathématiques. La richesse est tout aussi fascinante pour l'akkadien, c'est-à-dire la langue sémitique orientale qui, lorsque la puissance assyrienne commença de dominer Sumer, succéda au sumérien, tout en le laissant longtemps fleurir encore et en prolongeant sa notation cunéiforme ; avant de décliner vers la fin du VIIe siècle et d'être relégué dans l'usage savant, puis remplacé, par l'araméen, et cela plus encore après la conquête perse en -539 (cf. p. 276), l'akkadien puis ses formes évoluées, babylonien suivi du néo-babylonien, connurent une longue fortune comme langues de civilisation de puissants empires ; cela nous est retracé avec plus de détails encore depuis que les fouilles de Mari, d'Ebla et d'Emar ont mis au jour d'énormes quantités de documents nouveaux, parmi lesquels une masse de correspondance privée (cf. Durand 1997).

C'est à l'époque moderne aussi (1929) que l'on a déchiffré deux lots de témoignages importants : les uns, trouvés à Ras Chamra sur la côte syrienne, sont des poèmes mythologiques en nombre, qui révèlent l'existence antique, vers le XVe siècle avant l'ère vulgaire, de l'ougaritique, autre langue sémitique, mais occidentale et proche du cananéen ; les autres sont constitués par une quantité importante de courtes inscriptions qui, disséminées du Sinaï aux Canaries, restituent, toujours en domaine sémitique, le libyque, ancêtre des parlers berbères.

Étrusque, langues indo-européennes d'Asie Mineure (Anatolie) et du Turkestan chinois

Du mystérieux étrusque, qui régna jusqu'à -300 environ en Étrurie, c'est-à-dire à proximité presque immédiate des territoires mêmes où Rome et le latin allaient le supplanter, on aimerait savoir beaucoup plus que ce qui est livré par une dizaine de milliers d'inscriptions funéraires courtes et monotones, ou par des bandelettes portant une suite d'invocations et de prescriptions rituelles, ou encore par des gloses, c'est-à-dire des traductions de mots transmises dans des traités d'auteurs anciens. Un contemporain d'Auguste, l'historien grec Denys d'Halicarnasse, notait déjà l'isolement, ainsi que l'obscurité, de cette langue, qui ne ressemblait à rien de connu (cf. Briquel 1994, 319-321). S'il était vrai que, comme le dit Hérodote, les Étrusques soient venus de Lydie, alors peut-être un rapprochement avec l'indo-européen d'Anatolie (cf. ci-dessous) ne serait-il pas invraisemblable, en tenant compte de certains points communs dans le domaine syntaxique, et bien que le vocabulaire n'ait rien d'indo-européen.

Ce sont, en revanche, d'abondants textes et des milliers de tablettes qui, mis au jour au début du XXᵉ siècle, ont permis de sauver de l'oubli de nombreuses langues. Deux d'entre elles sont d'importantes langues indo-européennes anciennes, à savoir le tokharien et le hittite. Les témoignages du tokharien, c'est-à-dire de ses deux dialectes dont le koutchéen, sont des traités (religieux, médicaux, économiques) d'inspiration bouddhique, que l'on a découverts dans le Turkestan chinois, et qui sont notés en brāhmī (l'écriture la plus ancienne de l'Inde, ancêtre de presque toutes celles des langues indiennes d'aujourd'hui, et utilisée longtemps dans toute l'Asie centrale) ; deux savants allemands ont établi en 1908 l'appartenance indo-européenne des langues tokhariennes, dont l'extinction devait être consommée avant l'an mille, peu après la conquête des territoires d'Agni et de Koutcha par les Turcs ouïgours au IXᵉ siècle (cf. Isebaert 1994).

Le hittite fut, au cœur de l'Asie Mineure, la langue d'un puissant empire entre le XIXᵉ et le XIIIᵉ siècle avant J.-C. ; aux très nombreux textes des tablettes de terre cuite trouvées dans l'ancienne capitale de cet empire, Hattucha (aujourd'hui Boğazköy/Boğazkale), sont venus s'ajouter ceux des tablettes tout récemment découvertes à Ortaköy, et non encore exploitées complètement. L'empire hittite fut relayé par d'autres États, dont les langues, notamment le louvite et le lycien, étaient soit de proches parentes, soit des formes évoluées, du hittite. En particulier, les épitaphes et légendes de monnaies écrites en lycien donnent d'intéressantes indications sur cette langue d'une population de la côte sud-ouest d'Asie Mineure, que mentionnent Homère et Hérodote, et que l'on peut mieux encore faire émerger de l'oubli grâce à la découverte, en 1974, d'un texte dédicatoire en trois langues, lycien-grec-araméen. Dans la même région, on a trouvé une abondance d'inscriptions en diverses langues non indo-européennes, qu'on ne sait à quelle famille rattacher, et qui présentent des traits caucasiques : le hourrite, l'élamite, le hatti, tous idiomes dont l'extinction était probablement survenue dès le début de l'ère chrétienne.

Gotique

Nous connaissons assez bien aussi, mais cette fois grâce à un autre moyen que des inscriptions rituelles, administratives ou privées, une langue importante dont l'extinction, beaucoup pus récente, dut intervenir à la fin du Moyen Âge : le gotique. Langue des Gots, dont un rameau, celui des Wisigots, mit Rome à sac en 410, le gotique est le seul témoignage non disparu de la branche orientale du germanique, à laquelle appartenaient aussi les langues de tribus qui, aux Ve et VIe siècles, firent trembler Rome, l'Italie du Nord, la Gaule, l'Espagne et l'Afrique : Burgondes, Vandales et Lombards. Le gotique se fondit en Occident dans le milieu roman qui l'entourait, et la chose était accomplie quand, en 711, l'invasion arabe eut raison du royaume wisigot d'Espagne. Mais en Orient, le gotique se maintint mieux, et il dut notamment cela au texte qui nous le conserve jusqu'à l'époque moderne : la traduction que fit de la Bible, au milieu du IVe siècle, l'évêque Ulfila, du diocèse de Mésie, occupé par les Gots. D'importants fragments en sont conservés.

LES CAS DE DOCUMENTATION FRAGMENTAIRE

Beaucoup de langues, disparues dès avant le début de l'ère chrétienne, et qui avaient connu des heures de lustre, ne sont attestées que par une ou quelques centaines d'inscriptions, ou par de courts textes ou listes de vocabulaire qui, en attendant de nouvelles découvertes, ne permettent pas aux chercheurs de se faire une idée précise de ces langues, au-delà de données structurelles élémentaires et dispersées.

Langues celtiques

Cette famille connut autrefois une assez large diffusion en Europe et jusqu'en Asie Mineure, comme l'atteste l'onomastique : le nom du royaume des Galates, qui s'installa dans cette région, est de même racine que ceux de la Gaule, du pays de Galles, et de certaines villes, comme, probablement, Gallipoli (« ville des Gaulois »), port turc sur la rive européenne des Dardanelles. Les Celtes amorcèrent un déclin continu vers le début du IIIe siècle avant J.-C. Aujourd'hui, celles de leurs langues qui subsistent encore, en état délabré pour certaines comme on le verra plus loin, se parlent, d'une manière significative, dans des finisterres, contrées extrêmes avant la rencontre de l'océan, où l'avance des Romains en Gaule et des Saxons en Grande-Bretagne contraignit les Celtes à chercher refuge : Écosse, pays de Galles, comtés atlantiques d'Irlande (Donegal, Galway, Connemara, Kerry), Bretagne (pour plus de détails cf. Hagège, 1994, 242-245, 250-254).

D'autres langues celtiques sont mortes depuis près de 2 000 ans. Nous n'avons pas d'autres traces qu'une centaine d'inscriptions pour le gaulois, autant, sur des monuments funéraires où on ne trouve presque que des noms de personnes, pour le lépontique, qui se parlait autour des lacs d'Italie du Nord, et moins encore pour le lusitanien, jadis utilisé dans le nord-ouest de la péninsule ibérique ; cette pauvreté des attestations est d'autant plus fâcheuse que le lusitanien, dont le dialecte portugais de Galice (autre nom celtique !) a conservé de nombreux vocables, a des raisons d'intéresser particulièrement les linguistes ; en effet, il occupe une place tout à fait particulière au sein de sa famille : il en est le seul membre à avoir conservé le *p de l'indo-européen, disparu partout ailleurs, comme le montrent, face au latin *pater*, *porcus*, *piscis* et au vieux-haut allemand *fater*, *farh*, *fisc* (respectivement « père », « porc », « poisson »), les mots de vieil-irlandais *athir*, *orc*, *íasc* ; au contraire, pour le « porc », le lusitanien a *porcom*.

Aquitain

Il ne reste, sur des inscriptions latines du début de notre ère trouvées dans les Hautes-Pyrénées, que deux cents noms de personnes et de divinités en une langue que l'on suppose être une forme ancienne du basque, du fait que dans un des dialectes de ce dernier, il est possible de donner un sens à ces noms. S'agirait-il, au contraire, d'une langue antérieure ayant fait des emprunts au basque ? La situation est aussi énigmatique que celle du basque lui-même, sur lequel courent maintes supputations (assignation à une famille caucasique, ou aux langues altaïques, etc.), sans qu'on soit encore en mesure de lui attribuer une origine qui convainque tous les milieux savants.

Langues slaves et baltes

La poussée germanisatrice a fait de l'allemand le tombeau des langues slaves, ainsi que des langues baltes (cf. Hagège 1994, 57-65). Certes, beaucoup sont bien vivantes aujourd'hui, mais elles le doivent à la puissance de vastes États, avec lesquels l'Allemagne a guerroyé sans les réduire, ou à l'effort continu d'une politique d'affirmation nationale face à l'expansion allemande. Au contraire, les langues slaves de petites ethnies isolées ont disparu, englouties.

Nous n'avons plus que de petits textes et des listes de vocabulaire d'une langue morte au XVIIIe siècle, le polabe, qui comme l'indique son nom, slave, s'utilisait le long (*po-*) d'un affluent du cours moyen de l'Elbe (*Labe*) dans la région de Lüchow, ainsi que du slovince, que parlaient encore, en 1903, deux cents vieillards dans deux paroisses du fond de la Poméranie (autre nom slave signifiant « le long de la mer (baltique) ») ; ces phénomènes témoignent que la pression allemande n'a laissé subsister que des îlots dans un océan autrefois slave qu'elle a totalement envahi. On possède, d'une langue baltique disparue au XVIIe siècle, un peu plus de textes : vocabulaires, traductions de caté-chismes et de l'*Enchiridion* de Luther, manuel de propaga-tion de la foi réformée ; cette langue est le vieux-prussien, parlé dans le pays qui allait devenir la Prusse allemande, et qui était appelé dans cet idiome balte *prūsis* avant d'être broyé dans la ruée des chevaliers teutoniques.

Langues indo-européennes des Balkans : pélasge, macédonien, thrace, phrygien, illyrien

Du pélasge, on ne sait, à peu près, que ce qu'en sug-gère l'*Iliade*, dont le chant II donne un catalogue des vais-seaux que possédaient les habitants de la « plantureuse Larissa », leur capitale : les patronymes et les toponymes du passage homérique laissent supposer une langue dis-tincte du grec, mais assurément indo-européenne (cf. Bader 1994, 19-20).

Une autre langue du domaine hellène, le macédonien, est importante pour la mémoire européenne, autant que pour la politique contemporaine, puisque la Grèce, la

Serbie et la Bulgarie se sont chacune, depuis la seconde moitié du xixe siècle, attribué des droits ancestraux sur la Macédoine, et les ont fondés sur des arguments « linguistiques ». Or non seulement le macédonien est mort depuis longtemps (il ne s'agit pas ici de la langue slave de la petite république issue en 1992 du démantèlement de la Yougoslavie), mais en outre la documentation disponible sur cette langue est très pauvre : il ne reste aucun texte écrit en macédonien ; on ne possède que les gloses dues à Hésychius, et bien entendu les mentions qu'en font les historiens comme Hérodote, et plus tard Tite-Live, sans compter un passage de Quinte-Curce, qui déclare qu'Alexandre le Grand (un Macédonien) recourait à un interprète pour être compris des Grecs ; on peut douter de la valeur de cette information, sachant qu'Alexandre avait fait reconnaître ses origines grecques pour être admis aux jeux Olympiques, et qu'ailleurs chez le même Quinte-Curce, Alexandre suggère que le macédonien est compréhensible aux Grecs (cf. Brixhe et Panayotou 1994 b). Quoi qu'il en soit, le peu que l'on sait de cette langue laisse place aux hypothèses : pour les uns, le macédonien est une langue mixte constituée d'apports thraces et illyriens greffés sur un fonds dialectal grec ; selon les autres, ce serait la langue d'un peuple non grec, historiquement hellénisé. C'est ainsi que le destin des langues, en bien des cas, précipite dans l'oubli l'idiome maternel de grands conquérants dont le renom fut éclatant.

Le domaine jadis couvert par la langue des Thraces, qui habitaient anciennement dans le sud-est de la péninsule des Balkans, où ils étaient arrivés au début du IIe millénaire avant l'ère vulgaire, fut sensiblement élargi par leur migration, sept ou huit siècles plus tard, au nord-ouest des Balkans (Propontide, Mysie, Bythinie). Leur langue est rangée, par une partie des spécialistes, en compagnie de celles des lointains ancêtres des Roumains, les Daces, qui combattirent les armées de Trajan, dans un ensemble thraco-dace, mais d'autres défendent une bipartition en thrace, qui se parlait au sud du flanc septentrional de l'Haimos (Balkans) et daco-mésien ou daco-gète, qui se parlait au nord du Danube (cf. Brixhe et Panayatou 1994 a) ; ce débat, qui oppose, comme on le devine, linguistes bulgares et roumains, n'est alimenté que par une documentation assez faible : en dehors de la toponymie, abondamment exploitée par chacun, on ne possède qu'une courte inscription thrace trouvée en Bulgarie, et sans laquelle il ne resterait à peu près rien d'une langue qui eut son heure de gloire.

Les Phrygiens, pour leur part, occupaient l'actuelle Macédoine avant de migrer en Asie Mineure vers -850 et d'y constituer un empire puissant qui, selon l'*Iliade* (chants II, III et XIV), avait les Troyens pour voisins occidentaux et alliés ; ils passèrent sous le joug des Lydiens, puis des Perses, et leur langue fut ensuite engloutie dans l'hellénisme après l'arrivée d'Alexandre en -333 ; il en reste une centaine d'inscriptions funéraires et de formules de consécration ou d'exécration.

On compte deux cents vestiges épigraphiques, au nord de l'Italie (régions de Trieste et vallée de la Piave) pour le vénète, et au sud (Apulie, Calabre) pour le messapien, langues du groupe illyrien, indo-européen également, et qui incluait l'illyrien lui-même, attesté par une courte inscription trouvée à Scutari (Albanie). Le berceau de ces populations était situé au nord-ouest des Balkans, et elles jouèrent un rôle de liaison entre les mondes grec, italique et germanique. La précarité de ces langues comme objets d'un savoir n'a pas empêché les patriotes slaves du Sud, Serbes, Croates et Slovènes, de se réclamer de ce prestigieux héritage pour lancer en 1850 contre les Habsbourg et contre les Ottomans un mouvement, dit illyrien, de revendication nationale. C'est assez dire la valeur symbolique que peuvent revêtir des langues depuis longtemps éteintes, d'attestation sporadique et non intégrées dans l'enseignement classique.

Langues d'Asie antérieure

On n'a pas tiré tout le parti possible des quelque deux cents inscriptions votives et rituelles en ourartéen ou halde, dit également vannique car il se parlait sur le site de Van, qui devait devenir le centre culturel de l'Arménie après les invasions indo-européennes.

On est aussi peu documenté sur le lydien, qui se parla, jusqu'au IVe siècle avant l'ère chrétienne, dans la région proche, aujourd'hui, de Smyrne. Le lydien paraît très différent des autres langues anatoliennes. Le centre de l'Anatolie et les côtes turques actuelles, à l'ouest (ancienne Paphlagonie), au sud-ouest, au sud et au sud-est (ancienne Pamphylie), sont les lieux où l'on a trouvé quelques attestations de langues, respectivement le palaïte (éteint dès -1200), le carien, le pisidien et le sidétique, tous trois éteints vers le IIIe siècle avant J.-C. On est à peu près certain de l'appartenance indo-européenne du palaïte, proche parent du louvite et du lycien (cf. p. 83). On la présume aussi pour les autres langues, sans avoir assez d'arguments pour l'affirmer.

Vieux-couchitique

Les fouilles en Haute-Nubie ont livré quelques textes écrits tantôt en hiéroglyphes, tantôt en démotique. La langue que notent ces écritures est chamito-sémitique et semble, si on la compare à l'état actuel du bédja, son voisin, être une forme archaïque de couchitique. Il s'agit du méroïtique, qui, durant plus d'un millénaire, jusqu'à 350 environ, fut, en évoluant fortement comme on peut l'imaginer, l'idiome véhiculaire du royaume de Méroé (correspondant à ce que les Grecs appelaient Éthiopie), qui s'efforçait, avec plus ou moins de bonheur, de maintenir son indépendance vis-à-vis du voisin du Nord, l'Égypte, dont la puissance, il est vrai, était en déclin.

***

Tout ce qui précède fait apparaître que les langues ne meurent pas complètement lorsque des monuments épigraphiques, ou plus généralement archéologiques, et surtout des textes interprétables d'une certaine étendue, permettent d'en restituer la structure, ou au moins d'en dessiner la physionomie. Encore ne s'agit-il ici que de langues qui n'ont pas de descendant direct encore vivant, si l'on met à part les cas du grec ancien par rapport au grec moderne, et de l'arabe pour ceux des arabisants qui veulent voir dans la langue classique la forme ancienne dont ils déclarent que seraient issus les dialectes actuels. Ces deux cas seraient à rapprocher, alors, de ceux dont il n'a pas été question jusqu'ici, et qui ne seront pas davantage traités dans ce qui suit, car ils n'entrent pas, précisément, dans le projet du présent livre : les cas des langues qui sont des états antérieurs de langues vivantes d'aujourd'hui.

En effet, on ne peut pas considérer au sens strict comme des langues mortes le français médiéval dans ses états successifs, ni le vieil-anglais, le vieux-haut-allemand, le vieux-russe, l'arménien classique, le vieux-turc, le mongol classique, le vieux-tamoul, le tibétain classique, le kawi (ancien javanais), le vieux-japonais, etc. Car les langues modernes qui sont les états actuels de tous ces idiomes du passé en proviennent selon une ligne diachronique continue : la modification des langues à travers le temps est un phénomène naturel, qui s'inscrit dans leur nature même. Par exemple, le français du Moyen Âge, pris globalement, est une étape du français et appartient à son histoire, alors que le latin est une autre langue que le français, ce dernier étant une des issues d'une transformation qui a produit la scission du latin en cinq langues divergentes (ou onze, si l'on ajoute, à l'espagnol, au portugais, à l'italien, au roumain et au français, les langues de régions non constituées en États, c'est-à-dire l'occitan (dont le gascon et l'auvergnat, pour simplifier), le catalan, le galicien, le rhéto-romanche, le corse et le sarde). Par ailleurs, le lien entre les langues que l'on vient de mentionner et leurs états passés, souvent prestigieux comme le sont par exemple l'arménien et le tibétain classiques, supports de textes sacrés chrétiens et bouddhiques respectivement, est encore accru par un fait : les langues modernes, qui déjà en sont issues, leur font, de surcroît, de nombreux emprunts savants, ou les prennent pour source de créations néologiques.

En conséquence, le phénomène de mort des langues que je vais décrire est nécessairement fort différent de ceux qui ont été mentionnés dans le présent chapitre. C'est un phénomène assez dramatique, car il se déroule sous nos yeux, tout en échappant dans une large mesure à notre pouvoir.

Il ne s'agira plus, maintenant, de langues anciennes que l'enseignement classique conserve comme parties intégrantes des différentes cultures humaines. Il ne s'agira pas davantage de langues archaïques dont on a exhumé ici ou là des traces qu'examinent les savants. Il s'agira des langues que, dans d'innombrables lieux du monde contemporain, on voit, pour peu qu'on y soit attentif, s'acheminer en masse à la lisière de la mort. Il s'agira, simplement et brutalement, des langues aujourd'hui menacées d'extinction. Et comme on le verra dès le chapitre suivant, l'enjeu n'est pas sans gravité. Ce sont des cultures bâties par des sociétés humaines qui sont en péril de perdition.

CHAPITRE VI

Les sentiers de l'extinction

Les trois profils de la disparition

LA TRANSFORMATION

Il semblerait qu'il y ait trois façons, pour une langue, de disparaître. La première est la transformation : une langue est assez fortement modifiée, au cours d'un processus qui peut être long, pour qu'à un certain moment, on puisse considérer qu'une nouvelle est apparue ; telle est l'histoire de la transformation du latin en diverses langues romanes ; un autre cas est celui, illustré plus haut par le russe, le turc, etc., des langues modernes dont certaines langues classiques représentent l'état ancien ; on a vu que la continuité historique est alors assez étroite ; dans ce cas comme dans celui qu'illustre le latin, on ne peut parler strictement de disparition au sens d'élimination totale, même s'il est vrai que le portugais ne peut que par abus être appelé du latin et que le français moderne est fort loin d'être du français médiéval. La transformation ne sera donc pas retenue ici comme cas pertinent de mort d'une langue.

LA SUBSTITUTION

On peut dire qu'une langue venue de l'extérieur se substitue à une autre, précédemment seule attestée dans un groupe humain, lorsque cette dernière, après avoir, durant une période très variable, coexisté avec la langue nouvelle, finit par s'absorber en elle ; il s'agit d'un processus de fusion croissante, au terme duquel ni les structures, ni les mots de la langue d'origine ne restent d'usage général, ne survivant, au mieux, que dans une faible minorité d'emplois.

L'EXTINCTION

La notion d'extinction, plus métaphorique que celle de disparition, évoque adéquatement, pour l'imagination, ce que peut signifier le phénomène. Il s'agit d'un retrait total de la scène, concomitant, par définition, de celui des derniers locuteurs, qui s'éteignent sans descendance. L'extinction d'une langue est donc celle des ultimes vieillards qui la balbutiaient encore, ou parfois celle de toute la communauté qui la parlait, quels que soient les âges. L'extinction s'achève en substitution lorsque, ainsi qu'il arrive très fréquemment, les générations suivantes abandonnent complètement la langue dont il s'agit, et en adoptent une autre.

On peut donc dire qu'une langue est éteinte quand elle n'a plus de *locuteurs de naissance*, c'est-à-dire d'utilisateurs qui l'apprennent depuis le début de leur vie dans le milieu familial et social, et auxquels cet apprentissage confère ce qu'on peut appeler une *compétence native* ; cette dernière est elle-même définie comme une connaissance complète et une capacité d'usage spontané, qui font de la langue considérée un instrument de communication propre à toutes les circonstances de la vie quotidienne. Dans une telle perspective, une langue vivante sera définie comme celle d'une communauté qui renouvelle d'elle-même ses locuteurs de naissance ; et une langue morte, si l'on choisit de conserver ce terme, sera celle d'une communauté où la compétence native a totalement disparu, dans la mesure où les locuteurs de naissance n'ont transmis qu'imparfaitement leur savoir, leurs descendants transmettant à leur tour une aptitude de plus en plus faible à parler et à comprendre l'idiome du groupe.

Deux conséquences peuvent être tirées de ces définitions. En premier lieu, l'implication individuelle de la notion de mort est ici absente. La mort d'une langue n'est certes pas celle d'une communauté physique, puisqu'une société humaine qui abandonne une langue pour une autre ne meurt pas elle-même pour autant. Mais la mort d'une langue est un phénomène collectif. C'est le corps social tout entier qui cesse de parler cette langue. Même s'il est vrai que la mort des derniers locuteurs de naissance est un phénomène individuel, on doit considérer que l'extinction d'une langue qui disparaît avec eux est celle d'une communauté linguistique.

En second lieu, les derniers locuteurs de naissance à partir desquels s'amorce le processus d'extinction peuvent se trouver dans deux situations différentes : ils sont soit dans l'espace d'origine, où la langue est parlée comme patrimoine autochtone, soit dans un lieu d'immigration, où une communauté déplacée la conserve encore au sein d'un environnement qui parle une autre ou plusieurs autres langues. Une langue peut donc s'éteindre *in situ*, mais elle peut aussi s'éteindre en diaspora ; ce dernier cas est illustré par les exemples de communautés d'origine norvégienne ou hongroise vivant aux États-Unis depuis un siècle ou davantage, et chez lesquelles le norvégien ou le hongrois est, selon les individus, soit éteint, soit menacé d'extinction.

L'extinction par étapes

Dans ce qui suit, je tenterai de caractériser les étapes d'un processus dont l'aboutissement dernier est la mort d'une langue. Je parlerai de *précarisation* à propos des étapes initiales, et d'*obsolescence* à propos des étapes antérieures à l'issue ultime. Pour référer d'une manière plus générale à l'ensemble du processus, j'emploierai d'autres notions, comme celle de *délabrement*, ou, prises métaphoriquement à partir de la géologie et du droit, celles d'*érosion* et de *déshérence*.

LE DÉFAUT DE TRANSMISSION NORMALE

Manque total ou partiel d'éducation dans la langue autochtone

Le fait qu'une langue cesse d'être transmise aux enfants comme elle l'est dans ses conditions naturelles de vie est l'indice d'une précarisation importante. Dans de nombreux cas, les parents, pour des raisons qui seront examinées plus bas, ne sont pas spontanément portés à enseigner à leurs enfants, par un moyen aussi simple que de la parler avec eux à l'exclusion de toute autre, la langue de la communauté. Cela ne signifie pas qu'ils renoncent entièrement à l'utiliser dans le cadre de l'éducation. Certains néanmoins sont bien dans ce cas, et l'on peut parler alors d'un défaut radical de transmission. Dans d'autres familles, le défaut de transmission n'est que partiel. Mais d'une part les éléments qu'enseignent les parents sont insuffisants, d'autre part, en n'assurant pas une transmission commençant dès le plus jeune âge comme il est courant pour toute langue vivante, ils lèguent des connaissances que leurs enfants n'acquièrent pas d'une façon continue.

L'absence de continuité implique, pour certains aspects de la langue, une acquisition trop tardive, c'est-à-dire intervenant à un âge, entre l'enfance et la préadolescence, où l'avidité d'écoute et d'apprentissage est en train de décroître, et où s'amorce une stabilisation sélective, sinon une sclérose, d'une partie des aptitudes neurologiques d'attention et d'assimilation (cf. Hagège 1996 a, chap. I et II). Par un fâcheux concours, cet âge est aussi celui où, précisément, les enfants s'intéressent de plus en plus à la langue ou aux langues, autres que celle de la communauté, qui sont présentes dans l'environnement, proche ou même lointain.

L'absence d'enfants parmi les locuteurs d'une langue comme signe annonciateur de sa mort

Une langue que parlent uniquement les adultes d'une communauté, tandis que les enfants n'en connaissent qu'une autre ou d'autres étrangères à cette communauté n'est pas condamnée à mort d'une manière immédiate ni certaine. Entre eux, les adultes les plus jeunes s'en serviront encore, en principe, jusqu'à la fin de leur vie. Et d'autre part, la fondation d'écoles où puissent l'apprendre les enfants à qui elle n'est pas transmise dans leur milieu familial reste toujours possible. Dans la plupart des cas connus, néanmoins, cette absence de jeunes locuteurs est à considérer comme un pronostic sombre pour la survie de la langue (cf. p. 202, où elle est utilisée comme discriminant).

LE BILINGUISME D'INÉGALITÉ
ET LES LANGUES EN GUERRE

Les ravages du contact en situation d'inégalité

L'étape qui, dans le processus de précarisation d'une langue, suit le défaut de transmission est la généralisation du bilinguisme chez ses usagers. Mais ce qui est en cause n'est pas un type quelconque de bilinguisme. Les contacts tissent l'histoire de toutes les communautés humaines, et sont loin d'être nécessairement délétères. Il ne suffit pas du contact entre deux langues pour que l'on puisse prédire la mort de l'une d'elles, ni même, dans les très nombreuses situations où ce contact est étroit, pour que l'une constitue une menace quant à l'existence de l'autre. Il s'agit en fait, ici, de ce qui a été appelé ailleurs (cf. Hagège 1996, chap. xiii) bilinguisme d'inégalité, ou inégalitaire. Celle des deux langues dont la pression s'exerce d'une manière redoutable sur l'autre est en position beaucoup plus forte du fait de son statut social ou de sa diffusion nationale ou internationale (cf. chap. vii). Le défaut de transmission intervient dans le cadre ainsi défini. Les détenteurs les plus âgés de la langue communautaire, qui n'est plus en état de résister à la concurrence d'un autre idiome, la transmettent d'une manière imparfaite à leurs enfants, qui la transmettent eux-mêmes plus imparfaitement encore, ou ne la transmettent plus, à la génération suivante.

L'affrontement entre deux langues

La communication des derniers locuteurs avec leurs petits-enfants dans la langue dont s'interrompt le processus de transmission devient de plus en plus inadéquate ou de plus en plus difficile. La conséquence est son abandon croissant, au bénéfice de celle qui est en mesure de remporter la victoire. Car les deux langues en présence se livrent une véritable guerre. Les moyens utilisés par chacune sont différents. Il s'agit d'une lutte à armes inégales entre une langue poussée à la fin de son règne et une langue qui étend le sien. Mais surtout, le bilinguisme inégalitaire sécrète un type particulier de locuteurs, dont il va être question maintenant.

LES SOUS-USAGERS

En effet, du bilinguisme d'inégalité ainsi illustré, on passe, au cours de l'inexorable cheminement vers l'extinction, à une autre étape, par laquelle s'amorce l'obsolescence. Pour caractériser cette étape, je propose d'appeler *sous-usagers* d'une langue donnée les locuteurs qui l'utilisent, à des degrés variables selon les situations, sans posséder ce que j'ai appelé plus haut compétence native. La manière dont les sous-usagers parlent la langue de leur communauté est un signe inquiétant du péril auquel elle est exposée, et dans les cas les plus avancés, une annonce claire de sa disparition prochaine.

Divers auteurs ont étudié, dans des groupes particuliers, l'état de langue dont il s'agit. On a, notamment, appelé *semi-locuteurs* (Dorian 1977) les usagers chez qui le maniement de la langue d'origine devient de plus en plus incertain. On a parlé de *semi-linguisme* (cf. Hansegård 1968) à propos d'une situation que j'appelle (Hagège 1996 a, 261-262) *double incompétence*. C'est celle des familles d'immigrés récents qui ont une pratique fautive de la langue du pays d'accueil, sans avoir conservé une compétence complète dans leur propre langue. Il s'agit ici non d'un phénomène d'obsolescence pour aucune des deux langues, bien que les circonstances ne soient pas sans analogies, mais d'une privation linguistique des individus d'un groupe socialement et économiquement défavorisé. On ne peut donc pas parler, dans ce cas, de sous-usagers, comme chez les locuteurs de diverses langues en voie d'extinction.

Les productions de ces locuteurs seront étudiées plus bas, et permettront de préciser le contenu de la notion de sous-usagers. Qu'il soit simplement noté dès à présent que les sous-usagers se distinguent des sujets doués d'une compétence passive. Ces derniers ne produisent certes pas, le plus souvent, de discours suivi et n'utilisent pas la langue comme peuvent le faire ceux qui possèdent une pleine compétence ; mais ils n'ont pas perdu la connaissance du système et peuvent, du moins en principe, en reconnaître tous les traits en tant qu'auditeurs, ce qui n'est pas le cas des sous-usagers.

L'ALTÉRATION DE LA LANGUE DOMINÉE ET LE DÉNI DE LÉGITIMITÉ

Le type de langue que parlent les sous-usagers dans les situations d'obsolescence initiale peut être illustré par bien des exemples. On en retiendra deux ci-dessous.

Le quetchua en Bolivie face à l'espagnol

Le premier exemple est celui du quetchua de la ville et de la vallée de Cochabamba en Bolivie (cf. Calvet 1987). Le quetchua est l'état moderne de la langue que l'on parlait dans l'empire inca à l'arrivée des conquérants espagnols. L'hispanisation culturelle et linguistique ne l'a pas réduit à une situation aussi fragile que celles de nombreuses autres langues indiennes d'Amérique. Le quetchua est parlé par près de la moitié des cinq millions et demi d'habitants de la Bolivie. Mais il est, évidemment, soumis à la pression de l'espagnol. En milieu urbain (ville de Cochabamba et alentours immédiats), les commerçants, ainsi que l'administration et les médias, laissent une place indéniable au quetchua, mais la forme qu'ils utilisent est assez différente de celle dont se servent les paysans (vallée de Cochabamba).

Sur le plan phonologique, le quetchua des campagnes possède deux voyelles *i* et *u*, mais pas de *e* ni de *o* sinon comme prononciations possibles des mots : *i* peut quelquefois être prononcé *e*, auquel il ressemble, et de même pour *u* par rapport à *o* ; cela signifie qu'il n'existe, en quetchua moins influencé par l'espagnol, aucune paire de mots dont les membres, identiques en tout, s'opposent uniquement, l'un à l'autre, par la présence de *i* dans l'un et de *e* dans l'autre, ou par celle de *u* dans l'un et de *o* dans l'autre. Au contraire, en quetchua de la ville, qui fait maints emprunts à l'espagnol, les voyelles *e* et *o* sont des phonèmes (ensembles de traits sonores servant à distinguer les mots) de plein droit. En effet, ces sons s'introduisent dans le quetchua urbain en même temps que les mots espagnols qui les comportent. Ainsi, les systèmes phonologiques du quetchua urbain et du quetchua rural de la région de Cochabamba sont assez différents pour que l'on puisse parler de deux langues distinctes.

Les faits ne s'arrêtent pas là. On vient de voir que la contamination du système phonologique du quetchua citadin par l'espagnol était corollaire de l'afflux d'emprunts, qui est un phénomène lexical. Mais la grammaire est atteinte elle aussi. Sur le plan grammatical, le quetchua plus conservateur des paysans possède des caractéristiques très différentes de celles de l'espagnol. Le verbe, notamment, est en position finale dans la plupart des phrases, lesquelles sont le plus souvent courtes. En espagnol, le verbe n'est pas plus en position finale qu'il ne l'est en français, où il n'est pas d'usage de dire *ils ont leur maïs au marché vendu*. Dès lors, c'est sous l'influence omniprésente de l'espagnol que l'ordre des mots du quetchua de Cochabamba-ville devient un ordre à verbe en position non finale dans la plus grande partie des phrases.

Dans un environnement de guerre des langues où l'inégalité est forte, la langue légitime est celle des « élites » économiques. Or ces élites, à Cochabamba, sont précisément les communautés d'usagers d'un quetchua de plus en plus hispanisé, en voie de disparaître en tant que quetchua lorsque le processus d'absorption phonologique, grammaticale et lexicale par l'espagnol aura atteint son terme. Ainsi, ces semi-locuteurs sont loin d'être socialement déclassés, lors même que leur langue d'origine est méprisée. Le processus d'extinction du quetchua est celui d'une langue dont l'ancienne légitimité se trouve récusée. Ce processus est à son tour légitimé par le statut même des semi-locuteurs. On voit donc que la légitimation de la langue menaçante et le détrônement de la langue menacée font partie, solidairement, d'un même processus d'affirmation.

Mais il existe aussi, bien entendu, une autre catégorie, abondante, de sous-usagers. Ces locuteurs, appartenant aux classes défavorisées de la société bolivienne, qui parlent le quetchua rural, c'est-à-dire véritable, se servent aussi d'un « mauvais » espagnol, dit « espagnol andin », qui est stigmatisé. Par suite, l'effort d'ascension sociale les conduit à imiter le quetchua de plus en plus hispanisé des sous-usagers de la ville. Si ce processus d'accroissement du nombre des sous-usagers, urbains d'une part, ruraux de l'autre, s'accélère encore, l'obsolescence, puis l'extinction, du quetchua dans cette région sont à craindre.

La situation en milieu créolophone dans les Caraïbes

L'autre exemple concerne une des langues de l'île antillaise de Trinité-et-Tobago, située à proximité des côtes orientales du Venezuela. L'anglais est la langue officielle de cet État membre du Commonwealth. La langue parlée par la majorité de la population est un créole à base anglaise, comme à la Jamaïque et dans d'autres îles des Caraïbes. Mais la moitié des habitants ont également une autre langue. Ce sont en effet les descendants des travailleurs qui, après l'abolition de l'esclavage en 1838, affluèrent, jusqu'en 1917, dans les plantations de sucre ; ils venaient du centre-est de l'Inde septentrionale, région où se parle le bhojpuri, apparenté au hindi, langue dominante de ce pays, et dont les dialectes sont utilisés par près de sept cents millions d'Indiens. Les Indiens de Trinité ont donc pour langue vernaculaire la variante locale du bhojpuri, ou bhojpuri de Trinité.

Cependant, si l'on utilise certains critères pour éprouver le degré de maintien du bhojpuri à Trinité, on constate une nette différence entre les locuteurs de plus de 75 ans nés en Inde, ceux de 55 à 75 ans nés à Trinité, et ceux qui, également nés à Trinité, ont au-dessous de 55 ans. Une expérience pratiquée sur ces locuteurs (cf. Mohan et Zador 1986) établit que la connaissance du bhojpuri décroît très sensiblement du premier au deuxième groupe, puis du deuxième au troisième, si l'on utilise pour discriminant l'emploi correct et fréquent de certains éléments, qui sont propres à cette langue telle qu'elle est parlée en Inde, et qui sont absents en anglais comme en créole local. Il s'agit des éléments suivants : pronoms personnels honorifiques, verbes composés, noms et verbes redoublés à sens distributif, formes-échos (formes à deux éléments dont le second reprend avec altérations un premier élément x, avec pour résultat sémantique « x et autres choses de ce genre »).

Si l'on ajoute à cela que la rapidité d'élocution décroît nettement aussi du premier au deuxième puis de celui-ci au troisième groupe, et qu'au contraire le taux des emprunts à l'anglais s'accroît considérablement dans la même direction, on doit conclure que par opposition aux plus âgés, qui ne transmettent qu'imparfaitement leur compétence, les plus jeunes sont devenus des sous-usagers de la langue indienne ancestrale. Il est caractéristique, à cet égard, que ces derniers n'ont pas conscience du fait que la langue en voie de délabrement qu'ils utilisent de cette façon fort hésitante est encore du bhojpuri ; ils croient qu'il s'agit de « mauvais hindi », selon leur propre expression d'autodérision. L'extinction du bhojpuri à Trinidad n'est plus très éloignée.

L'INVASION PAR L'EMPRUNT

Le noyau dur et le lexique face à l'emprunt

L'emprunt, essentiellement l'emprunt lexical, c'est-à-dire celui des mots du vocabulaire, est une condition de la vie des langues (cf. Hagège 1987, 75-79). Il n'existe pas de langue, même parlée par des communautés vivant dans un isolement presque complet (îles très éloignées de tout autre territoire, hautes vallées séparées des lieux de peuplement voisins par des écrans rocheux difficiles à franchir, etc.), qui ne fasse des emprunts à une ou à plusieurs autres langues.

On peut considérer que les parties les plus structurées des langues sont leur noyau dur, c'est-à-dire leur composante la plus résistante face à l'usure du temps, et à l'influence d'une langue étrangère. Ce sont la phonologie et la grammaire. Au contraire, le lexique (inventaire des mots disponibles à un moment donné de l'histoire de la langue) est un domaine moins structuré, et beaucoup plus ouvert à l'emprunt. Il ne s'agit ici, certes, que d'une tendance générale, mais en dépit des contre-exemples que l'on ne manque pas de rencontrer, on peut la prendre pour cadre d'étude des phénomènes.

Il importe de noter que l'emprunt n'est pas en soi une *cause* de l'extinction des langues. Il en est un *signe* inquiétant lorsqu'il est envahissant et ne laisse intact aucun domaine, comme on va le voir.

L'alternance des codes

L'emprunt de vocabulaire est d'abord un fait propre au discours, les phrases en langue vernaculaire étant encombrées de mots pris à une autre langue. C'est le phénomène dit d'alternance des codes au sein d'un même énoncé.

L'alternance des codes est loin d'être toujours un signe de délabrement. Elle est extrêmement répandue. Tout auditeur attentif, sans être nécessairement linguiste de son état, peut entendre les deux protagonistes d'une communication passer d'une langue à l'autre au sein d'une même phrase, pourvu que la scène se déroule dans un environnement plurilingue.

Ainsi, qui n'a pas remarqué que souvent les arabophones que l'on peut entendre au Quartier latin à Paris, par exemple, emploient, en les insérant au milieu d'un discours qui semble être pour l'essentiel en arabe, des mots français, et même des expressions entières ? Beaucoup de Mexicains d'origine, qui se sont installés en Californie, au Texas, ou dans d'autres territoires de l'ouest des États-Unis (qui les ont conquis militairement, au XIXe siècle, sur le Mexique, auquel ces territoires appartenaient), font constamment alterner les codes d'une manière comparable, passant de l'anglais à l'espagnol et inversement. Les Malais cultivés font de même, insérant de nombreux mots anglais dans un discours en malais.

Dans tous ces cas, il ne s'agit pas d'un bilinguisme d'inégalité. Car même si une des langues (le français pour ces arabophones, l'anglais par rapport à l'espagnol ou au malais dans les deux autres cas cités) incarne pour les locuteurs un pays riche dont on apprécie l'enseignement universitaire ou certains schémas socio-économiques, il n'y a pas d'attitude de rejet de la langue autochtone au profit d'une autre qui la dépouillerait de sa légitimité. Et quand la situation n'est pas inégale, ou que divers facteurs compensent un taux élevé d'importations de mots étrangers, l'emprunt n'est pas le signe d'une menace pour la langue.

Le bilinguisme d'inégalité
et l'emprunt par les sous-usagers

• Les marqueurs discursifs empruntés, colonne avancée
en direction de l'invasion lexicale

Si l'on se trouve, au contraire, dans une situation de
bilinguisme non égalitaire, alors l'afflux des emprunts, surtout quand il y a alternance des codes, est facilité par la
multiplication de petits mots aussi pratiques que redoutables. Ce sont les marqueurs discursifs, c'est-à-dire les
termes ou expressions qui ponctuent les articulations du
discours, ou attirent l'attention de l'interlocuteur, ou sollicitent son acquiescement, ou lui donnent acte de quelque
chose. Tels sont, par exemple, insérés au sein d'un dialogue
entre étudiants, arabophones ou africains, dans une université française, les éléments français expressifs ou de connivence, comme *tu vois ?*, ou *c'est ça !*, ou *voilà !*, ou *et alors*, etc.
On peut dire qu'il s'agit d'une « colonne avancée en direction de l'invasion lexicale » par la langue emprunteuse
(cf. Tosco 1992), dans la mesure où, quand la situation est
celle d'un bilinguisme d'inégalité, c'est la prolifération des
marqueurs discursifs de la langue dominante, introduits
dans un discours en langue dominée avec alternance des
codes, qui prépare la voie à l'engouffrement des emprunts
lexicaux, l'étape ultime étant la substitution, au lexique
originel, de celui de la langue prêteuse. Ce processus peut
fort bien se dérouler sans que les usagers en aient seulement conscience au moment où il est en œuvre.

• Les emprunts et l'offensive en masse

Divers exemples peuvent être donnés pour caractériser l'étape à laquelle une langue est souvent conduite par
la dangereuse puissance de l'emprunt, dès lors qu'il
dépasse un seuil de tolérance. En kusaien, langue microné-
sienne de l'île la plus orientale de l'archipel des Carolines

(« librement associé » aux États-Unis), le pullulement des emprunts à l'anglo-américain a pour effet une telle occidentalisation du lexique, que les locuteurs ne savent presque plus utiliser les quelque vingt-huit termes qui désignaient, dans l'état non altéré de la langue, les différentes phases de la lune. Cet appauvrissement du lexique est parallèle à l'américanisation des usages, et par exemple à la disparition de celui qui consistait à accompagner les salutations de bienvenue par un attouchement des parties génitales, à la stupeur atterrée des missionnaires protestants, dont les symptômes d'apoplexie face à cet innocent spectacle s'expliquaient par le fait que dans l'environnement américain, ils étaient habitués non seulement à des relations d'extrême pruderie, mais aussi au maintien des distances, étudié par le fondateur de la proxémique, E. T. Hall (1966). D'innombrables mots ont disparu du kusaien, du fait du changement des conditions sociales des discours, altérées par le déclin des débats publics et l'envahissement des médias qui s'y substituent. On peut considérer cet état du lexique, appauvri par dépouillement de ses ressources propres et assailli d'emprunts, comme une phase de la précarisation de la langue.

C'est d'une façon comparable, pour prendre des exemples de délabrement avancé parmi les membres rencontrés au Népal et en Thaïlande de la famille linguistique tibéto-birmane, que, sous le raz de marée des emprunts au népalais, a disparu le kusanda et va quasi inévitablement disparaître le hayu, tandis que pourrait très vite s'éteindre l'ugong, assiégé par les emprunts au thaï. Le même thaï exerce aussi une pression redoutable sur d'autres familles de langues en Thaïlande. Le tin et le mlabri, langues de la famille khmu, par exemple, sont parlés par des tribus isolées des régions montagneuses de l'est du pays. Ils ont subi l'un et l'autre une très forte influence du thaï. Ce contact a contribué à l'appauvrissement du lexique, originellement riche en désignations de phénomènes naturels. Le mlabri est en situation plus précaire encore, puisque la tribu est exposée aux changements qui résultent de ses migrations à travers la péninsule indochinoise. Les Mlabri utilisent massivement le thaï pour tout ce qui ne se rapporte pas à la vie domestique, et l'on peut prédire une disparition de leur langue à bref délai, sauf à considérer qu'il s'agit de plus en plus d'une langue mixte, et que dans cette mesure, le mlabri serait viable (cf. p. 240-243).

• L'onde déferlante des emprunts : du lexique à la grammaire

Dans les langues prises en exemples ci-dessus, quetchua de Cochabamba et bhojpuri de Trinité, c'est par le biais de l'emprunt de mots, et de modèles de phrases où figurent ces mots, à l'espagnol dans un cas, à l'anglais dans l'autre, que s'introduisent des traits étrangers. Ce phénomène est un indice important de délabrement : on observe une corrélation entre le taux d'emprunt et le degré de déstabilisation de la phonologie et de la grammaire ; la langue exposée à cette pression remplace ses systèmes propres par d'autres systèmes, dont l'expansion croissante annonce la mort de cette langue. C'est de cette façon, également, que se précipite le déclin des langues aborigènes d'Australie, par exemple le walpiri, qui emprunte un grand nombre de mots à l'anglais, non seulement pour des notions qui étaient, à l'origine, étrangères à l'ethnie (*turaki*, de *truck* = « camion », *pajikirli*, de *bicycle* = « bicyclette », *lanji*, de *lunch* = « déjeuner », etc.), mais même pour des objets du fonds autochtone : ainsi, au lieu de *karli* et *wawirri*, le walpiri emploie couramment *boomerang* et *kangaroo* respectivement, c'est-à-dire des mots dont l'invasion n'est pas sans ironie, quand on sait que l'anglais, servant ici de pur vecteur, les avait lui-même empruntés à une autre langue australienne, le guugu-yimidhirr, selon le journal de James Cook écrit en 1770. Et dans le sillage de l'invasion du vocabulaire, on observe bientôt celle du noyau dur lui-même, prélude à l'obsolescence d'une langue.

On remarque, en particulier, que le détachement vis-à-vis d'une langue dont le fonds lexical propre est en usage déclinant est corrélatif d'une désactivation des processus de formation de mots nouveaux. Les sous-usagers, ayant acquis une compétence supérieure dans la langue dominante, introduisent un nombre considérable de mots empruntés à cette langue au sein des discours qu'ils tiennent dans la langue dominée. Ensuite, ces mots s'intègrent à l'inventaire lexical des sujets, et passent de la fortuité du discours à la nécessité du système. Parallèlement, les mots autochtones, qui font double emploi avec les mots importés, commencent à disparaître.

Le calque morphologique est également caractéristique des phénomènes d'emprunt. Un exemple très simple est celui du français de Welland, dans l'Ontario (cf. p. 214), où, par calque de l'anglais *the one, the ones,* on entend *le celui, le celle, la celle, les ceux, les celles* (cf. Mougeon et Beniak 1989, 300), emplois où l'on dénote, par rapport au français non exposé à cette influence morphologique, l'ajout de l'article et le mélange des genres.

LE PROCESSUS D'ÉROSION ET LES INDICES
DE SON DÉROULEMENT

Profil général du processus

• Diversité des situations

Le processus d'érosion est très variable, et dépend dans une large mesure des circonstances propres à chaque communauté. Ainsi, il y a une dizaine d'années, les derniers locuteurs du cayuga, langue iroquoise des Grands Lacs, d'où ils avaient été déplacés pour être consignés dans des réserves de l'Oklahoma, étaient en train de perdre, selon une enquête récente, les noms de nombreux animaux. Néanmoins, ils avaient conservé dans le même état que les Cayugas de l'Ontario (chez qui la langue se maintient mieux) beaucoup des complexités du système morphologique (cf. Mithun 1989), ce qui suggère que la précarisation n'avait pas encore été suivie d'un état d'obsolescence véritable, et illustre la complexité et la diversité des situations d'extinction de langues, liées à de multiples facteurs, qui parfois se contredisent entre eux. Quant au dahalo, langue couchitique de la province côtière du Kénya, il est soumis à la forte pression de centres urbains comme Lamu, où domine le swahili, que pratiquent nombre de Dahalo bilingues, alors qu'autrefois, il n'y avait que des unilingues ; le dahalo a, certes, conservé son abondance de consonnes, dont certaines (comme /ɬw/, consonne que les phonéticiens appellent *latérale fricative à appendice labiovélaire*) sont assez rares ; mais il a perdu l'opposition des genres, pourtant très enracinée en couchitique, ainsi qu'un autre trait qui l'est également, à savoir les marques très diversifiées de pluriel, caractérisées par des réduplications et alternances nombreuses.

• Altération du noyau dur

Si néanmoins on tente d'établir, au-delà de la diversité considérable des cas particuliers, un profil général du processus d'érosion et de la manière dont sont alors affectées les différentes composantes d'une langue, on rappellera que dans la majorité des cas, les parties dures résistent plus longtemps que le lexique. Quand elles sont atteintes à leur tour, ce qui disparaît d'abord est la grammaire. Il s'agit, notamment, de la perte d'oppositions essentielles constituant les aspects les plus spécifiques de la phonologie, et en morphologie, d'une forte réduction des variations entre formes. Sont également atteints, dans le système des catégories grammaticales, dans les constructions syntaxiques, dans l'ordre des mots, dans les mécanismes de subordination, les traits qui caractérisent le plus la langue en voie d'extinction. La distinction des désinences de cas dans les langues qui en possèdent, celle des temps, des aspects et des modes des verbes sont perdues. Les règles les plus courantes de formation des mots, dans les langues où elles ont un rendement important, cessent d'être productives, et les plus rares disparaissent, tout comme la variété des formes dans certaines langues.

Ainsi, l'estonien des quelque 26 000 immigrés qui vinrent en Suède à la fin de la Seconde Guerre mondiale, et surtout celui de leurs enfants, ont perdu la distinction entre le nominatif, le génitif et le partitif comme marques de l'objet, s'en remettant, sur le modèle du suédois, à l'ordre des mots pour marquer les fonctions. Le koré, langue d'une tribu masai de quelques centaines de personnes vivant sur l'île Lamu, face à la côte septentrionale du Kénya, a perdu, au contact du swahili et du somali, langues véhiculaires de la région, de nombreux traits : la distinction des genres, la plupart des morphèmes marquant le temps et l'aspect des verbes, ainsi que l'emploi productif des indices personnels. On note également la perte de l'exubérante morphologie verbale du kemant, langue couchitique d'Éthiopie ; c'est là un trait des sous-usagers aussi spectaculaire que la conservation de cette morphologie chez les derniers vieillards de Gondar. Cela dit, il ne s'agit ici que d'une tendance générale, et il existe des exemples contraires à celui du kemant. Certaines langues, bien qu'en voie de délabrement, conservent néanmoins longtemps une bonne partie de leur grammaire.

• Perte des traits récessifs

Mais il demeure vrai que la tendance est à la perte des traits récessifs, c'est-à-dire statistiquement rares dans l'ensemble des langues humaines, et étroitement liés à une organisation très spécifique du monde. Ainsi, en Nouvelle-Guinée, on a pu observer (cf. Laycock 1973) que le buna, le murik et l'arapesh, langues papoues, avaient perdu, en

vingt-cinq ou trente ans, les systèmes complexes de classification nominale qui les caractérisaient, et qui consistaient
en une série d'une douzaine de marques différenciant
autant de classes de noms en fonction de l'objet du monde
auquel ils réfèrent.

Le kiwai, autre langue papoue, avait perdu, à peu près
dans le même espace de temps, la différenciation qu'il faisait entre un singulier, un duel, un triel et un pluriel ;
d'autre part, il ne lui restait plus qu'un présent, un passé et
un futur, alors qu'il avait possédé autrefois deux passés et
trois futurs. Plus près de Paris, les parlers bigouden et trégorrois du breton ont perdu un trait fort original, qui
consistait à ajouter deux fois le suffixe de pluriel aux noms
à marque diminutive *-ig*, ce qui donnait, par exemple, sur
paotr « gars », *paotr-ed-ig-où* « les petits gars », où le nom
reçoit la marque du pluriel des animés, *-ed*, le suffixe *-ig*
recevant l'autre marque de pluriel, *-où* (cf. Dressler 1981, 8).

Moins près de Paris, en ayiwo, langue de l'archipel de
Santa-Cruz à l'extrémité orientale des îles Salomon, les
seize classes nominales, du même type que celles des
langues que l'on vient de citer, ont également disparu, ou
quasiment, entre deux enquêtes dont la seconde suivait de
vingt ans la première. Les usagers les plus jeunes sont ceux
chez qui cette disparition est totale, les plus âgés n'offrant
plus que des vestiges de l'ancien système. Le kamilaroi,
langue australienne aujourd'hui moribonde du centre-
nord des Nouvelles-Galles-du-Sud, a perdu presque toutes
les fines distinctions que faisait son système verbal entre
les différents moments de la journée qui, du lever au coucher du soleil, servent de cadre à un événement.

Un des traits récessifs les plus rapidement perdus est
le système de numération, souvent original, que possédaient des langues où l'on comptait les objets par référence
aux parties du corps : non seulement une main pour
« cinq », les deux mains pour « dix », un homme (= deux
mains et deux pieds) pour « vingt », mais aussi une importante série de repères corporels prenant, par convention,

des valeurs numériques assignées à chacun, comme en wambon, langue papoue d'Irian Jaya (cf. Hagège 1998, 51).

• Nivellements analogiques, formulations diluées

Dans le cas le plus fréquent, le type de connaissance que les sous-usagers conservent de la langue en déclin peut être défini par deux caractéristiques : d'une part l'élimination des irrégularités par nivellement analogique, d'autre part la perte des structures denses et leur remplacement par des formulations diluées, dans les nombreux cas où, ne possédant plus la règle pour produire le mot ou l'expression adéquats, ils s'expriment par périphrases ; ils se servent également de calques quand un mot autochtone leur manque, comme les sous-usagers finno-américains remplaçant, pour dire « foyer », le mot finnois *takka*, qu'ils ne connaissent plus, par *tuli-paikka*, calque de l'anglais *fireplace* (il s'agit ici d'un finnois en voie de disparition non *in situ* (en Finlande), mais en diaspora (aux États-Unis)). Un exemple de nivellement analogique est fourni par un locuteur de l'irlandais utilisant une forme *nócha*, par analogie de *fiche* « vingt », au lieu de *deich is cheithre fichid* (« dix et quatre vingtaines ») pour dire « quatre-vingt-dix » ; ce locuteur abandonne l'ancien comptage vigésimal, qui se trouve survivre aussi dans *quatre-vingt-dix*, mot français de France, là où les Belges francophones disent *nonante*.

• Cas d'expolition, et réduction des registres de style

Parfois, un signe du délabrement avancé de la langue chez des bilingues qui sont en voie de passer à la langue étrangère est l'expolition. J'utilise ici ce terme de la rhétorique classique, en le spécifiant pour désigner l'emploi en succession immédiate, dans la même phrase, d'un mot de cette langue dominante puis de son équivalent en langue autochtone, comme chez un informateur du comté de Donegal disant, en irlandais contaminé par l'anglais, *bhí sé black dubh* (était il noir noir) « c'était tout noir » (cf. Watson 1989, 50). On peut interpréter de tels emplois comme illustrant une déficience d'expressivité, puisque l'emploi en contiguïté, pour rendre un sens intensif, de deux mots de même sens, un autochtone et un emprunté, suppose l'oubli des procédés utilisés à l'origine pour exprimer l'intensité. Ainsi apparaît une autre marque du déclin de la langue chez les sous-usagers. Cette marque, corollaire des précédentes, est la réduction des registres de style.

• Survivance de strates

Dans les cas de disparition sous le poids d'un autre idiome après une période de mélange, la survivance de strates, c'est-à-dire de traits imputables à la langue en voie d'extinction, est à considérer comme un signe par défaut, puisque pour tout le reste, elle est submergée. Ainsi, le vumba et le chifundi, langues parlées au sud-est du Kénya, sont aujourd'hui considérés comme des dialectes du swahili, qui les a absorbés, alors qu'ils appartiennent à un autre sous-groupe, dont ils gardent, en particulier dans leur système phonologique, quelques vestiges, erratiques mais clairement identifiables.

• Fluctuations

On observe, dans les dernières étapes, une permanente fluctuation d'un phonème à l'autre, d'une forme à l'autre ; toutes les règles paraissent facultatives, partout règne la variation libre, l'individu s'orientant dans l'expression selon les débris de compétence qui lui restent, comme s'il s'agissait non de langues, mais d'objets à la dérive, dont plus rien ne gouverne la marche chaotique. Pour ne prendre qu'un exemple, les spécialistes qui ont étudié ce qui reste du français de Terre-Neuve (cf. p. 213-214) notent qu'au milieu des années 1980, il n'existait plus aucune règle permettant de décider si le verbe dont le sujet est un pronom pluriel s'accorde au pluriel ou au singulier ; en particulier, tandis que les cinq ou six octogénaires unilingues alors vivants faisaient encore une opposition entre *il allont à la côte à tous les matins* (accord du verbe) et *ya des gars qui va pas à la côte* (absence d'accord en proposition relative), les autres locuteurs accordaient ou non sans aucune régularité observable (cf. King 1989, 142).

Les linguistes aimant le jeu stérile des affrontements entre formalismes peuvent se laisser prendre aux fluctuations. Il peut leur arriver de croire qu'ils ont repéré dans une langue des propriétés fort rares de souplesse et de variation individuelle, dont ils proclament l'intérêt théorique, ou bien ils peuvent entreprendre de rechercher obstinément des facteurs sous-jacents d'invariance qui surplomberaient la vulgaire apparence des oscillations, alors qu'il s'agit en réalité, sans qu'ils le sachent, d'une langue à l'agonie. Ainsi, la demi-compétence des sous-locuteurs est susceptible de faire illusion, même à des professionnels.

Les diversifications que l'on trouve universellement dans les langues humaines valides sont corrélées à des variables de sexe, d'âge, de profession, d'appartenance ethnique qui sont bien étudiées dans les travaux de sociolinguistique. On ne repère rien de semblable dans les langues en phase presque finale d'érosion.

• Les vieillards muets

L'étape finale est celle d'informateurs âgés qu'interroge le linguiste désireux d'enregistrer un ultime témoignage, et qui, alors qu'ils ont pratiqué couramment leur langue à une première étape de leur vie, l'ont littéralement oubliée. On peut citer, parmi les illustrations de ce phénomène fréquent, l'exemple de vieux Arméniens de Marseille ou d'autres villes de France, qui ne sont plus capables de tenir un discours cohérent en arménien, et balbutient des syllabes à peine compréhensibles, que ne suffit pas à expliquer l'émotion (témoignage de Mme A. Malian-Samuélian).

C'est une expérience faite, contre leur gré, par certains linguistes, que de se trouver face à un vieillard présenté comme muet, car il ne se souvient plus de sa langue, et ne fait plus qu'en bredouiller des bribes incohérentes. Cette imputation de mutisme à ceux qu'on ne comprend pas est depuis fort longtemps un des signes de la prise de distance face à la clôture du dialogue : les peuples germaniques étaient appelés « muets » par plusieurs peuples slaves (et les langues slaves modernes désignent encore ainsi les Allemands ; « allemand », en tchèque, se dit *německý*, et « muet » *němý*), car les seconds n'entendaient dans le discours des premiers que borborygmes dépourvus de sens. Mais ici, il s'agit d'un tout autre mutisme. Une scène du film de W. Herzog, *Das Land, wo die Ameisen träumen* (« Le pays où les fourmis rêvent ») montre un vieillard australien pathétiquement muet (information due à Mme H. Albagnac). Ici, la blessure linguistique prend le visage d'une dramatique circularité. L'usager possède encore, sans doute, quelques souvenirs, mais sa langue est presque détruite, car il n'a plus personne avec qui l'employer. C'est la conscience même de ses insuffisances qui donne à son expression une forme quasi cataleptique ; et précisément, par un effet de retour, cette suspension entre la parole et le silence est, pour la langue à la dernière étape de son agonie, un signe de la mort.

Comparaison avec le cas des pidgins

Certains des traits des langues en déshérence paraissent accroître la transparence, en réduisant les irrégularités et le nombre des formes. La transparence étant aussi une caractéristique des pidgins (cf. p. 352-357), on a proposé de comparer ces derniers aux langues moribondes. De fait, quelques propriétés sont communes aux deux situations : tendances à l'invariabilité, à l'analyticité, à l'emploi de traits universellement récurrents dans les langues, plutôt que de traits récessifs. Un autre trait commun aux langues en voie d'extinction et aux pidgins est que dans les deux cas, les locuteurs les plus jeunes ne sont pas soumis à l'intervention normative des adultes, agissant comme régulateurs de l'acquisition, et prescrivant le rejet des formations analogiques qui violent l'usage, ainsi que de toutes autres formes déviantes. En effet, les deux types de situations se caractérisent par l'importance de la variation et l'absence de norme fixe, dans un cas (pidgin) parce qu'elle ne s'est pas encore établie, dans l'autre (langues en obsolescence) parce qu'elle s'est érodée.

Cependant, il existe d'autres traits par lesquels pidgins et langues en déshérence se distinguent. Le caractère aléatoire des destructions qui affectent une langue en voie de disparition apparaît notamment en ceci que les sous-usagers présentent souvent une rétention d'éléments qui n'ont pas de fonction ni de sens clairs, et qui sont des résidus, survivant au milieu du délabrement de la langue. Ce phénomène n'a pas été signalé dans les pidgins, où tout élément répond à une fonction précise.

D'autres caractéristiques font apparaître des différences importantes entre les pidgins et les langues moribondes. Ainsi, le procédé d'expolition, qu'on a illustré ci-dessus à propos de l'irlandais (cf. p. 113-114), se trouve aussi dans certains styles écrits de pidgins, comme celui de Nouvelle-Guinée (appelé tok pisin), qui, récemment encore, dans les colonnes des journaux de Port-Moresby, admettait, au milieu d'une phrase, l'insertion de mots anglais, mais immédiatement suivis d'une traduction (cf. Hagège 1993, 30). Cependant, ici, contrairement au cas des langues en voie d'extinction, il ne s'agit pas d'une contamination : le pidgin est bien vivant, et les usagers qui lisent cette presse ignorent souvent l'anglais, d'où la nécessité de traduire les mots d'emprunt que l'on emploie ici ou là.

Rythme de l'érosion et conscience des locuteurs

Les changements que subit une langue en voie de destruction sont beaucoup plus rapides que ceux, tout à fait courants, qui caractérisent la vie des langues non exposées au déclin. Les sous-usagers ne sont pas toujours conscients du rythme auquel leur langue se disloque, même lorsqu'il est vertigineux. Ils sont souvent convaincus qu'ils parlent encore une langue normale, alors qu'elle est moribonde. Les formes qui donnent l'illusion d'une continuité sont déjà, le plus souvent, celles d'un autre système, en cours d'installation, et qui est le prélude à l'extinction totale.

L'ILLUSION DE VIE

Les recherches en divers lieux où les langues sont entrées dans un processus de délabrement peuvent révéler des phénomènes qui paraissent démentir les pronostics d'extinction, mais qui, à être examinés de près, les confirment. Trois phénomènes de ce type sont présentés ci-dessous.

Les adresses de connivence

Plusieurs cas ont été rapportés dans lesquels la langue vernaculaire, chez des communautés qui sont en train de passer massivement à une autre, peut être entendue dans le discours de certains sujets. Ces derniers souhaitent par là établir un lien de connivence avec les partenaires susceptibles de comprendre. Ainsi, une étude (Mertz 1989) mentionne le cas de locuteurs anglophones de l'île du Cap-Breton, qui fait partie de la Nouvelle-Écosse, province atlantique du Canada (où habitaient autrefois beaucoup de francophones, qui ne sont plus aujourd'hui que 5 %, par extinction croissante du français dans cet environnement canadien anglophone). Le gaélique écossais, que parlait encore, au début du XXᵉ siècle, un grand nombre des descendants d'Écossais vivant sur cette île, a subi, à partir des années quarante de ce même siècle, un processus d'élimination au profit du seul anglais, qui a transformé en unilingues les membres de cette communauté anciennement bilingue.

Cependant, la langue n'a pas totalement disparu de l'usage. On peut entendre le gaélique employé, sous forme d'interjections ou de phrases courtes, par des locuteurs n'appartenant pas aux plus récentes générations. Il s'agit d'adresses lancées à l'interlocuteur, ou de réflexions d'ordre général, ou encore de paroles exprimant une émotion, ou un vigoureux assentiment, ou une réaction humoristique, ou enfin, de salutations, d'obscénités ou de bribes de vieilles légendes. Certaines de ces adresses ont pour cible le locuteur lui-même. Cet emploi en monologue peut, certes, dénoter une relation intime encore entretenue avec la langue. Néanmoins, il ne peut apporter d'argument sérieux en faveur d'un maintien véritable, puisque les locuteurs qui ont été entendus dans ces situations se servent presque uniquement de l'anglais dans les autres circonstances de leur vie.

On peut en dire autant de l'usage comme langue secrète entre vieux, et quelquefois jeunes, usagers, que relie ainsi une complicité d'initiés excluant les allogènes. Cette fonction intégrative de l'emploi d'un fantôme de langue comme marque de l'appartenance à un groupe s'observe aussi dans certaines communautés unilingues en espagnol, aussi bien à Lima pour le quechua qu'à Mexico pour le nahuatl (aztèque), alors que ces deux langues sont bien vivantes dans la plupart des communautés bilingues, et, bien entendu chez celles, habitant les zones rurales, qui sont unilingues dans l'une d'entre elles.

La créativité des sous-usagers

• Le foisonnement d'inventions

On a observé que dans certains cas d'extinction annoncée, les sous-usagers manifestaient une frappante créativité. Depuis au moins le début du XXᵉ siècle, on assure que le hongrois de l'est de l'Autriche est en voie de disparition imminente. Dans la petite agglomération d'Oberwart, par exemple, à moins de douze kilomètres de la frontière avec la Hongrie, 2 000 habitants, qui représentent le tiers de la population, devraient depuis longtemps avoir cessé d'être bilingues, et ne plus parler que l'allemand du Burgenland, abandonnant leur hongrois ancestral. Or le hongrois continue de vivre, si contraire que soit pour cette survie l'environnement entièrement germanophone. Mais la manière dont il vit est assez singulière.

Selon une enquête réalisée entre 1974 et 1983 (Gal 1989), de nombreux habitants d'Oberwart, et non pas seulement parmi les plus âgés, construisent des noms et des verbes avec des éléments non attestés dans la norme hongroise ; ou bien, ne se souvenant plus des mots en usage, ils en forgent de nouveaux, qui, bien qu'ils n'existent pas, sont proches, par leur structure, des mots tombés dans l'oubli ; ou bien, ils donnent, à des mots qu'ils possèdent encore dans leur inventaire lexical, des sens inédits, faute de connaître le mot adéquat pour ces sens ; ils fabriquent des verbes composés à l'aide d'éléments que la norme hongroise combine dans certains cas, mais non dans d'autres ; ils ne savent plus activer certains mécanismes : par exemple, dans l'enquête dont il s'agit, on a noté que l'un des sous-usagers disait *tanult nekem* (étudier~3ᵉ~pers.singulier~passé à~moi) « il m'a appris (des choses) », au lieu de *tánít*, verbe causatif signifiant « faire apprendre », seul adéquat ici car le sens est « enseigner ». Ainsi, le vocabulaire de ces sous-usagers abonde en néologismes qu'un Hongrois de Hongrie peut aisément comprendre, tout en les identifiant immédiatement comme propres à des locuteurs qui ont une connaissance inadéquate de la langue.

Il existe bien d'autres exemples de créativité des sous-usagers, et notamment celui des derniers locuteurs de l'arvanitika, dialecte albanais méridional qui, à la fin de l'Empire byzantin, fut introduit au nord-ouest de la Grèce par des colons albanais. L'émergence d'une nation grecque puis d'un État, après la révolution de 1821 contre la domination ottomane, réduisit l'enclave albanaise à la fragilité d'un lieu de culture minoritaire, et ce processus fut encore accentué par la diffusion généralisée du grec dans l'éducation et l'administration. Les sous-usagers de l'arvanitika parlent aujourd'hui un albanais fortement hellénisé sur les plans lexical et même grammatical (cf. Tsitsipis 1989). L'attention qu'ils prêtent à la manière de trouver la formulation la plus adéquate avec des ressources en déclin continu est un signe indicateur de la brièveté probable du temps encore alloué à la langue avant une disparition que tout laisse prévoir.

• Locuteurs de naissance et sous-usagers

On pourrait considérer que cet exemple, ainsi que d'autres du même type à travers le monde, font apparaître les sous-usagers comme capables d'invention. Leur attitude linguistique s'explique par la valeur attachée à la langue vernaculaire, et par le désir conscient de la promouvoir quand on sait qu'une concurrence redoutable vient l'investir et l'éliminer. En outre, les performances des sous-usagers, même si elles vont souvent contre l'usage établi, ne peuvent pas être assimilées à celles de sujets étrangers qui auraient mal appris la langue, ou seraient au début de leur apprentissage. Elles ne peuvent pas davantage être considérées comme proches de celles d'enfants aux étapes initiales d'acquisition de leur langue maternelle, ainsi qu'on le déclare ici ou là. Les moyens à partir desquels les enfants francophones de moins de cinq ans, par exemple, compensent leurs lacunes par extensions analogiques du type *il a mouru* ou *i sontaient pas là* sont plus maigres que ceux des sous-usagers, au moins en période d'obsolescence non encore proche d'une mort imminente.

Ainsi, bien qu'ils ne possèdent pas la compétence native définie plus haut, les sous-usagers ont néanmoins une certaine compétence : leur relative aisance à forger et combiner les éléments pour générer des formulations que l'usage majoritaire ne ratifie pas dénote une compétence intermédiaire entre celle des locuteurs de naissance et celle des étrangers. On sait, en effet, qu'une caractéristique des étrangers qui ne maîtrisent pas une langue, mais ont assez d'astuce pour savoir exploiter à fond leurs connaissances lacunaires, est de multiplier les périphrases, qui disent, en le glosant, ce que dirait plus vite le mot unique qu'ils ne possèdent pas. Cependant, même si des cas comme celui des Hongrois d'Oberwart conduisent à nuancer le traitement simpliste en termes de vie et de mort, ainsi qu'à affiner les notions de locuteur de naissance et de compétence native, il faut admettre que le comportement de ces sous-usagers créatifs est révélateur du profond appauvrissement de leurs connaissances linguistiques. Ils sont contraints de contourner par l'invention, et avec des formulations fautives quoique compréhensibles, l'ignorance croissante où ils sont d'une langue en voie de s'étioler sous la pression d'une autre, et hors de son pays d'origine.

Rigueurs puristes et fluctuations laxistes

Les communautés dont la langue est en obsolescence offrent souvent deux signes inconscients de cet état : d'une part le souci des styles figés, et d'autre part une rigueur puriste, qui n'exclut pas que, contradictoirement, la langue soit en même temps abandonnée dans un état de fluctuation à l'écart de toute norme.

• La conservation des usages ritualisés

La perte de l'usage quotidien d'une langue dans la vie intime et publique est souvent, aux dernières étapes d'un processus d'érosion, accompagnée, sinon révélée, par la présence exclusive d'emplois rituels de cette langue. Leur style soutenu s'oppose fortement à celui de la parole quotidienne. Ainsi, selon une étude de 1989 (cf. Campbell et Muntzel), le dernier locuteur du chiapanec, langue otomangue de l'État de Chiapas au Mexique, se souvenait presque uniquement, alors, d'un texte religieux destiné à la récitation solennelle, ne connaissant, en outre, que quelques mots de cette langue ; les habitants de l'île de Trinité (autres que les Indiens mentionnés plus haut) chez qui le yoruba de leurs ascendants africains (de la basse vallée du Niger) est agonisant n'en connaissent plus que quelques chants traditionnels ; les derniers locuteurs du kemant en avaient non seulement perdu, comme on l'a vu tout à l'heure, les formes verbales très diverses, mais en outre, ils donnaient un signe de son état de disparition toute proche, en ceci qu'ils pouvaient, faisant illusion sur leur compétence, débiter des prières dans une variété archaïque de la langue.

Les textes encore mémorisés peuvent être longs : les seuls « locuteurs » existants d'un dialecte du tzeltal (langue maya), celui du Sud-Est, autrefois parlé couramment dans l'État de Chiapas, étaient capables de réciter quelques prières, dont une, faite de couplets symétriques et riches en métaphores, importante dans leur culture, et partagée avec les usagers du tojolabal, autre langue maya, elle en bonne santé. En tout état de cause, cette seule attestation d'une phraséologie solennelle en style ritualisé, à l'exclusion de tout emploi naturel, signale la réduction de la langue à l'état de fossile muséifié.

• Le purisme des moins compétents

La plupart des sociétés, soit par la voix du pouvoir officiel, soit par celle des spécialistes dont l'autorité est établie, fixent une norme de leur langue. Elles peuvent la concevoir avec des degrés variables de souplesse. On constate que les défenseurs les plus sourcilleux du modèle normatif sont parfois, dans les communautés où la langue est en état de délabrement, ceux qui ont d'elle la pratique la plus incertaine. Ainsi, au Mexique, où le nahuatl résiste bien dans certaines parties et moins bien dans d'autres, les derniers semi-locuteurs des dialectes nahuatl en voie d'obsolescence fixent une norme exigeante (cf. Hill 1987). Ils reprochent, par exemple, aux autres d'utiliser une structure espagnole pour l'expression de la possession, ainsi que d'accentuer sur la dernière syllabe les mots empruntés, même quand il se trouve que cette accentuation est la norme en espagnol ; prescrivant la fidélité à l'accentuation nahuatl, qui frappe l'avant-dernière syllabe, ils requièrent que l'on prononce, par exemple, *ciúdad* (« ville ») et *lúgar* (« lieu »).

Or ceux qui prescrivent cette norme sont ceux-là mêmes dont la langue est en état de déstructuration. Ils ont depuis longtemps perdu certains des traits grammaticaux les plus typiques du nahuatl, tels que les verbes à nom incorporé (ex. « je viande-mange » pour signifier que l'on est un mangeur de viande), ou la construction des propositions subordonnées. Le purisme défensif des zélateurs du nahuatl est ici l'indice de l'érosion de leurs connaissances. Certes, le purisme peut fort bien être recommandé par de bons, et même de fort bons, connaisseurs de la langue. Mais il s'agit alors d'autres situations. Dans le cas qui nous occupe, cette attitude est typique de l'obsolescence, comme si les semi-locuteurs, à une phase préterminale, voulaient, par le maintien artificiel d'une norme rigoureuse s'opposant à l'image de la vie, se donner l'illusion de la pleine compétence.

• Les hypercorrections

Parmi les caractéristiques de la langue érodée des sous-usagers, il en est une qu'il convient de mettre à part et d'inscrire au dossier des marques de vie renouvelée qui sont, en fait, des indices de mort proche. Ce sont les hypercorrections, ou emplois fautifs par application trop large d'une règle au champ étroit, ou par prorogation artificielle d'un usage ancien disparu dans la langue moderne. Ainsi, dans deux langues peut-être connues encore de quelques vieillards, mais plus probablement éteintes aujourd'hui, le xinca (au sud-est du Guatemala), et le pipil (au Salvador, et appartenant à la famille aztèque), des enquêtes réalisées entre 1975 et 1985 relevaient que les locuteurs employaient dans tous les contextes quelques consonnes d'articulation complexe dont l'apparition, dans la norme, était strictement limitée à certains contextes. Les hypercorrections sont loin d'être inconnues dans les langues en bonne santé. Ainsi, c'est une hypercorrection que de dire en français contemporain, par restauration de l'usage classique, *j'y pense* (où *y* réfère à un humain) ou *je n'ai pu m'empêcher de le vous déclarer*. Mais les hypercorrections, dans le cours normal de l'évolution, ne prennent pas la fréquence qu'on les voit prendre dans les cas comme celui qui est cité ici.

Le trait dominant de ces phénomènes est, en fait, l'instabilité. Il n'y a pas de limite observable aux hypercorrections, ni de règle qui en organise la répartition. Il n'y a pas davantage de délimitation précise, et encore moins concertée, des domaines auxquels devront s'appliquer des prescriptions puristes. Tout au contraire, il manque cruellement aux semi-locuteurs une vue cohérente de ce que pourrait être une défense de la norme. Les pulsions puristes, quand elles existent, ne se déploient qu'à contre-courant, comme on l'a vu pour certains dialectes nahuatl, et non pour appliquer un dessein général de défense.

CHAPITRE VII

Le bataillon des causes

Les trois groupes de causes principales

LES CAUSES PHYSIQUES

Mort brutale d'une langue

• Par disparition de tous les locuteurs : catastrophes naturelles, génocides, épidémies, migrations

C'est le cas le plus simple, si l'on ose dire. Ici, les locuteurs disparaissent tous, sans qu'ait été assurée aucune transmission de la langue, même à des étrangers. Il peut s'agir d'une catastrophe naturelle, comme l'éruption volcanique qui, en 1815, causa la mort de la totalité des Tambora, habitants de l'île de Sumbawa, dans l'archipel indonésien des petites îles de la Sonde, qui séparent Java de Timor. On n'a du tambora que la courte liste de vocabulaire qu'avait établie un voyageur anglais au début du XIXe siècle. Actuellement, les petites tribus des monts Goliath, en Irian Jaya, et leurs langues, diverses et peu connues comme presque toutes celles de Bornéo, se trouvent, sans avoir encore été détruites, sous la menace des glissements de sols et tremblements de terre particulièrement fréquents dans cette région (cf. Dixon 1991).

Le phénomène de mort des langues peut aussi coïncider avec un ethnocide, c'est-à-dire l'élimination d'une culture et d'une langue, sans qu'il y ait massacre de ses porteurs. Mais il peut aussi s'agir d'un génocide. Ainsi, en 1226, les Mongols de Gengis Khan anéantissent les Xixia (ou Tangut), peuple tibéto-birman de l'ouest de la Chine (région actuelle du Gansu), qui avait développé une culture florissante et inventé une écriture idéographique originale ; leur langue est broyée en même temps qu'eux. En 1621, les Hollandais dépeuplèrent l'archipel des îlots Banda, au centre de l'ensemble insulaire des Moluques, en massacrant ses habitants. De même, nous n'avons plus aucune trace de la ou des langues qui se parlaient en Tasmanie, car les occupants aborigènes de l'île ont été annihilés.

Un massacre (*gran matanza* dans la mémoire populaire) eut lieu au Salvador en 1932, dont furent victimes plus de 25 000 Indiens. Avec eux moururent totalement deux langues, le cacaopera et le lenca. Les Andoké, population amazonienne du sud-est de la Colombie et du nord-ouest du Brésil, furent décimés par une série d'atrocités que perpétrèrent les compagnies exploitant le caoutchouc sauvage au cours du XXᵉ siècle (cf. Landaburu 1979). En Colombie encore, des massacres d'Indiens ont eu lieu au XXᵉ siècle. Les guerres frontalières de 1982 et 1995 entre le Pérou et l'Équateur ont conduit au bord de l'extinction de nombreuses tribus indiennes des deux pays, et de même, pendant la dernière décennie, les violences de l'organisation dite Sentier lumineux sur les hauts plateaux andins au Pérou. La destruction programmée des Juifs d'Europe de 1933 à 1945 par la machine hitlérienne a eu raison du yidiche et du djudezmo (cf. p. 217-218). Un programme d'extermination comparable a également privé les parlers tziganes d'une grande partie de leurs locuteurs.

S'il ne s'agit pas de massacres, il peut aussi s'agir d'épidémies, qui ne laissent aucun survivant, ou de guerres de destruction ayant le même effet. Mais les causes sont rarement simples et uniques. Le Mexique de la seconde moitié du XVIe siècle offre un exemple dramatique de ce que peut produire leur conjugaison : bactéries et agents pathogènes de toutes sortes, au pouvoir exterminateur considérable, comme on peut l'imaginer, sur des populations totalement dépourvues de défenses immunitaires et non armées d'anticorps, firent maints ravages dès le contact avec les Européens ; mais il s'y ajouta d'autres facteurs à la nocivité très sûre : changements radicaux dans les relations avec l'agriculture, déplacements, sur des terres à peu près stériles, de paysans chassés de leurs champs fertiles par les Espagnols qui s'en saisissent.

Dépossédés de leurs traditions, de leurs biens et de leur civilisation, habités du sentiment d'être abandonnés de leurs dieux, beaucoup d'Indiens en venaient à perdre la saveur de vivre. De là l'abstinence sexuelle, les avortements et les suicides, qui expliquent la disparition d'un grand nombre de langues tribales. C'est à tous ces facteurs que se sont ajoutés les massacres, pour faire de la mort des hommes une cause essentielle et effrayante de la mort des langues. Et ce qui est vrai des ethnies d'Indiens du Mexique l'est à peu près des aborigènes d'Australie, ravagés par la syphilis, la variole, la grippe, et décimés par la violence des Blancs (qui défendaient ainsi les territoires de chasse où se réintroduisaient ceux qu'ils en avaient exclus).

Enfin, une langue peut disparaître par suite du départ de ses locuteurs sur d'autres terres que les leurs. Souvent, il s'agit de communautés dont l'activité traditionnelle est en déclin, et qui cherchent ailleurs des emplois pour vivre. Elles adoptent alors la langue du lieu d'immigration. Ce processus peut être lent. Il peut aussi être rapide, comme dans le cas des habitants de petites îles s'installant sur le continent, et soumis à l'influence de la langue, à fort pouvoir d'expansion, qui s'y parle.

• Par disparition des derniers locuteurs sans transmission

La mort d'une langue peut, également, être liée à la pure et simple disparition physique, sans descendance ayant acquis cette langue, non pas d'une ethnie entière, mais des ultimes locuteurs, les vieillards qui connaissaient encore l'idiome du groupe. Divers travaux citent les noms des derniers usagers unilingues de nombreuses langues, notamment amérindiennes, qui, après la mort de ces usagers habitués à les utiliser entre eux, n'ont évidemment pas pu leur survivre.

L'occultation par stratégie de survie

Il ne s'agit pas ici d'une disparition physique, mais on peut imputer aux causes physiques, au moins indirectes, les situations d'oppression ou de péril dans lesquelles se trouvent des populations. Pour échapper à de graves dangers, à des persécutions insupportables, ou à la mort, une communauté abandonne brusquement sa langue, par stratégie de survie, dans la mesure où c'est un acte négatif de défense que de se dissimuler en tant que locuteurs, face au sort tragique de ceux qui affichent l'usage de cette langue. C'est ainsi qu'au Salvador, lors des massacres de 1932 mentionnés ci-dessus, les locuteurs du pipil, voyant qu'une grande partie des leurs subissait le même sort que les Cacaopera et les Lenca, renoncèrent abruptement à leur langue. Le pipil était devenu moribond dans les années qui suivirent, et il est probablement éteint aujourd'hui.

La déportation

Dans ce cas encore, il ne s'agit pas de disparition physique. Pourtant, c'est une contrainte corporelle que la déportation, avec les conséquences qu'elle induit. En Australie, aux États-Unis, au Canada, beaucoup de communautés ont été arrachées à leurs terres ancestrales, et transportées contre leur gré sur d'autres. L'effet que cette violence produit sur les langues est facile à comprendre : partout, les tribus déportées se retrouvent mêlées à d'autres, également déportées, qu'elles ne connaissaient pas et dont elles ignorent la langue. Celles des oppresseurs, ou divers jargons d'urgence qui naissent de ces situations, deviennent les seuls moyens de communiquer. Les langues tribales, d'abord réduites au seul usage familial, perdent de plus en plus leur raison d'être, étant donné la vie nouvelle à laquelle sont confrontées les populations, et les rapports étroits qui commencent à les lier entre elles. Ces langues finissent par disparaître le plus souvent. C'est là le scénario qui a dominé depuis deux cents ans l'histoire de beaucoup de langues australiennes, et, aux États-Unis, celle des langues de communautés déportées en Oklahoma.

LES CAUSES ÉCONOMIQUES ET SOCIALES

Pression d'une économie plus puissante

On pourrait se demander pourquoi le néerlandais ne s'est pas maintenu dans les États de New York, du Delaware et du New Jersey, possessions des colons des « Nouveaux Pays-Bas » de 1623 à 1664, pourquoi le français a disparu dans l'État du Maine, où les immigrés francophones d'Acadie étaient pourtant très nombreux, pourquoi enfin les langues africaines n'ont pas survécu dans les communautés noires américaines (cf. Mufwene 1999). La réponse n'est peut-être pas à rechercher trop loin. La machine économique et, par conséquent, les structures administratives coloniales et postcoloniales, avaient un moyen d'expression et un seul : l'anglais. Certes, cette prééminence ne fut pas immédiate : les colons dominèrent vite l'agriculture, mais la révolution industrielle, qui s'était amorcée dès les premières décennies du XVIIIe siècle en Angleterre, fut plus tardive aux États-Unis, où il fallut construire les structures politiques et réparer les dommages de la guerre de Sécession. Mais dès le dernier tiers du XIXe siècle, l'anglais, et non les autres langues, devenait, et allait devenir de plus en plus, le vecteur linguistique, et même un des signes, du progrès économique.

Cette même cause explique sans doute le déclin des langues amérindiennes : les structures économiques mises en place par la population anglophone devenue majoritaire rendaient la connaissance de l'anglais de plus en plus nécessaire aux Indiens dès lors que ces derniers, devenus minoritaires et dominés sur leurs propres territoires, souhaitaient entrer en relation véritable avec le nouveau système, et y trouver des espaces d'insertion professionnelle. Dès lors, la conservation d'une aptitude bilingue devenait de moins en moins justifiable, si l'on suit le raisonnement ordinaire, évidemment critiquable, des communautés, dans lesquelles la majorité des parents posent le problème de l'apprentissage des langues en termes de coût et de rendement : la transmission des langues indiennes tendait, selon un mouvement d'amplitude croissante, à être jugée trop onéreuse, au regard des dividendes, mesurés en termes de métier et d'intégration, qu'elle pouvait rapporter aux enfants.

Création d'une classe sociale supérieure

Au sein d'une communauté, il se constitue souvent un groupe d'individus qui s'inspire, pour se porter aux commandes, de modèles étrangers. Si ce groupe parvient à s'imposer, et s'il s'accroît, alors un moment peut arriver où la langue, extérieure au groupe, que celui-ci a adoptée pour ce qu'elle représente de force économique, exerce une pression sur la langue vernaculaire. Pour peu que la langue intruse étende son audience grâce à l'apparition de locuteurs de naissance, sa pression devient plus puissante encore.

Tel est, en termes généraux, le processus que l'on peut tenir pour responsable du déclin du gallois au pays de Galles, en dépit de l'apparence de santé qu'il offre, si on le compare à la précarité des principales autres langues celtiques, dont le breton et l'irlandais. En effet, une classe supérieure politiquement dominante s'était constituée au pays de Galles dès l'époque des Tudor ; cette classe était de plus en plus attirée vers Londres et sa domination économique et culturelle ; et dans la seconde moitié du XVIIIᵉ siècle, le déclin du gallois, qu'avait commencé de provoquer cette situation, se trouva encore accéléré par l'immigration de locuteurs anglophones dans les mines de charbon du sud-est du pays de Galles.

Il est vrai qu'il existe d'apparents contre-exemples. Car les phénomènes linguistiques, qui mettent en jeu une matière humaine, ne sont pas de l'ordre du prédictible sans exceptions, et plus encore quand interviennent des facteurs externes, comme les facteurs économiques et sociaux. Ainsi, on signale (cf. Poulsen 1981) le cas du dialecte frison parlé sur les îles de Föhr et d'Amrum (en mer du Nord, au large des côtes orientales du Schleswig-Holstein). Après le déclin de la pêche au hareng traditionnelle, une école fut fondée, au XVIᵉ siècle, pour enseigner la navigation aux garçons de ces îles, qui trouvèrent ensuite des emplois dans les compagnies néerlandaises dont les bâtiments sillonnaient les mers. Parler ledit dialecte frison était un avantage, et les immigrants avaient intérêt à l'apprendre s'ils voulaient devenir membres de ce milieu assez fermé de marins. Ce fut un des principaux facteurs de maintien d'un dialecte précédemment en danger de disparition. Mais, d'une part, les contre-exemples de ce type sont assez rares ; d'autre part, il s'agit d'un microsystème économique et d'un milieu professionnel restreint, qui ne sont pas imaginables pour une vaste communauté confrontée à une langue dominante.

Langue dominante et langue dominée. Interprétation écologique des modèles socio-économiques

Il est possible d'interpréter en termes écologiques les phénomènes dont il vient d'être question. Si on élargit la notion, proposée précédemment (cf. Hagège 1985, 246-247), d'*écolinguistique*, on dira que les langues, pour survivre en continuant de mener une vie normale, doivent s'adapter aux nouvelles nécessités de l'environnement écolinguistique. Les pressions qu'exerce un environnement écolinguistique jusqu'alors inconnu deviennent beaucoup trop fortes pour que les communautés confrontées à un mode de vie radicalement nouveau aient les moyens et le temps d'y faire face en adaptant leurs langues. Le remplacement de ces langues par d'autres, représentant un statut économique et social plus puissant, apparaît dès lors comme la conséquence, à leurs yeux, de cette situation. En d'autres termes, la renonciation à la langue autochtone, et l'adoption de la langue qui est vue comme la plus efficace sur le marché des valeurs linguistiques, semblent être les moyens de la promotion économique et de l'ascension sociale.

Ici s'affrontent une langue dominante et une langue dominée. La langue dominante est en position d'assaillant. Le territoire à conquérir pour elle, à défendre pour l'autre, est un véritable gisement exploitable. Ce territoire n'est autre que la communauté linguistique même qui s'était constituée autour de la langue d'origine, passée au statut de langue dominée. On peut parler d'une *érosion* fonctionnelle de la langue dominée, au sens où son rendement comme moyen de communication ne cesse de décroître à mesure que s'étend, symétriquement, celui de la langue rivale, qui est associée à une révolution des mœurs économiques.

La sélection naturelle

On pourrait également interpréter en termes darwiniens de sélection naturelle le phénomène par lequel la langue d'une population économiquement plus puissante tend à menacer celle d'une population plus faible. Mais il faut alors considérer l'affrontement entre les systèmes économiques comme le théâtre de forces produites par la nature et par les conditions de l'environnement. Un tel traitement est concevable. Certes, la volonté consciente qui produit la domination économique différencie d'une manière profonde les sociétés humaines et les autres sociétés animales. On ne saurait oublier que la langue, espèce naturelle par beaucoup de ses aspects (cf. chap. II), est aussi, d'une part, le produit d'une aptitude cognitive innée, et d'autre part une institution sociale. Mais on peut admettre que les rapports de domination sont eux-mêmes des données naturelles, représentation métaphorique des données sociales. Dans la lutte des langues pour la vie, plusieurs facteurs rendent dominantes certaines d'entre elles. Cela est vrai dans n'importe quel territoire et à toutes les échelles, comme va le faire apparaître un autre exemple, cette fois pris en Afrique.

Chasseurs-cueilleurs et éleveurs-agriculteurs

Les langues des sociétés de chasseurs-cueilleurs sont particulièrement exposées au déclin. C'est en Afrique de l'Est que l'on observe surtout ce phénomène. Il s'agit de petits groupes souvent misérables dont la réputation, auprès des agriculteurs et éleveurs, était traditionnellement mauvaise, car leur activité de nomades, en quête de gibier et de plantes et vivant sans hygiène, était considérée comme proche de celle d'animaux. Bien que les faits évoluent à raison même des initiatives que prennent ces groupes pour modifier leurs conditions de vie, leur statut social est assez bas. Ils subissent donc une très forte pression du modèle pastoral, qui leur permet à la fois moins de pauvreté et un meilleur statut.

Il s'ensuit que les sociétés de chasseurs-cueilleurs sont poussées, par des raisons économiques et sociales, à abandonner leurs langues en faveur de celles du groupe auquel elles souhaitent s'intégrer. Les exemples de cette situation sont assez nombreux. On n'en retiendra que deux ici. Les Kwegu du sud-ouest de l'Éthiopie, en partie sédentarisés dans de pauvres villages le long de la rivière Omo, pratiquent une culture immergée, assez réduite, du maïs, mais vivent surtout de la chasse à l'hippopotame et de l'apiculture, vendant leur hydromel, dont le pouvoir enivrant est apprécié sur les hauts plateaux éthiopiens, mais gardant pour leur consommation la viande ; car leurs voisins, les Mursi et les Bodi, considèrent comme taboue la chair de nombreux animaux.

Les Kwegu entretiennent des relations de clientèle avec ces voisins, qui veillent à leurs intérêts, et dont ils gardent les troupeaux avec l'espoir de devenir propriétaires de têtes de bétail ; ils épousent souvent les filles de leurs protecteurs. Les couples ainsi formés seront d'autant moins incités à transmettre le kwegu que les mères ne le parlent pas, et le considèrent comme difficile alors qu'il a beaucoup de points communs avec le mursi et le bodi, qui appartiennent comme lui à la famille linguistique nilo-saharienne ; et surtout, le bilinguisme d'inégalité qui se généralise ne profite pas au kwegu, langue sans valeur socio-économique. Un autre exemple, également africain, est celui des Dahalo, chasseurs-cueilleurs au nombre de quelques centaines, qui vivent dans la province côtière du Kénya, en face de l'île Lamu, et dont on a vu (p. 110) que la langue s'est fortement érodée sous la pression du swahili, parlé par la majorité de la population dans les villes.

Les chasseurs-cueilleurs qui tendent à devenir éleveurs et agriculteurs gardent quelque temps la conscience d'appartenir à une certaine ethnie. Mais en abandonnant leur mode de subsistance et en changeant de statut social du fait des mariages intertribaux et des rapports de clientèle et de protection, ils abandonnent aussi les activités culturelles et les traditions qui sont liées à l'usage de leur langue ; ces deux abandons se cumulent pour les conduire à sacrifier cette langue elle-même. Dès lors, le maintien d'une véritable identité distincte, même s'il est fortement souhaité, devient largement illusoire. Il en est de même dans d'autres sociétés, comme celles de pêcheurs. Pour ne prendre qu'un exemple ici aussi, les Elmolo, anciens pêcheurs des rives méridionales du lac Turkana, au Kénya, ont quasiment perdu leur langue (de la famille couchitique), en passant à celle des Samburu, peuple nilotique auquel ils se sont assimilés économiquement et culturellement.

Déclin de la vie rurale

De même que les chasseurs-cueilleurs et les pêcheurs s'assimilent aux agriculteurs et éleveurs dont ils veulent acquérir le statut supérieur, de même les paysans sont souvent attirés par la vie urbaine, où ils espèrent trouver une meilleure situation économique. La conséquence linguistique, à plus ou moins brève échéance, est, ici aussi, l'extinction. C'est là ce qui pourrait advenir, au moins dans les villes, au nubien, langue de la famille nilo-saharienne, en principe parlée encore par 200 000 personnes en Égypte et au Soudan. En Égypte, les Nubiens les plus jeunes, attirés par les meilleures perspectives d'emploi qu'offre à leurs yeux la ville, sont nombreux à se rendre au Caire ou à Alexandrie. La présence de l'électricité, et donc de la radio et de la télévision, fait beaucoup pour promouvoir parmi eux l'arabe, dont les hommes deviennent ainsi des vecteurs. Car ils sont plus présents dans les foyers, du fait de la proximité de leurs lieux de travail par rapport aux villages, et tendent à parler en arabe à leurs enfants. Seul le nubien des zones rurales échappe encore au déclin qui menace la langue dans les zones urbaines.

On pourrait considérer que ce schéma, à quelques variantes près, s'applique partout. Le déclin des langues régionales, des dialectes et des patois en France fut lié à la désertification des campagnes, à la mobilité professionnelle, à l'attrait du confort (relatif) de la vie citadine. Selon une certaine opinion, les paysans français qui renoncèrent à leurs langues locales, autrement que sous les brimades des instituteurs chargés de répandre la langue de la nation et elle seule, agirent librement : ils étaient attirés par le progrès, ou ce qu'on désigne ainsi. Mais l'évolution rapide des modes de vie les mettait-elle en situation de choisir ?

Abandon des activités traditionnelles

Lorsqu'une population renonce à son mode de vie pour des raisons économiques et sociales, un des effets de ce choix est la réduction, et bientôt l'abandon, des activités anciennes. Or la langue dans laquelle ces activités s'exprimaient était celle de la tradition, ensemble des symboles culturels où se reconnaissait l'ethnie. La langue ethnique est donc exposée à disparaître en même temps que la culture dont elle était le véhicule. Parmi les exemples de ce processus, on peut retenir celui des langues des Aborigènes d'Australie. Dans la plupart des groupes, la chasse et la pêche ont disparu ou ne se pratiquent plus qu'à petite échelle. Il en est de même des fêtes nocturnes appelées *corroborees* (par réinterprétation selon le mot anglais le plus proche, mais sans aucune parenté sémantique (*to corroborate* « corroborer »), du mot *korobra*, signifiant « danse », probablement en wunambal, encore parlé au nord de l'Australie occidentale). Au cours de ces festivités, qui célébraient la victoire d'une tribu ou quelque autre événement faste, on dansait et discourait, évidemment en langue vernaculaire. Au début, les Aborigènes se servaient de leurs langues dans ces circonstances, comme dans toutes celles de leur vie per-

sonnelle et familiale, et de l'anglais dans leurs activités pro-
fessionnelles et dans leurs relations avec les Blancs. Mais à
mesure que l'assimilation entraînait le déclin des coutumes,
ils consacraient de moins en moins de temps à ces
dernières ; par suite, ils se servaient de moins en moins des
langues qui en étaient le support, et de plus en plus de
l'anglais. C'est de cette façon que le changement de repères
culturels peut conduire à la mort des langues.

On observe même des cas de corrélation directe entre
le déclin des activités traditionnelles et l'érosion du système grammatical. Ainsi, on peut comprendre pourquoi
les ultimes locuteurs du kamilaroi (cf. p. 112) avaient
presque complètement perdu, lors de la dernière enquête
dans les années 1970, le système très élaboré par lequel les
verbes y permettaient de distinguer morphologiquement
les moments de la journée où s'accomplit une action.
L'importance culturelle de ce système tenait à ceci, qu'il
était fondé sur les cycles de comportement adoptés, entre
le lever et le coucher du soleil, par les animaux que les
Kamilaroi avaient jadis l'habitude de chasser. Précisément,
les derniers vieillards avaient depuis bien longtemps cessé
toute activité de chasse, et les plus jeunes membres de la
tribu s'étaient détachés de ce mode traditionnel de relation
avec l'environnement.

LES CAUSES POLITIQUES

Les langues immolées sur l'autel de l'État

• Les États et le plurilinguisme

L'établissement de pouvoirs politiques centralisés et
soucieux d'étendre leur maîtrise sur toutes les régions qui
sont censées relever de leur autorité n'est pas toujours
compatible avec le maintien de petites ethnies éparpillées
sur de vastes territoires. Le développement des États cons-

cients de leur poids politique s'est souvent accompagné d'entreprises particulièrement néfastes pour ces ethnies : destruction de l'habitat, déforestation, déplacement de populations, assimilation forcée. Telle est, par exemple, l'histoire de la colonisation espagnole en Amérique centrale et méridionale, et de la colonisation anglaise puis américaine en Amérique du Nord. Les politiques coloniales des autres pays, Portugal, Pays-Bas, France, n'ont pas été très différentes de ce schéma.

Les conséquences linguistiques de ce rapport de forces se laissent facilement apercevoir. L'idéologie des États construits autour de la domination d'une nation n'est guère favorable au foisonnement des langues et aux tentations de dispersion qu'il implique. La réduction constante du rôle des langues régionales est l'effet le plus visible de la politique linguistique en France, sous la monarchie comme sous la république. L'ordonnance de Villers-Cotterêts ne fait que ponctuer, en 1539, une série d'actes royaux qui, dès avant le règne de Louis XI, n'avaient eu d'autre objet que l'extension de la langue de l'État rognant les positions du latin, certes, mais aussi celles des langues régionales. Sous la Révolution, le mot de l'abbé Grégoire est significatif, qui invoque la nécessité d'une seule langue, sans laquelle il est impossible de se comprendre à l'échelle de toute la nation, et par conséquent impossible d'assurer la circulation des marchandises et celle des idées.

Cette politique est une des causes (mais non la seule) du déclin des langues régionales, ainsi que des dialectes et des patois, dans la France contemporaine (cf. Hagège 1987 et 1996b). La France est loin d'être un cas isolé. C'est, dans la plupart des sociétés érigées en États, une caractéristique fondamentale de la conception qu'elles se font des bases de l'unité nationale, que de construire ces dernières sur l'unité linguistique. Il se pourrait que la conception de la cohésion nationale comme liée à l'unité linguistique fût surtout répandue en Europe et en Amérique, à en juger par l'attitude plus souple que l'on trouve, face au plurilinguisme, en

Inde, en Thaïlande, en Malaisie, et même, dans une certaine mesure, en Chine (cf. Fodor et Hagège 1983-1994).

• L'État et le linguicide

Les pouvoirs politiques ne s'en tiennent pas à des mesures limitant l'usage des langues minoritaires. Souvent, ils ne font rien pour empêcher une mort que tout annonce pour certaine. Mais ils vont parfois plus loin. Il arrive ainsi qu'ils pourchassent les langues, sans pour autant exterminer leurs locuteurs. Le linguicide d'État, c'est-à-dire l'élimination concertée d'une ou de plusieurs langues par des mesures politiques explicites, est notamment illustré par la guerre que livrèrent les États-Unis, durant les premières décennies du XXe siècle, aux langues parlées sur diverses îles de Micronésie, comme l'est le chamorro (ou guameño) à Guam, ainsi qu'à Saipan, Rota, Tinian, Pagan, Anatahan et Alamagan. Le pouvoir américain, plus encore que le pouvoir espagnol avant lui, s'efforça, par des dispositions administratives très strictes, d'annihiler le chamorro, et parvint à une réduction spectaculaire du nombre de ses locuteurs. Il semble néanmoins que la langue ne soit pas morte.

Un autre exemple bien connu se situe dans la même région. Dès les premières années du XXe siècle, aux Philippines, les autorités politiques américaines, après l'éviction de l'Espagne entre 1898 et 1901, entreprennent, par l'envoi d'auxiliaires anglophones jusque dans les villages de montagnes, une véritable extirpation de l'espagnol, qu'avaient fortement introduit parmi les élites près de cinq cents ans de pouvoir colonial, certes remis en cause depuis le début du XVIIe siècle par une longue série de rébellions.

Parfois, l'entreprise de linguicide a été perpétrée par un groupe dominant qui appartenait à la population même des locuteurs d'origine. Par exemple, l'Acte sur l'Éducation adopté par le parlement écossais en 1616 stipule que dans chaque paroisse, les écoles devront généraliser l'usage de l'anglais, et pourchasser le gaélique écossais, décrit comme source de toute barbarie, et par conséquent à « abolir et supprimer » de tout enseignement.

Les instruments de l'exécution différée

Les États ne sont certes pas obligés de prendre, contre les langues qu'ils ont condamnées, des mesures administratives explicitement adaptées à l'entreprise d'extermination. Ils disposent aussi d'instruments d'exécution des langues qui, pour être plus lents, sont tout aussi efficaces. Ces instruments sont bien connus, et ne seront rappelés ici que brièvement. Ce sont l'armée, les médias et l'école. Il ne sera question ici que de l'armée et des médias. J'examinerai plus loin l'action de l'école.

• L'armée

On sait que le brassage des conscrits fut en France, sous la troisième République, à moins qu'il ne l'ait été dès la première, lorsque la Révolution levait en masse pour faire face aux périls sur les frontières, un des moyens de la diffusion générale du français, à raison même de l'assignation des langues régionales, dialectes et patois, à un statut réduit d'idiomes de l'intimité. Le russe a joué un rôle semblable au XXᵉ siècle par rapport aux nombreuses langues des combattants de base des armées tsaristes et surtout soviétiques, qu'ils fussent originaires du Caucase, des républiques musulmanes d'Asie centrale, des régions de Sibérie orientale où vivent des ethnies dispersées turques, mongoles et toungouses, ou d'ailleurs ; dans toutes les parties de ce pays, la langue la plus forte, le russe, ayant vocation d'être langue de l'union, assimilait toutes les autres.

• Les médias

Le bombardement des masses par la radio et la télévision s'exprimant dans l'une ou dans l'autre des quelques langues de diffusion mondiale (anglais, espagnol, français, portugais) ne peut avoir qu'un rôle délétère pour les langues tribales et régionales qui en sont absentes, et qui se trouvent être celles d'une partie des auditeurs et spectateurs. Il est inutile d'insister sur cette cause transparente de disparition des langues mal défendues. On se contentera de rappeler que parmi les tribus isolées dans des brousses inaccessibles, le nombre est de plus en plus réduit de celles qui, ne disposant pas de postes récepteurs, échappent à cet assaut quotidien. Il faut aussi souligner que les plus exposés sont ceux et celles qui sont encore les moins pourvus en connaissances, et chez qui la transmission des langues précarisées se fait de moins en moins alors qu'ils sont les clés de leur survie : les nouvelles générations, marché idéal pour la diffusion massive des cultes (rémunérateurs !) portés par les médias à dominante anglophone, notamment la musique pop, la mode et les sports.

L'impérialisme de l'anglais

• La hiérarchie des langues

L'impérialisme de l'anglais occupe, aujourd'hui, une place de choix parmi les facteurs de la mort des langues. Les causes économiques et sociales sont, certes, à prendre en considération avant toutes les autres. Mais l'anglais, qui, étant la langue des sociétés les plus industrialisées, est le principal bénéficiaire du choc entre communautés quand l'une est économiquement plus forte que l'autre, acquiert, du fait même de cette suprématie, un poids encore plus considérable, de nature politique, qui, à son tour, accroît son pouvoir de pression. L'anglais américain recueille à son profit tous les fruits de l'opposition quasiment hiérarchique, et de plus en plus abrupte dans le monde d'aujourd'hui, entre une langue locale réservée aux rapports privés et une langue internationale qui a vocation d'être le vecteur des transactions commerciales à vaste échelle, et donc aussi celui des idéologies politiques et culturelles.

• La promotion de l'unilinguisme et de la mentalité unilingue

Une conséquence de cet état de fait est la suprématie de ceux qui ne parlent qu'une langue, et la faveur que recueille leur attachement à cette seule langue. Cette promotion de l'unilinguisme et de la mentalité unilingue se fait au bénéfice de l'anglais. La compétence des individus multilingues, au lieu d'être appréciée pour ce qu'elle est, à savoir une richesse, se trouve dévalorisée comme un handicap. L'unilinguisme au profit de l'anglais est vu comme garantie, sinon comme condition nécessaire, du modernisme et du progrès, alors que le multilinguisme est associé au sous-développement et à l'arriération économique, sociale et politique, ou considéré comme une étape, négative et brève, sur le chemin qui doit conduire à l'anglais seul. Les locuteurs se trouvent implicitement consignés dans l'étroite cellule d'un choix : ou bien conserver sa langue maternelle, minoritaire, ou politiquement sans poids même quand elle est majoritaire, et dès lors ne pas apprendre correctement l'anglais, ou bien apprendre l'anglais et donc ne pas conserver sa langue maternelle. Divers travaux (cf., notamment, Lambert 1967) montrent que ce choix est bien celui où l'on enferme de nombreuses communautés, par exemple celles d'immigrés dans les provinces canadiennes autres que le Québec. La dévalorisation du bilinguisme va donc jusqu'à faire oublier que l'on peut apprendre une langue sans pour autant renoncer à celle que l'on parlait précédemment.

Bien entendu, dans cette situation foncièrement inégale, les anglophones de naissance ne perdent rien. Car pour eux, au contraire, l'acquisition d'une autre langue est conçue comme possible sans qu'elle implique le moindre coût pour leur langue d'origine, ce qui signifie que l'apprentissage est d'addition, comme il est naturel, et non de substitution. En revanche, pour les autres, c'est bien d'une substitution qu'il s'agit, car tout est fait pour les persuader que le bilinguisme est un luxe coûteux, et que seule la langue dominante vaut l'investissement d'apprentissage, puisque seule elle apporte un résultat gratifiant et rémunérateur. Encore cette pression explicite n'a-t-elle pas toujours été nécessaire : le bilinguisme inégalitaire, chez la plupart des peuples dominés, dévalorise de lui-même, et finit par condamner, la langue autochtone, puisqu'elle est confrontée à un modèle économique et social que tout fait apparaître comme plus prestigieux.

• L'école anglophone en Amérique du Nord, machinerie de mort pour les langues indiennes

On vient de voir que les États sont capables de prendre des mesures scolaires visant à l'éradication pure et simple d'une ou de plusieurs langues. Les mesures explicites d'abolition ou de promotion ne sont qu'un des aspects du rôle de l'école dans la mort des langues. L'école est, de surcroît, le lieu et l'instrument d'une agression de longue haleine.

La politique des gouvernements fédéraux, au Canada comme aux États-Unis, fut, dès la fin du XIXe siècle, d'intégrer par l'école anglophone les communautés indiennes. Il était explicitement dit (cf. Zepeda et Hill 1991) que le seul moyen de « civiliser » les enfants indiens était de les soustraire à l'influence « barbare » de leurs milieux de naissance, en les transférant dans des pensionnats éloignés de leurs villages. Cette opération d'arrachement fut parfois réalisée par la force. Les familles étaient trop démunies pour être en mesure de faire revenir leurs enfants, même durant les vacances d'été. Dans toutes les écoles, qu'elles fussent fédérales, paroissiales, ou qu'il s'agît d'établissements secondaires à l'échelon local d'une agglomération, l'utilisation des langues amérindiennes était absolument interdite, et toute infraction était punie d'une manière aussi sévère qu'humiliante, même quand les enfants étaient encore très jeunes. Dans certaines zones, ce système existait encore au début des années 1970.

Ailleurs, il n'avait pas été nécessaire de le maintenir, tant avaient été efficaces les brimades corporelles et morales infligées aux enfants indiens qui osaient se servir encore de leur langue maternelle. Des vieillards des ethnies tlingit et haida, dont les langues, jadis parlées au sud-est de l'Alaska, sont aujourd'hui moribondes, assurent qu'ils frissonnent à ce souvenir, lorsqu'il leur arrive de parler encore entre eux la langue de leur communauté ; une savante mise en scène, avec figurations grimaçantes et personnages effrayants, était utilisée à l'école américaine, afin d'extirper tout attachement aux cultures indiennes, de faire apparaître les langues comme des créations diaboliques, et de chasser par la terreur toute velléité de les utiliser. Était-il possible d'en conserver encore quelque désir, alors qu'on entendait les maîtres affirmer que Dieu, auquel on apprenait à obéir en tout, n'aimait pas les langues indiennes ?

On peut, pour ne retenir qu'un exemple, mentionner les écoles dirigées, en Alaska, par des missionnaires jésuites, moraves (ordre d'inspiration hussite, né en Moravie) et orthodoxes. Jusqu'aux premières années du XX\ue siècle (cf. Krauss 1992), ces écoles utilisaient, pour la formation des enfants indiens dans leurs propres idiomes vernaculaires, des matériaux en aléoute, yupik central, langues de la famille eskimo-aléoute, ainsi qu'en plusieurs langues de la famille athapaske. Mais vers 1912, la dernière école religieuse aléoute avait fermé. Une politique rigoureuse fut instituée, aux termes de laquelle tout recours aux langues indiennes dans l'éducation était expressément banni. Cette mesure d'ostracisme absolu demeura en vigueur durant soixante ans.

Conduisant les familles indiennes à considérer que leurs langues vernaculaires n'avaient aucun avenir, et donc que l'enseignement de ces langues ne pouvait que nuire à leurs enfants, cette politique eut des effets dévastateurs : en 1979, il ne restait plus, au sud-est de l'Alaska, qu'une seule langue athapaske, le kutchin (ou loucheux, parlé alors le long du bas Mackenzie et du cours moyen du Yukon), et une seule communauté aléoute, qui eussent encore des locuteurs enfants ; les langues eskimo, quant à elles, c'est-à-dire le yupik et l'inupiaq, étaient en voie de désintégration ; les enquêtes les plus récentes confirment que leur détérioration les conduit au bord de l'agonie.

• Mêmes comportements et mêmes succès en Australie

Ce qui précède concerne les langues amérindiennes victimes de l'école anglophone, mais s'applique également, et à peu près dans les mêmes termes, aux langues d'une tout autre partie du monde, celles des Aborigènes d'Australie, elles aussi conduites à l'agonie par la pression de l'anglais dans tous les domaines, et en particulier à l'école : y furent envoyés, après avoir été enlevés de force à leurs familles pendant près d'un siècle à partir de 1814, 30 % des enfants autochtones, soit plusieurs dizaines de milliers, que l'on plaçait dans des familles blanches, dans des orphelinats, ou tout simplement dans des internats de style carcéral, où il était, bien entendu, formellement interdit d'utiliser les langues autres que l'anglais. Ce n'est qu'à la fin des années 1960, quand il était trop tard, que le gouvernement australien a révisé sa politique d'éradication complète des langues aborigènes.

La pression politique exercée par d'autres langues que l'anglais sur de « petites » langues

La politique scolaire de la France, et, dans une moindre mesure, du Portugal, dans leurs empires coloniaux (le cas de l'Espagne en Amérique latine est autre), fut d'assimilation. Si cela n'a pas eu d'effet négatif sur les masses, il en va différemment chez les élites, parfois gagnées par la tentation de l'unilinguisme au profit d'une langue européenne.

Mais en outre, d'autres langues que l'anglais, élevées par certains États au statut de langues officielles, exercent sur les langues ethniques une pression redoutable. L'Afrique offre des illustrations claires de cette situation. Contrairement à ce que l'on croit parfois, le péril, pour les langues régionales et tribales d'Afrique, ne vient plus, aujourd'hui, des langues européennes, alors que tel est bien le cas en Asie septentrionale (russe), en Amérique centrale et du Sud (espagnol), en Amérique du Nord (anglais), en Australie (anglais). En Afrique, si les langues européennes ont pu exercer une pression à l'époque coloniale, leur emploi est présentement limité à la société favorisée, ce qui les rend compatibles avec le maintien des identités ethniques et des petites langues. Le véritable péril provient plutôt des langues africaines de grande diffusion et à vocation fédératrice, dont la promotion coïncide avec celle des structures de l'État. Tel est le cas du swahili en Tanzanie. L'importance du swahili en tant que langue officielle promue comme ciment de l'unité nationale en fait une source d'emprunts, au point que même des langues appartenant au même groupe généalogique que lui au sein de la famille bantoue puisent en swahili de nombreux néologismes, alors qu'elles pourraient aisément s'en construire, puisqu'elles possèdent des propriétés dérivationnelles identiques aux siennes.

Un paradoxe peut être décelé ici. Dans les années qui ont suivi l'accession à l'indépendance des anciennes colonies britanniques et françaises d'Afrique, la politique d'exoglossie des premiers gouvernements, c'est-à-dire l'adoption de l'anglais ou du français en tant que langues officielles, était présentée comme le moyen de préserver l'unité nationale en évitant de promouvoir l'hétérogénéité linguistique qui caractérise l'Afrique, et de favoriser par là les tentations séparatistes. Or en réalité, dans l'environnement africain, le choix d'une langue exogène favorise les langues régionales. En effet, les élites et la classe possédante sont seules à connaître bien les langues européennes. Les masses demeurent attachées à leurs idiomes vernaculaires. Au contraire, la promotion d'une langue africaine, étant envisagée par le pouvoir comme un acte d'affirmation nationale, met en péril les idiomes minoritaires, qui ne sont pas en état de rivaliser avec elle, puisqu'elle reçoit le renfort des mesures scolaires et des médias. Si leurs locuteurs passent massivement à la langue promue, les idiomes minoritaires se trouvent menacés.

Telle est aujourd'hui la situation pour beaucoup de langues en Tanzanie, et dans une certaine mesure au Kénya, le swahili en étant le bénéficiaire dans les deux cas. On peut prévoir une évolution comparable en faveur de deux autres langues parlées par une masse de locuteurs : le peul, répandu dans presque tous les pays d'Afrique centrale, du Sénégal au Tchad et à la République centrafricaine, et le haoussa, qui a, comme le peul, servi de véhicule de l'islam dans de vastes zones ; la pression du peul sur les autres langues est particulièrement sensible dans le nord du Cameroun (sous sa variante locale ou foulfouldé du Diamaré) ; celle du haoussa l'est tout autant dans le nord du Nigéria. L'avenir de ces deux langues dans leurs pays respectifs sera-t-il aussi brillant que celui qui paraît promis au swahili ? En Tanzanie, le succès de ce dernier annonce un sort incertain pour l'anglais lui-même. On notera, par ailleurs, que le lingala est en train de s'emparer, selon un processus comparable, des positions du français à Kinshasa et dans une partie du nord de la république du Congo, ce qui n'est pas nécessairement favorable aux petites langues de ce pays.

Les substitutions multiples

La conséquence la plus commune des agressions de toutes sortes que subit une langue dépourvue de moyens efficaces pour se défendre est qu'elle est supplantée par une autre langue, qui finit par se substituer complètement à elle. Mais il peut même arriver qu'elle soit assiégée non par une seule langue, mais par plusieurs. Dans ce cas, c'est à différents niveaux à la fois que la langue assaillie doit faire face, et qu'elle est souvent contrainte de s'effacer. Un exemple de cette situation peut être pris en Afrique de l'Ouest. Le basari, dont la plupart des locuteurs occupent la région frontalière entre le Sénégal et la Guinée, est exposé, au Sénégal, à trois pressions conjuguées, aux niveaux local, régional, et national. Localement, il est le voisin du peul, dont les locuteurs sont en constantes relations commerciales avec lui, sans compter que les femmes basari épousent souvent des Foulbé (Peuls), les enfants de ces unions devenant des Foulbé de statut et de langue. À l'échelle régionale, le basari est désavantagé par rapport au malinké, qui a statut officiel au sud-est du Sénégal et qui, de ce fait, est activement promu comme langue écrite d'éducation, s'utilise dans les médias et s'enseigne dans les écoles. À l'échelle nationale, un Sénégalais qui souhaite développer d'autres activités que traditionnelles a intérêt à connaître le ouolof et le français, le premier parce qu'il est pratiqué dans toutes les zones urbaines du pays et connu de la majorité des Sénégalais, ce qui en fait la véritable langue nationale du pays, le second parce qu'il est omniprésent dans l'enseignement supérieur et dans les allées du pouvoir.

Néanmoins, hors du Sénégal, en Guinée, où dominent également le peul et le malinké, le basari bénéficia d'une certaine promotion sous le régime de Sékou Touré, qui favorisa les langues indigènes. Mais après la mort de Sékou Touré en 1984, le régime militaire qui lui succéda, considérant cette politique indigéniste comme responsable des maux du pays dans les domaines de l'éducation et de l'économie, l'abrogea complètement. Ainsi, le basari se trouve exposé à la concurrence redoutable de langues beaucoup plus armées que lui pour s'imposer, et cela en dehors du Sénégal comme au sein de ce pays. C'est assez pour prévoir l'extinction du basari.

Les envahisseurs envahis

Le schéma courant de disparition des langues sous la pression politique d'une force supérieure, souvent celle d'envahisseurs qui créent chez ceux qu'ils ont vaincus les structures d'un État, souffre quelques apparentes exceptions, qu'il est intéressant d'examiner. On sait que les Francs n'imposèrent pas leur langue aux Gallo-Romains, qu'ils avaient vaincus, et que, des Mérovingiens de Clovis aux Carolingiens, la Gaule fut le théâtre de formation d'une nouvelle langue, le futur français, qui, bien qu'elle ait dans sa phonétique et dans son lexique des traits germaniques dus à ce contact, est essentiellement néo-latine.

Quant aux guerriers du chef danois Rohlf (Rollon), ces Vikings qui, entre la fin du IXᵉ et le début du Xᵉ siècle, avaient longtemps effrayé les populations de Gaule par leurs ravages, ils reçurent, certes, de Charles le Simple, roi des Francs, la province qui porte encore leur nom d'« hommes du Nord » (Normands) ; mais ils adoptèrent, en s'y sédentarisant, les coutumes du pays et même sa langue (la variante normande du français en voie de formation), sans parvenir ni à implanter leur langue, ni même à la sauvegarder, en dépit d'efforts comme ceux du fils de Rollon, Guillaume Iᵉʳ Longue Épée, envoyant son fils à Bayeux, où s'était maintenue une école scandinave, pour y apprendre le dialecte de vieux-norrois que parlaient ses ancêtres (cf. Hagège 1996 b). Ainsi, les Vikings se fondirent dans ce qui est aujourd'hui la Normandie, tout comme ils adoptèrent la langue romane d'un autre pays conquis, la Sicile. Ailleurs, leurs parents les Varègues ne firent pas autrement quand, à la fin du IXᵉ siècle, ayant organisé le premier État slave, embryon de la Russie kiévienne, ils se slavisèrent culturellement et linguistiquement. Il y a d'autres cas comparables, dont celui des Tutsis, peuple nilotique qui, appuyé sur la force que lui conférait son économie pastorale, prit le pouvoir aux dépens de ses hôtes les Hutus, et qui, pourtant, adopta, en se sédentarisant, leurs langues bantoues, kirundi et kinyarwanda (cf. Mufwene 1998).

La puissance politique et militaire de ces envahisseurs n'aurait-elle pas dû, pourtant, constituer un facteur d'extinction pour les langues des peuples qu'ils soumirent ? Deux raisons, toutes deux nécessaires, expliquent qu'il n'en ait pas été ainsi. La première est que les Francs, les Normands et les Varègues n'étaient pas nombreux, et l'étaient, en tout état de cause, beaucoup moins que les populations investies par eux. Mais cela ne suffit pas, car comment expliquer que l'intrusion du castillan se soit révélée si meurtrière pour une grande quantité de langues indiennes d'Amérique, alors que les Espagnols n'étaient, même farouches et surarmés, qu'une troupe réduite de guerriers, occasionnellement augmentée des populations locales avec lesquelles ils contractaient alliance ? C'est qu'en fait, les Espagnols, escortés de leurs missionnaires, n'étaient pas simplement des visiteurs avides et faméliques aux manières brutales. Ils étaient porteurs d'une altière idéologie civile et religieuse, et convaincus de sa supériorité sur toute autre.

On peut en déduire que pour qu'un idiome d'envahisseurs puisse en venir à dominer la langue du peuple vaincu jusqu'à la faire disparaître, il faut qu'il reflète une civilisation très consciente d'elle-même. Faute de cela, la destinée ordinaire des minorités nomades, qui surgissent parmi une communauté sédentaire et la défont par les armes, est de se sédentariser comme elle, de s'absorber en elle, d'adopter même sa langue, comme il advint aussi beaucoup plus loin, en Orient extrême, des envahisseurs de la Chine, les Yuan (Mongols). Et plus tard, tout comme elle l'avait fait des Mongols, la puissance d'absorption de la vieille culture chinoise engloutit en une totale sinisation la dynastie des Qing (Mandchous), qui dura jusqu'à la mort de l'impératrice Tseu-Hi en 1911 ; rien ne les distinguait plus, ni Mongols, ni Mandchous, des dynasties purement chinoises des Han, des Tang, des Song et des Ming. Alors que le mandchou était encore langue de la diplomatie et des notes officielles en 1644, date où est chassé de Pékin le dernier empereur Ming, la fascination qu'exerce sur les nouveaux venus la civilisation chinoise et le respect qu'ils ressentent pour le chinois mandarin finira par les conduire à remplacer par ce dernier leur langue ancestrale ; aujourd'hui, le mandchou est virtuellement mort parmi les quatre millions de Chinois d'origine mandchoue qui vivent en Chine, et qui portent depuis longtemps des noms chinois.

Si la langue des Arabes n'a pas subi le même sort, c'est que, comme les Espagnols, ils étaient les soldats d'une idéologie religieuse sûre d'elle-même et conquérante, qui les a conduits, quasiment en un éclair, à porter l'islam jusqu'à la côte atlantique du Maroc à l'ouest, et à l'est jusqu'au Caucase et au Sind, étant parvenus à dominer notamment, sous les trois premiers califes puis sous les Omeyyades, l'Espagne, l'Afrique du Nord, la Syrie, la Mésopotamie, la Perse, l'Égypte, la Transoxiane, en attendant qu'à la fin du Xe siècle les Turcs eussent soin de répandre l'islam plus loin encore, et qu'au début du XIVe il pénétrât jusqu'en Malaisie.

Pourquoi, dès lors, l'arabe, porteur d'une civilisation qui fut une des plus brillantes du monde au Moyen Âge, n'a-t-il pas dominé jusqu'à leur extinction les langues des pays conquis ? La raison en est simple : la plupart possédaient une vieille culture, et l'islamisation a été une fécondation réciproque, sans que les langues qui exprimaient ces cultures y aient perdu leur éclat. Pour ne prendre qu'un exemple parmi beaucoup d'autres de cette symbiose culturelle, les grands grammairiens dont les analyses pénétrantes de l'arabe constituent, entre le VIIIe et le XIe siècle, un des chapitres les plus remarquables de l'histoire de la réflexion linguistique, étaient en fait arabo-persans. Et dans les pays chrétiens, comme l'Espagne, l'attachement à la religion et la conviction entretenue quant à sa supériorité avaient pour effet, le plus souvent, le refus de l'islamisation, et donc de l'arabe qui en était le vecteur. Une situation semblable, plus tard, est celle que rencontra le turc dans les Balkans conquis, face au grec, au bulgare et au serbe, qui lui firent des emprunts de vocabulaire, mais auxquels il ne se substitua pas.

La perte de prestige et la mort des langues

La perte de prestige ne semble pas avoir de rôle causal direct. Des langues sans renom particulier se maintiennent aisément, dès lors que n'agissent pas les facteurs économiques, sociaux et politiques, dont le pouvoir est décisif. La perte de prestige est, en fait, une des conséquences les plus communes de ces facteurs. Le prestige, quand il est inégalement réparti entre les populations confrontées, apparaît comme une sorte de monnaie d'échange sur la bourse des valeurs linguistiques. Lorsqu'au contraire il n'est pas inégalement réparti et qu'une rivalité s'établit entre les groupes, dont chacun le revendique, le prestige est capable de réduire les effets dévastateurs qu'une pression massive exerce sur la vie des langues.

LE PRESTIGE, MONNAIE D'ÉCHANGE
SUR LE MARCHÉ DES LANGUES

Le prestige et les langues

• Le transfert d'attributs

C'est une illusion de croire que le prestige d'une langue soit un attribut inhérent. Les langues sont des complexes de structures évolutives qui jouent un rôle essentiel dans le développement cognitif des individus, et qui sont, d'autre part, utilisés par eux dans la communication. Il n'y a rien en soi, dans la phonologie, la morphologie, la syntaxe ou le lexique d'une langue, qui soit porteur de prestige. Le prestige, c'est-à-dire la réputation de valeur et d'éminence, ne peut, étant donné les implications de ces notions, ne s'attacher qu'à des humains. Quand donc on dit qu'une langue est prestigieuse, il s'agit, en réalité, de ceux qui la parlent ou des livres qui l'utilisent. Par un processus de transfert, qui est courant dans la relation au monde et aux valeurs dont on le charge, le respect ou l'admiration qu'inspire une collectivité ou ses réalisations se trouve reporté sur ses attributs. Or la langue est un des attributs principaux de toute communauté humaine.

● Extinction du gaulois

Le prestige dépend évidemment des circonstances et des lieux. Le gaulois disparut au début de l'ère chrétienne parce que les classes supérieures de la société se romanisèrent, s'écartant de leur langue comme de leur culture, ainsi que l'atteste l'histoire du druidisme, religion florissante au temps de César, qui bascule plus tard dans l'image avilie d'une pratique de sorciers relégués au fond des campagnes isolées (cf. Vendryes 1934). Le latin submergera vers le IIIe siècle les derniers îlots linguistiques gaulois, qui survivaient encore dans les massifs forestiers du centre du pays.

● Déclin de l'irlandais et de l'écossais

Au début du XVIIe siècle, les langues celtiques des Écossais et des Irlandais subissaient depuis longtemps dans les îles Britanniques un déclin certain, et donc une chute de prestige : elles étaient associées à la culture populaire et aux manifestations folkloriques ; elles n'étaient pas les moyens d'expression d'hommes, d'institutions, d'œuvres littéraires, d'une éducation scolaire, ayant une importance nationale. Ce déclin s'accrut encore au XVIIIᵉ siècle du fait de la révolution industrielle, dont la langue était l'anglais, et, plus tard, de la grande famine, qui provoqua en Irlande, au milieu du XIXᵉ siècle, une dramatique saignée. Mais Écossais et Irlandais immigrés en Amérique, qui furent avec les Anglais les premiers cultivateurs des terres dont ils s'étaient emparés, le plus souvent au détriment des Indiens, occupèrent en anglais le Nouveau Monde, et dès la fin du XIXᵉ siècle, pour les survivants des massacres de communautés indiennes, le prestige des colons était devenu le prestige de l'anglais. De même dans tout le reste de l'Amérique, le castillan (désignation ancienne, et toujours très vivante, de l'espagnol en ces lieux), langue des conquérants, des missionnaires, des plus riches et des plus puissants, devint dès le XVIᵉ siècle, en dépit (ou du fait) des violences, des massacres, des confiscations de terres, la langue de prestige, et le portugais le devint au Brésil.

• Le prestige et la Bourse des langues

Ainsi, le prestige des langues n'est autre, à l'origine, que celui de leurs locuteurs, lequel se fonde, lui-même, sur des facteurs économiques, sociaux et politiques. Mais il devient, par son transfert sur les langues, une sorte de moyen de paiement, à l'aune duquel chacune s'apprécie. Les langues les plus prestigieuses sont les plus demandées, comme le sont en Bourse les valeurs les plus rémunératrices. Les langues les moins prestigieuses apparaissent comme moins profitables, et suscitent une demande moindre. C'est ainsi que leurs propres locuteurs en viennent à se détacher d'elles, et à juger peu rentable leur transmission aux générations suivantes. Ainsi, le prestige, monnaie d'échange sur le marché des valeurs linguistiques, en vient à décider, en apparence, du sort des langues.

Les aunes de la perte de prestige

Le prestige d'une langue n'est pas une donnée objective ni aisément mesurable. Il est de l'ordre de la représentation. On ne peut donc l'évaluer qu'à l'aune des valeurs que la pensée symbolique se construit pour repères. Et cette construction est le fait des locuteurs chez qui la relation entre les langues, telle qu'ils l'intériorisent, est vécue soit positivement, soit comme génératrice d'une crise. Dans ce dernier cas, la langue devient la victime d'une perte de prestige.

• L'association avec la vie paysanne et avec le passé

De nombreuses langues sont associées par les locuteurs avec la vie paysanne ou avec le passé. Ils les opposent à des langues qu'ils considèrent avec respect parce qu'elles sont, au contraire, associées, pour eux, avec le travail industriel dans les villes et avec l'avenir. Tel est, par exemple, le type de confrontation qui met en présence, dans le village autrichien d'Oberwart, l'allemand et le hongrois (cf. p. 120-121). La minorité hongroise associe l'allemand avec le pouvoir politique, l'éducation moderne, la mobilité qui facilite l'accès à des professions mieux rémunérées et moins pénibles que celles de l'agriculture. Sur tous ces points, le hongrois est jugé rétrograde, ce qui le dépouille de tout prestige, et le fait même apparaître comme inutile.

• La pulsion mimétique à l'égard des émigrés qui font retour

Dans les communautés menant une vie traditionnelle mais dont certains membres sont partis à la ville ou à l'étranger puis font retour, la pulsion d'imitation des nouveautés qu'ils rapportent avec eux est très forte parmi les plus jeunes générations. Le prestige se définit ici en fonction des modèles innovants et du détachement par rapport aux modèles anciens. Les modes de parole occupent une place de choix dans ce schéma de pensée et d'action. Chacun veut s'exprimer de la même façon que ceux que l'on voit revenir avec de l'argent et des expériences ou récits nouveaux. Sur les hauts plateaux de Nouvelle-Guinée, par exemple, le pidgin anglais qui se parle dans les villes de la côte, et particulièrement dans la capitale, Port-Moresby, est adopté par un nombre croissant de Papous qui ont quitté leurs villages des hauteurs. Lorsqu'ils y retournent, le pidgin devient le véhicule à travers lequel s'introduisent de nouveaux schémas de pensée, qui disloquent les schémas anciens, et donc les langues locales qui les portent. C'est un processus parallèle qui affecta le breton lorsque les soldats partis du Trégorrois, du Finistère, du Vannetais, etc., revinrent de la Première Guerre mondiale, où ils avaient appris à désigner en français des innovations qui sollicitaient leur intérêt.

• Le défaut de conscience nationale

Lorsqu'une communauté ne se reconnaît pas d'identité nationale, elle peut en venir à se représenter sa langue comme dénuée de toute valeur symbolique. Cette communauté, pour peu qu'elle vive au voisinage d'une autre qu'elle considère comme supérieure, en vient, dans les cas extrêmes, à s'identifier à elle, au point de se nier elle-même en tant que groupe. C'est là ce qu'on observe, dans le Caucase, chez les Svanes, qui, attirés par leurs voisins géorgiens, plus nombreux et plus puissants, finissent par récuser leur propre identité, et par se faire passer pour géorgiens, appelant géorgien leur langue, qui, pourtant, bien qu'elle soit génétiquement apparentée, est assez différente du géorgien. Les plus jeunes Svanes refusent d'apprendre la langue de leurs pères.

• L'absence de tradition littéraire

Les locuteurs d'une langue dominée, même quand ils ne sont guère lettrés, soulignent souvent, comme pour se donner de meilleures raisons encore de s'en détacher, que leur langue n'a pas été choisie par de grands écrivains pour faire une œuvre littéraire, et que par conséquent, elle est dépourvue de tout prestige, n'ayant pas donné lieu à de bons livres que tout un chacun connaisse et puisse citer.

Les stigmates de la honte

• L'illusion d'inadéquation

Une langue en bonne santé est volontiers valorisée par ses locuteurs, qui la trouveront belle, riche, précise, à raison même du fait que, la connaissant mieux que toute autre quand ils ne sont pas de parfaits bilingues, ils ne s'expriment vraiment à leur convenance que dans cette langue. Au contraire, les usagers qu'une autre langue sollicite cessent de valoriser la leur, et même commencent à en avoir honte, ce qui, en retour, les conduit à s'en déprendre davantage encore. Une sorte d'anxiété les tourmente à l'idée de se servir encore d'une langue que plus rien ne recommande, et celle-ci devient le lieu de toutes sortes d'associations négatives, dont ils ont la plus grande peine à se libérer. Ils se persuadent, notamment, qu'elle est inapte à l'expression de la modernité, et incapable d'exprimer les idées abstraites, sans savoir, évidemment, que n'importe quelle langue a ce pouvoir, dès lors qu'on prend la peine d'entreprendre une action néologique.

• L'abandon d'une langue avilie

Tel est le sentiment que les chercheurs de terrain ont observé, par exemple, dans la communauté tlingit, au sud-est de l'Alaska. Les parents, qui ont appris, dans leur enfance, à se déprendre de leur langue (cf. p. 146), vont jusqu'à penser que parler encore en tlingit, c'est risquer d'apparaître comme un demeuré ou un rustre, et ils redoutent que l'enseignement de cette langue aux enfants ne retarde chez eux non seulement l'âge d'apprentissage de l'anglais, mais même le développement mental. Ils craignent aussi que cet enseignement ne maintienne les croyances traditionnelles, dont ils veulent s'éloigner comme de quelque marque humiliante. Selon une inspiration à peu près semblable, les Rama (Nicaragua) déclarent que le rama est « laid », que « ce n'est pas une langue », et qu'on a honte de le parler (cf. Craig 1992). Un autre exemple est celui des Nubiens les plus jeunes et les plus urbanisés, qui assurent que le nubien n'est pas une langue, « puisqu'il ne s'écrit pas », contrairement à l'arabe, et que seuls des vieillards arriérés utilisent le nubien, alors qu'en réalité, cette langue est encore parlée par des populations rurales d'âges variés.

Une conséquence brutale de la perte de prestige : l'abandon volontaire

• La décision publique des Yaaku

On connaît quelques cas spectaculaires où la perte de prestige, au lieu de conduire par étapes à une extinction de la langue dévaluée, provoque à un certain moment une décision collective d'abandonner cette langue. Le plus connu de ces cas est celui des Yaaku. Cette population du centre-nord du Kénya parlait une langue appartenant à la branche orientale de la famille couchitique. Les Yaaku pratiquaient la cueillette, la chasse et la pêche, et vivaient assez pauvrement, comme il est courant chez les nomades qui exercent essentiellement cette activité de subsistance. Pour améliorer leur condition, beaucoup d'hommes s'employaient chez les Masaï voisins, dont ils gardaient les troupeaux. La culture et la langue masaï exercèrent sur les Yaaku une influence croissante. Ils abandonnèrent la stricte endogamie d'autrefois. Les mariages devinrent de plus en plus fréquents entre les deux ethnies, et les Yaaku commencèrent à changer de mode de vie, passant, du fait de l'acquisition de bétail, à une économie pastorale. Le processus fut le même que chez d'autres chasseurs-cueilleurs (cf. p. 135-137) : si les femmes yaaku adoptaient la langue de leurs maris masai, les femmes masai n'adoptaient pas celle de leurs maris yaaku. Il en résulta une réduction du nombre d'enfants parlant le yaaku.

La conséquence de ces changements rapides et profonds fut une réunion publique des Yaaku avec tous leurs notables, qui eut lieu durant les années 1930. Au cours de cette réunion, on souligna que la langue et les mœurs des Masai avaient plus de prestige que celles des Yaaku, et qu'en particulier, le yaaku, dont le vocabulaire fait une place importante à la chasse, était inadapté à une société d'éleveurs de bétail. Il fut donc décidé qu'on ne pouvait transmettre aux enfants yaaku une langue aussi peu propice à leur avenir, et que, par conséquent, l'on abandonnerait désormais le yaaku en faveur du masai comme moyen d'expression de l'ethnie dans tous les domaines.

• Autres cas de reniement

À une échelle plus réduite, des cas comparables sont attestés. Plusieurs communautés sames (lapones) vivant le long de fjords refusent de transmettre le same à leurs enfants, et les élèvent en norvégien. Un autre exemple encore est celui de certaines des langues de la famille khoisan d'Afrique du Sud, comme le kheokoe, dont les locuteurs décidèrent, dès le début du xviiie siècle, de passer désormais au néerlandais, langue des colons dont ils étaient les esclaves, et qui avait nécessairement, du fait de cette situation, le plus de prestige. Je ne connais pas d'autre cas de passage volontaire de toute une ethnie africaine à une langue européenne.

Les retournements de fortune : langues des Aztèques et des Incas, ou du prestige à l'abaissement

La mécanique du prestige et de son éclipse est implacable. La roche Tarpéienne est proche du Capitole, et quand les causes objectives du déclin commencent à agir, et la perte de prestige à s'ensuivre sans délais, le souvenir d'une ancienne gloire est impuissant à restaurer l'éclat passé. Les Aztèques avaient étendu fort loin leur empire depuis la formation, en 1429, de la triple alliance entre Tenochtitlan (aujourd'hui Mexico), leur capitale, fondée un siècle plus tôt, et les États de Texcoco et Tlacopan. Dans cette alliance, ils avaient vite acquis une position dominante. Ils possédaient au début du XVIᵉ siècle, grâce à leurs conquêtes, la maîtrise d'importants territoires, étendus depuis le nord de la future Veracruz sur l'Atlantique jusqu'à ce qui est aujourd'hui l'État de Guerrero, sur le Pacifique, et au Sud, jusqu'à l'isthme de Tehuantepec. Sur tous ces territoires, ils avaient assuré à leur langue, le nahuatl, un statut de prestige, lié à cette domination politique et militaire. Les noms mêmes qu'ils donnaient aux peuples soumis disent assez avec quelle condescendance ils les regardaient, et combien la position dominante du nahuatl lui conférait de pouvoir : Popoloca « inintelligible », Chontal « étranger », Totonac « rustre » (cf. Heath 1972, 3).

Or c'est précisément à cette heure de son histoire, au moment même où il se trouve au sommet de sa puissance et de son rayonnement, que sur l'horizon de l'Empire aztèque, le destin fait surgir les Espagnols, et avec eux, presque dès le début de ce choc brutal, les ravages de l'extrême violence. Cortés et ses troupes, après des revers sans réelle importance, anéantissent cet empire en un temps étonnamment bref, même si l'on tient compte de la plus grande efficacité de leur armement (engins à feu), de leur équipement en chevaux, alors inconnus en Amérique, et de leur adresse à semer partout la division. Les conséquences linguistiques de cette exorbitante imposture, et de l'agression culturelle perpétrée par les *conquistadores*, sont, comme on sait, catastrophiques : un nombre considérable de langues meurent de mort violente en même temps que la majorité de leurs locuteurs, dès la première moitié du XVIe siècle.

Quant au nahuatl, au bout d'une certaine période, il passe du statut de langue des vainqueurs à celui de langue des vaincus ; son prestige, jusque-là, était grand : même des Mayas, extérieurs à l'aire d'extension aztèque, le connaissaient, si l'on en croit la légende qui veut que la Malintzin, compagne et traductrice de Cortés, ait été une princesse aztèque qui, durant sa captivité dans le Yucatán, communiquait sans peine dans sa langue avec les habitants, de langue maya yucatec, avant qu'elle n'apprît elle-même cette dernière langue. L'espagnol devient la langue dominante. Le nahuatl souffre encore aujourd'hui d'être alors devenu langue dominée. Tant il est vrai que sur le marché des valeurs linguistiques, le prix que vaut une langue est étroitement lié à la place qu'occupent ses locuteurs sur l'échelle de prestige.

Les Incas avaient eux aussi, depuis le dernier tiers du XVe siècle, étendu leur empire, à partir de la vallée de Cuzco, sur un très large espace : au Nord jusqu'au site de Quito, et au Sud par-delà les régions qui coïncident aujourd'hui avec une grande partie de la Bolivie et avec les portions septentrionales du Chili et de l'Argentine. Parallèlement, le quetchua, devenu langue officielle de l'empire, avait commencé de s'étendre, se posant en rival des langues de l'univers andin, mais sans être encore parvenu, faute de temps, à les supplanter. La guerre civile qui, après la mort du dernier empereur inca en 1527, opposa ses deux fils, facilita certainement la conquête de Pizarro. Cette conquête fut, comme au Mexique, violente et très rapide. L'espagnol se substitua au quetchua comme langue de prestige. Mais malgré cela, le quetchua joua, et continue de jouer, un rôle dont les victimes sont les idiomes de petites ethnies encore plus dominées : loin de l'empêcher de jouer ce rôle, l'espagnol lui en donna les moyens, comme on le verra plus bas.

La promotion des langues véhiculaires

• La *lingua franca*

Les langues auxquelles la domination d'une autre communauté et de son idiome a fait perdre leur prestige ne sont pas toujours exposées à cette seule concurrence. Leurs positions sont aussi rognées par la diffusion de certaines autres, que diverses circonstances ont promues au statut de langues véhiculaires. Mais ces idiomes ne sont pas tous également dangereux. Il peut s'agir, en effet, d'un simple jargon de fortune, qui n'a d'autre rôle que de permettre une relation élémentaire entre deux individus dont chacun parle une langue opaque à l'autre. Une forme historique de ces jargons servit de moyen de communication, à partir de l'époque des Croisades, entre les musulmans et les Européens, lesquels, depuis les affrontements entre descendants mérovingiens de Clovis et armées arabes arrêtées à Poitiers en 732, étaient appelés Francs, d'où le nom de *lingua franca* que reçut cette langue.

Sur une grande partie des pourtours méditerranéens, dont les côtes de l'Italie, de la France, de l'Espagne et du Maghreb, la *lingua franca* fut en usage, durant tout le Moyen Âge, l'époque classique, et jusqu'au début du XIXe siècle, dans les relations commerciales, politiques, diplomatiques ou guerrières qu'eurent avec les Français les souverains d'Alger et de Tunis, ainsi que les marchands et voyageurs, militaires et marins. La dynamique de ces rapports assez instables, et sans doute aussi le caractère coloré et pittoresque d'un sabir où se mélangeaient des mots d'origines hétéroclites (surtout italiens, mais aussi provençaux, catalans, castillans, français, grecs, turcs et arabes) firent de la *lingua franca* un sujet de fantaisies littéraires, comme il en apparaît dans les pièces de Goldoni,

Calderón, et, chez Molière, dans la célèbre turquerie d'une des scènes du *Bourgeois gentilhomme*.

• La promotion commerciale spontanée

La *lingua franca* ne possédait pas de prestige particulier, pouvant au contraire être un objet de dérision. Mais elle avait les propriétés d'une langue véhiculaire, telle que peut en sécréter le contact entre communautés linguistiquement hétérogènes. Dès lors qu'une langue véhiculaire est non pas un jargon, mais un des idiomes en présence dans une zone plurilingue où elle permet la communication et les relations commerciales, sa promotion de préférence à celle d'une autre, et l'habitude que prennent de s'en servir la plupart des habitants de cette zone, peuvent finir par lui conférer une manière de primauté. Il est vrai que les situations sont variables, et que bien des facteurs entrent en jeu, qui sont de nature à modifier ce processus, et ne permettent pas l'émergence d'une langue de prestige.

Ainsi, sur la côte du nord-ouest des États-Unis et dans une partie des terres intérieures du Washington et de l'Oregon, les Chinook, habitant, à l'origine, dans la vallée du fleuve Columbia, étaient jusqu'au début du XIXe siècle l'ethnie indigène la plus importante en termes démographiques, et une des plus dynamiques sur le plan commercial. Un des dialectes de leur langue, le chinook d'aval (*lower Chinook*), se répandit, sous le nom de *Chinook jargon*, chez de nombreux peuples indiens, entre lesquels il facilitait la circulation des marchandises, et cela jusqu'au nord de la Californie d'un côté et jusqu'au sud de l'Alaska de l'autre.

On trouve des situations comparables dans beaucoup d'autres parties du monde, et à des échelles très variables. Par exemple, dans l'île de Timor, à l'extrémité orientale de l'archipel indonésien, un idiome récemment né du tetum, langue de la famille austronésienne, est utilisé comme moyen de communication dans les rapports commerciaux et, plus généralement, sociaux, entre locuteurs de langues différentes. Il devient même une sorte de langue nationale dans ce pays encore meurtri (cf. p. 356-357).

• La promotion politique voulue

La promotion d'une langue véhiculaire peut n'être pas simplement le résultat d'une habitude pratique prise par les populations locales, mais bien celui d'une arrivée massive d'étrangers. C'est ainsi que l'araucan devint la langue véhiculaire, et même maternelle, des Tehuelches et autres populations du sud du Chili, lorsque les Mapuches (cf. p. 201), ses locuteurs, ayant traversé la cordillère des Andes, vinrent s'installer dans les territoires de ces dernières. La langue des Tehuelches disparut de ce fait (cf. Clairis 1991, 4-5).

Dans d'autres cas, la promotion d'une langue véhiculaire résulte d'un choix officiel soutenu par l'autorité politique. Un effet de prestige peut alors jouer. Il en est ainsi pour le sango, langue reconnue comme nationale en République centrafricaine (cf. p. 353). Une telle promotion ne peut manquer de lui conférer un statut privilégié, avec les conséquences que l'on peut envisager sur les langues dont sa fonction réduit le prestige.

Une situation comparable à celle du sango en Centrafrique fut celle du quetchua dans l'Empire inca avant l'arrivée des Espagnols. Les conquêtes s'étaient accompagnées, comme on l'a vu, d'un début de diffusion du quetchua, probablement sous la forme pratiquée à la fin du XVe siècle dans la région de Cuzco. Un témoignage contemporain de ce phénomène est précisément la diversité dialectale du quetchua d'aujourd'hui, présent dans sept pays. Cette diversité est la conséquence de plusieurs siècles d'évolution indépendante à travers un vaste territoire, de la Colombie à l'Argentine. Mais un autre facteur, dont il va être question ci-dessous, devait assurer au quetchua, comme à d'autres langues de par le monde, un rayonnement plus grand encore, au détriment des idiomes défavorisés.

• Les décisions des conquérants et de l'Église missionnaire

Les missionnaires franciscains qui arrivèrent à Mexico en 1523, deux ans après la conquête, par les troupes de Cortés, du site aztèque de cette ville, eurent tôt fait de constater que le paysage linguistique était d'une grande variété. Celle-ci leur apparut sans doute comme un morcellement. C'est pourquoi, voyant dans cette multitude de langues indigènes un obstacle à l'évangélisation, mais également à la domination de l'Église, les missionnaires entreprirent d'en promouvoir certaines comme véhiculaires. Ils choisirent pour cela celles que leur nombre de locuteurs, ou leur degré déjà atteint de diffusion, leur paraissait rendre recommandables. Ils rédigèrent des travaux remarquables sur certaines des langues d'Amérique du Sud : en soixante ans de présence des Franciscains, parurent plus de quatre-vingts livres, grammaires, vocabulaires, catéchismes, dont les célèbres descriptions du nahuatl par A. de Olmos (1547) et A. de Molina (1555).

Selon les habitudes de l'époque, ces ouvrages imposent le modèle latin pour cadre d'étude ; le prestige du latin chez les élites catholiques d'Espagne était tel (cf. p. 73), que les Franciscains apprenaient même à certains sujets doués, parmi leurs ouailles indiennes, l'art de composer des poésies latines (cf. de Pury Toumi 1994, 492) ! Les grammaires nahuatl sur modèle latin seraient inconcevables aujourd'hui. Pourtant, ces ouvrages nous donnent une idée précise de ce qu'était le nahuatl à la fin du XVIᵉ siècle, tout comme, pour le quetchua et le tupi, ceux que d'autres missionnaires, à la même époque, rédigèrent au Pérou et au Brésil, ou, au début et au milieu du XVIIᵉ, ceux qui furent composés, respectivement, sur l'aymara en Bolivie (« Haut-Pérou » à cette époque) et sur le guarani au Paraguay.

Cependant, au Mexique, entre missionnaires franciscains d'une part et d'autre part conquérants puis gouverneurs ainsi que la hiérarchie du clergé séculier, les relations ne furent pas toujours simples. Les vainqueurs espagnols, au XVIᵉ siècle, avaient constaté la diffusion du tarasque dans le royaume de Michoacán et de l'otomi dans une partie du plateau central mexicain. Ils avaient remarqué aussi que les langues mayas connaissaient une plus grande extension encore, depuis le Yucatán jusqu'au sud du Guatemala actuel, en dépit de la dispersion en cités-États non fédérées sinon par des alliances locales, ce qui avait facilité la conquête espagnole dès 1511. Les Espagnols virent que ces trois groupes de langues étaient à peu près les seuls qui eussent encore une diffusion au-delà de leurs locuteurs d'origine, depuis que les Aztèques avaient commencé un siècle plus tôt, par leurs conquêtes, à implanter le nahuatl dans de nombreuses régions. Cortés et ses successeurs comprirent vite que cette hégémonie linguistique pouvait, par l'unité et les facilités de communication qu'elle permettait, servir leurs desseins de domination.

Cependant, ils commencèrent, en même temps, à répandre le castillan, afin qu'il se substituât un jour au nahuatl. Mais, bien qu'ils fussent soutenus par le pouvoir politique en Espagne, ils se heurtèrent à la volonté des missionnaires franciscains, qui voyaient dans leur mission une œuvre de conversion des Indiens au christianisme, et non de castillanisation. Il fallut qu'en 1550, un décret de Charles Quint recommandât l'emploi généralisé de l'espagnol, non seulement dans l'évangélisation et l'éducation de l'aristocratie indienne, comme cela avait commencé à se réaliser, mais pour tous les Indiens. Néanmoins, au Mexique, l'affrontement se poursuivit encore longtemps entre ceux qui, pour servir la domination coloniale, voulaient imposer l'espagnol, et ceux qui souhaitaient promouvoir quelques grandes langues indiennes ; cet antagonisme ne prit fin qu'à l'arrivée des Jésuites, qui, certes, admiraient beaucoup l'aztèque, mais qui, contrairement aux Franciscains avant eux, évangélisaient en castillan : il s'agissait d'une population qui était non plus simplement conquise, comme au temps des Franciscains, mais déjà colonisée. Contrairement au souhait des Franciscains (cf. de Pury Toumi 1994), le nahuatl ne devint donc pas « langue générale », comme le tupi le fut dans une partie du Brésil (cf. ci-dessous). Pourtant, les Jésuites, en Europe, défendaient la cause des langues indigènes d'Amérique.

La politique linguistique des missionnaires espagnols eut plus de succès au Pérou. Le quechua offre un exemple typique de leur action. Paradoxalement, les nombreuses langues des Andes non encore évincées par lui au moment où les envahisseurs venus de Castille s'emparèrent de l'empire furent les victimes du choix que les prêtres catholiques firent du quechua comme langue d'évangélisation, dont ils prirent le parti d'imposer l'usage à tous leurs néophytes. Cette promotion d'une langue véhiculaire, devenue prestigieuse par le fait même, eut raison du puruhá, du kañari, du kakan, du kul'i, de l'uru-pukina et de beaucoup d'autres langues. Le mouvement s'est prolongé au xxe siècle : les Zaparos des basses terres occidentales de l'Équateur sont alors passés massivement au quechua. Les évangélisateurs parvinrent même à implanter le quechua dans des zones que n'avait pas atteintes la conquête inca, comme la province, aujourd'hui argentine, de Santiago del Estero, ou les régions du haut Caqueta et du haut Putumayo au sud-ouest de la Colombie actuelle.

Une autre langue des Andes fut, elle aussi, promue par les missionnaires comme instrument de catéchèse : l'aymara, que parlent au Pérou et en Bolivie plus d'un million et demi de locuteurs, chiffre probablement plus élevé que celui du début du xvie siècle, car de cette époque à nos jours, de nombreuses communautés indiennes perdirent leur langue pour adopter l'aymara.

En Amérique du Sud encore, mais cette fois dans la région qu'occupent aujourd'hui le Brésil méridional et le Paraguay, les missionnaires utilisèrent à grande échelle deux langues apparentées, et déjà importantes, car elles étaient parlées par un grand nombre d'Indiens, le tupi et le guarani. Les Jésuites, qui gouvernèrent et évangélisèrent le Paraguay jusqu'à leur expulsion en 1768, firent beaucoup pour la diffusion du guarani (cf. p. 249-252). C'est au jésuite A.R. de Montoya qu'est due la plus célèbre description du guarani, encore utilisable aujourd'hui en dépit du caractère désuet de ses analyses latinisantes. Et au Brésil, durant la période coloniale, le tupi côtier fut, sous le nom de *língua geral* (« langue générale »), l'idiome de communication dans les pays de la basse Amazone et dans le Sud-Est. Comme dans les exemples précédemment cités, ce statut choisi de langue véhiculaire fut un des facteurs de l'extinction de langues tribales variées, qui ne résistèrent pas à la pression d'idiomes que favorisait, déjà, leur diffusion naturelle et le poids démographique de leurs usagers.

Tout ce qui précède ne saurait faire oublier que les véritables bénéficiaires de la politique coloniale en Amérique latine furent, en dernier ressort, les langues européennes : espagnol et portugais. Certains s'émerveilleront, notamment, de l'étonnante histoire de l'espagnol, qui se répandit sur de si vastes territoires, et dans une telle quantité de pays, aujourd'hui culturellement unifiés par lui. Soit. Mais la rançon de ce succès, ce fut la mort de très nombreuses langues indiennes.

• Le russe, langue véhiculaire en Union soviétique

Contrairement au régime tsariste, qui n'eut pas de véritable politique linguistique, l'Union soviétique accorda une place importante aux langues des nombreuses ethnies éparpillées sur son immense territoire, en tant que pièces maîtresses de la définition des entités nationales. Jusqu'au début des années trente du XXᵉ siècle, elles connurent, avec la multiplication des dictionnaires et des manuels, une période évidemment faste. Néanmoins, il est révélateur que dans la terminologie officielle d'alors, le russe ait été appelé « langue commune », ou « langue internationale », ou même « seconde langue maternelle ». Dans un empire où se parlaient plus de cent trente langues, ce statut paraissait quasiment répondre à une nécessité naturelle. Une importante réforme scolaire de 1958, qui laissait aux parents le choix de la langue d'éducation avait pour intention, et eut pour effet, une forte promotion du russe, langue de prestige, car elle était non seulement celle du socialisme, mais aussi celle des métiers de l'industrie et du progrès scientifique et économique (cf. Hagège 1994, 220-238 et 255-264).

La plupart des républiques autres que celle de Russie édictèrent des lois linguistiques dès 1988, c'est-à-dire à une époque où l'Union soviétique ne s'était pas encore disloquée, mais commençait à subir de plus en plus de fractures graves. Ces lois reconnaissaient le statut véhiculaire du russe, explicitement désigné comme « langue des relations entre nationalités », mais elles défendaient aussi les autres langues, dont beaucoup étaient fragilisées par l'importance des taux d'emprunt au russe dans toutes les zones du vocabulaire qui reflètent la vie moderne. Si l'on ajoute à cela que dans beaucoup de républiques autonomes, régions autonomes ou districts nationaux, la population russophone était importante et souvent majoritaire, et que par ailleurs une forte fragmentation dialectale caractérisait nombre de langues d'URSS, on peut comprendre que le statut d'une langue de prestige servant d'instrument de relation ordinaire entre tant de peuples ait joué un rôle dans l'effacement de parlers ouraliens, turcs, mongols, toungouses, sibériens qui, sauf dans des cas fort rares, n'avaient guère de moyens d'opposer de résistance.

• Les implications et les conséquences du choix de l'anglais

La perte de prestige de nombreux idiomes confrontés à une langue véhiculaire et à ce qu'elle représente d'efficacité pour la communication à vaste échelle est, dans le monde contemporain, encore plus redoutable pour la survie lorsque la langue en question est l'anglo-américain. En effet, il ne s'agit plus alors d'un simple moyen d'échange linguistique qui possède quelque réputation, et dont la sélection, ayant d'abord paru répondre à un consensus, accroît encore le prestige. Car toutes les langues de ce type n'ont de diffusion que locale. Le russe lui-même a certes exercé en Union soviétique, comme on vient de le voir, une forte pression, mais si vaste que fût le pays, le phénomène demeurait régional.

Au contraire, adopter l'anglais pour langue véhiculaire ne signifie pas seulement faciliter les relations en milieu plurilingue. Cela signifie s'intégrer à un espace linguistique auquel se trouvent appartenir, comme locuteurs de naissance, les citoyens de pays parmi les plus puissants du monde, dans les domaines économique, politique, scientifique et culturel. Il est probable que ces considérations n'ont pas joué de rôle décisif dans l'esprit des locuteurs de tant de langues amérindiennes ou australiennes engagées dans un processus d'extinction, ou déjà éteintes. Ces locuteurs adoptaient « simplement » la langue de la société dominante, présente dans leurs lieux de travail et dans leurs environnements, et permettant d'abattre les barrières que semble dresser le foisonnement des langues tribales. Mais le choix de l'anglo-américain ne saurait être innocent étant donné les circonstances dans le monde depuis le milieu du XIXᵉ siècle. Une langue véhiculaire qui est aussi, partout, celle de la puissance et de l'argent n'est pas un moyen neutre de communiquer.

LES RIVALITÉS DE PRESTIGE, ET LEURS EFFETS SUR LE SORT DES LANGUES

Les locuteurs que vient investir une autre langue apparemment bien armée pour s'assurer une domination ne cèdent pas toujours à l'intruse. Dans deux cas au moins, ils continuent de croire au prestige de leur langue d'origine et aux valeurs culturelles qu'elle porte, en sorte que cette langue sort indemne de la confrontation. Le premier cas est celui des emprunts massifs balancés par une conscience nationale aiguë. Le second est celui des élites bilingues.

Quand les emprunts massifs n'entraînent pas l'absorption

Quand il n'y a pas de bilinguisme inégalitaire, l'emprunt massif de vocabulaire peut se produire, sans annoncer aucunement une disparition de la langue emprunteuse par absorption dans la langue prêteuse. Trois cas méritent d'être retenus ici. L'un se situe en Angleterre, un autre dans l'Orient musulman, le dernier en Asie de l'Est et du Sud-Est.

• L'anglo-normand et la ténacité de l'anglais

Les linguistes appellent anglo-normand la forme que prit en Angleterre, après la conquête de ce pays, en 1066, par Guillaume, duc de Normandie, le normand, mêlé de picard, que parlaient les conquérants, et qui reçut au XIIe siècle, avec l'arrivée de nombreux marchands, un important contingent angevin, relayé plus tard par des apports d'Île-de-France. L'influence française s'accrût encore du fait que les usagers de ce dialecte néo-latin de France occidentale revendiquaient le modèle du français littéraire en voie de formation et d'unification autour de la cour de France, avec laquelle certains étaient en relation permanente. Mais ces usagers étaient en fait une minorité. Seuls la cour, l'aristocratie féodale, les riches marchands, les évêques, les abbés et d'autres privilégiés parlaient cette variante normande du français en gestation.

La masse de la population, quant à elle, ne parlait que l'anglais (cf. Hagège 1996 b, 32-36). Néanmoins, elle absorba les emprunts massifs qui furent faits, selon les époques, à diverses formes du français, et qui donnent à l'anglais, aux yeux d'un francophone, cette physionomie si particulière de langue germanique latinisée. Encore ne s'agit-il que de la nouvelle étape d'une latinisation qui avait commencé dès la christianisation du pays au VIe siècle, peu après l'installation des Jutes, des Angles et des Saxons, premiers utilisateurs, refoulant à l'ouest les Celtes autochtones, de la langue germanique d'où l'anglais naîtra. Ainsi l'apport considérable de mots anglo-normands est-il la suite naturelle d'une hybridation latinisante amorcée beaucoup plus tôt. Parmi ces faits bien connus, je rappellerai seulement la conservation du sens ancien de mots anglo-normands empruntés qui ont aujourd'hui perdu ce sens en France, l'altération du sens d'autres mots (« faux amis » : cf. ici p. 63), et le maintien en anglais de mots médiévaux que le français moderne a perdus, comme *to remember* « se rappeler », *mischief* « dégâts » ou *random* « hasard », etc. (cf. Hagège 1994, 36).

Cette forme d'indépendance dans la manière d'assimiler une langue de conquérants donne la mesure et l'explication de la résistance de l'anglais. L'annexion de la Normandie par Philippe Auguste en 1204 avait isolé l'Angleterre du continent, et contribué à l'apparition d'une conscience nationale anglaise, qui exercera une pression nationaliste, notamment à travers la critique de la politique d'ouverture aux étrangers sous le règne du fils de Jean sans Terre, Henri III. Dès la fin du XIIIe siècle il se forme une bourgeoisie qui s'affirmera de plus en plus au XIVe. Or cette bourgeoisie anglophone n'a aucune attitude d'humilité face à la variante de français dont se servent les milieux dirigeants. Cette langue étrangère de descendants d'envahisseurs est pour elle le symbole d'un asservissement, et suscite donc dans ses rangs une impatience croissante. Cette bourgeoisie entend imposer l'usage de l'anglais, et faire savoir qu'il n'est plus à considérer comme l'idiome de masses peu scolarisées.

C'est ainsi qu'en 1362, pour la première fois, le chancelier, au parlement de Londres, prononce son discours en anglais. À la fin du XIVe siècle, le français a perdu sa place privilégiée dans l'enseignement. Les écrivains, dont Chaucer, ne composent plus qu'en anglais. L'avènement d'Henri IV en 1399 sera celui du premier monarque de langue maternelle anglaise. Ainsi, l'aristocratie normande en Angleterre retrouvait en symétrie le destin de ses ancêtres en France au Xe siècle. Ils s'étaient francisés, elle s'anglicisa. Loin de franciser définitivement l'Angleterre, les descendants des barons normands étaient finalement devenus anglophones au bout de trois siècles, pour avoir perdu leurs bases en Normandie, pour avoir conclu avec des femmes de l'aristocratie locale, faute de femmes normandes en nombre suffisant, des mariages qui avaient en outre l'avantage de donner quelque légitimité à un pouvoir d'abord obtenu par l'invasion violente, et surtout pour s'être heurtés à une population attachée à sa langue.

La domination du français en Angleterre est donc loin d'avoir nui à l'anglais, et moins encore de l'avoir conduit sur la voie de l'étiolement. Les structures de la société féodale ont empêché la variante normande du français de s'imposer au-delà des minorités privilégiées. Dès lors la classe commerçante autochtone et anglophone issue des masses a pu s'affirmer, et assimiler les emprunts, malgré leur nombre énorme, en façonnant le premier visage de l'anglais moderne. N'ayant, en dépit du prestige initial de l'anglo-normand, aucune raison de regarder leur langue comme dépouillée de tout prestige, les Anglais du Moyen Âge ont fort bien digéré le choc du français.

• Le persan et le turc à l'épreuve de l'arabe

On connaît la conquête et l'islamisation de la Perse sous le règne du deuxième calife, Omar, entre 634 et 644, et plus tard, l'islamisation progressive des Turcs par les Iraniens musulmans avec lesquels ils commercent ; quant à l'islamisation des mamelouks, mercenaires turcs au service des Abbassides, elle aboutit à la fondation par l'un d'entre eux, Alp Tagin, du premier empire turc musulman, celui des Rhaznévides, en 962. Selon un processus qui s'étend sur plusieurs siècles, le persan et le turc emprunteront à l'arabe des milliers de mots. Dans le cas du persan, une étroite symbiose de près d'un millénaire avec l'arabe, langue de la religion musulmane adoptée, dans sa version chi'ite, par la quasi-totalité des Iraniens, mais aussi langue de la science et des relations internationales avec le reste du monde musulman, eut pour effet une pénétration du noyau dur lui-même : le persan, indo-européen, possédait, comme les autres langues de cet ensemble génétique, les procédés usuels de formation des mots par affixation et par composition, mais il y a ajouté, en empruntant les mots arabes par familles entières, le procédé sémitique de dérivations multiples sur la base d'une racine à trois consonnes ; la syntaxe et la phonologie du persan ont elles-mêmes été soumises à l'influence de l'arabe.

Mais c'est évidemment le vocabulaire qui a été le plus profondément marqué : sans renoncer tout à fait à puiser dans les stocks lexicaux de l'avestique d'une part, son ancêtre codifié sous les Sassanides au IVe siècle mais alors disparu depuis longtemps comme langue parlée, et d'autre part du pahlavi, moyen persan, en usage lors de la conquête arabe, le persan fit, au cours des siècles, des emprunts énormes à l'arabe dans tous les domaines. Pourtant, la haute position de l'arabe n'eut pas le pouvoir de faire perdre au persan son prestige. La révolution de 1906 en faveur d'un gouvernement constitutionnel fut suivie d'un mouvement nationaliste exaltant les gloires de la Perse antique, mais prônant en même temps la modernisation ; un des aspects de cette dernière fut, à partir des années 1920, le débat sur les mérites comparés des mots arabes et des mots de pur persan en vue de l'entreprise néologique nécessitée par l'adaptation aux nouveautés du monde occidental : les partisans de la défense du persan déclaraient, notamment, que celui-ci était une langue de culture urbaine, alors que l'arabe était adapté à la vie du désert avant de se trouver au contact fécond de la brillante culture iranienne, et que par ailleurs ses procédés de formation des mots étaient moins clairs que ceux du persan (cf. Jazayery 1983).

C'est aussi le réveil de la conscience nationale turque lors des défaites militaires du début du xxᵉ siècle, qui peut expliquer les étonnantes mesures du régime kémaliste. Les classes dirigeantes de l'Empire ottoman, État islamique théocratique, étaient soumises depuis bien des siècles à une intense acculturation arabo-persane, qui envahissait la langue écrite au point d'en faire un idiome savant inaccessible aux masses, et où l'on disait que seuls étaient turcs les mots de liaison à fonction purement grammaticale. Dès lors, quand, en 1928, Atatürk annonce le remplacement de l'alphabet arabe par l'alphabet latin, il s'agit, sous l'apparente modification purement technique, d'une révolution ; car ce qu'écrivaient les lettres arabes, c'était cette langue de l'ancien pouvoir ottoman, alors que les lettres latines notent la langue telle qu'elle existe chez les masses (contrairement à ce qu'avait été leur fonction dans l'Europe chrétienne, pour le latin, avant la consécration des langues parlées).

La révolution kémaliste est d'inspiration populiste et nationaliste. Elle ne se contente pas d'un changement d'écriture. Désormais, c'est dans le fonds lexical du turc osmanli et des autres langues turques que l'on puisera pour former des mots nouveaux, ainsi que dans la langue populaire, qui depuis très longtemps, en cette terre d'islam, avait assimilé bien des mots arabes et persans, mais beaucoup moins que l'ottoman officiel ; et dans les écoles, où il n'avait pas droit de cité, le turc prendra la place de l'arabe et du persan ; enfin, on procédera à l'épuration des éléments arabo-persans dont la nécessité ne s'impose pas. Si l'on songe au degré d'imprégnation depuis une époque aussi lointaine, cette entreprise était immense. Elle durerait encore, dit-on, aujourd'hui...

Ainsi, en dépit de la profondeur et de la durée de l'islamisation, ni le persan, ni le turc n'ont disparu par fusion au sein de l'arabe. À quoi attribuer cette préservation, lors même que la Perse et l'Empire ottoman ont longtemps incarné, surtout le second, le pouvoir musulman lui-même, sinon au maintien d'une conscience tenace de leurs cultures, y compris chez les Turcs, pourtant descendants de nomades ?

D'autres langues encore, pour les mêmes raisons liées à l'islamisation de leurs locuteurs, ont été exposées à un afflux de mots arabes, sans pour autant se dissoudre dans cette aventure. Mais il est vrai que les emprunts n'y ont pas été aussi nombreux qu'en turc et en persan. On sait que le malais comporte une strate arabe, en provenance, surtout, de l'Hadramaout, et que l'hindustani (pour revenir à ce terme qui ne désigne ni l'hindi sanskritisé, ni l'ourdou persanisé, mais le fonds de langue qui leur est commun) comporte une certaine quantité de termes arabo-persans qu'il a bien assimilés, et qui continuent de s'employer très couramment dans la langue parlée, en dépit d'un important apport contemporain de mots anglais.

• L'affirmation du japonais, du coréen et du vietnamien face à la pression du chinois, matrice culturelle de l'Asie orientale

Une part considérable du vocabulaire du japonais, du coréen et du vietnamien est constituée d'emprunts chinois. Leur importance est telle que les composantes lexicales qu'ils forment sont appelées, respectivement, sino-japonais, sino-coréen et sino-vietnamien. Elles se sont échafaudées dans le sillage de l'emprunt des idéogrammes de l'écriture chinoise, qui n'ont été abandonnés en Annam qu'en 1651, date du premier dictionnaire écrit selon la notation en alphabet latin du père jésuite A. de Rhodes. En Corée du Nord, ils sont officiellement interdits en 1949, et en Corée du Sud, après une série de mesures contradictoires, un arrêté de 1974 a limité à 1800 le nombre de « caractères de base » appris dans l'enseignement secondaire. Le japonais, quant à lui, continue, depuis plus de quinze siècles, à s'écrire pour l'essentiel en caractères chinois, combinés, il est vrai, avec des syllabaires autochtones.

La question de l'écriture est fondamentale. Tout comme l'élimination de l'alphabet arabe en Turquie, étant celle des mots arabes qui s'écrivaient par ce moyen, conduisait logiquement à leur remplacement par des mots turcs, de même l'abandon des caractères chinois en Annam visait le chinois lui-même. L'annamite avait été particulièrement exposé à son influence, puisque l'Annam, conquis par la Chine deux siècles avant l'ère chrétienne, ne devint indépendant qu'au Xe siècle. Même après cette date, pourtant, le pays resta très imprégné par la morale confucéenne, qui servait l'intérêt des rois annamites par sa conception de la société comme système hiérarchique où chacun se voit assigner une place. Le chinois demeura donc la langue des fameux concours de recrutement des mandarins-fonctionnaires, qui ne furent abolis qu'en 1919. Durant la Seconde Guerre mondiale, les Japonais s'étaient substitués aux Français, lesquels avaient eux-mêmes tenté, dans la logique coloniale qui était alors la leur, de mettre le français en état de supplanter le chinois. Mais rien ne réduisit vraiment l'importance de ce dernier, malgré la promotion du vietnamien comme langue de l'enseignement en 1945, et les emprunts au chinois continuèrent de foisonner, surtout dans la langue officielle et journalistique au Vietnam du Sud, et dans la phraséologie politique marxiste au Nord. Néanmoins, une conscience nationale aiguë a toujours permis aux Vietnamiens de garder confiance dans leur langue, et cette dernière n'a jamais perdu son prestige.

À partir de l'invention par le roi Sejong, en 1446, d'un alphabet coréen, toujours en usage, on cessa d'écrire en idéogrammes les mots sino-coréens. Mais leur proportion était telle (60 % du vocabulaire) et ils étaient si solidement établis (les contacts de l'ancien pays de Choson avec la culture chinoise remontent au premier millénaire avant l'ère chrétienne), qu'on ne tenta pas de les remplacer. Certains sont des emprunts au sino-japonais, et ils entrent, comme les mots sino-coréens, dans la structure d'une masse de mots composés, que ne put supprimer Kim Il Sung, longtemps chef de la Corée du Nord, auteur de nombreux essais de coréanisation du lexique, et contempteur du coréen du Sud, à ses yeux trop japonisé et américanisé. Quoi qu'il en soit, ni les emprunts chinois naguère, ni les emprunts anglais aujourd'hui n'ont déraciné le coréen, et le nationalisme culturel de ses locuteurs éclairés a eu pour effet le maintien de son prestige face aux langues « intruses ».

On peut en dire autant du japonais, alors qu'on y voit, de nos jours, un raz de marée de mots américains succéder à l'énorme afflux de mots chinois. Mais bien qu'il soit sans doute plus encore imprégné d'anglais que le coréen, le japonais a conservé les caractères chinois, malgré quelques tentatives avortées de latiniser l'écriture. Ces derniers notent non seulement les mots qui pullulent dans la terminologie savante, et qui correspondent aux racines grecques ou latines des mots techniques français, mais aussi, tout simplement, la plus grande partie des mots du vocabulaire courant. Tout comme en persan, en turc, en vietnamien, en coréen, on continue, en japonais, à fabriquer des mots mixtes à l'aide d'un terme emprunté qu'accompagne un verbe « faire » du fonds autochtone. Ces procédés sont anciens. Les emprunts n'empêchent nullement les usagers d'avoir une conscience claire de leur culture. Leur langue grappille depuis des siècles dans des langues prestigieuses, mais, pour autant, ne perd aucunement son prestige. Le japonais est en excellente santé.

Quand le bilinguisme n'implique que les élites : le grec à Rome au temps de Cicéron

• Sur deux mots célèbres de César

Dans le prêt-à-porter culturel d'anciens élèves de latin figurent deux mots célèbres que l'on attribue à César en deux moments décisifs de sa vie. Quand, revenant de la conquête des Gaules, il franchit en -49 le Rubicon, violant l'ordre du sénat et la coutume, il aurait dit : *alea jacta est !* « le sort en a été jeté ! » ; et aux ides de mars -44, jour de son assassinat, on l'aurait entendu dire à Brutus, qui lui portait les derniers coups de couteau : *tu quoque, mi fili !* « toi aussi, mon fils ! ». En réalité, César n'a proféré ni l'un ni l'autre de ces deux « mots historiques ». Et cela pour la simple raison que s'il les a dits, il l'a fait en grec, et non en latin. En ce qui concerne les derniers mots de César, Suétone écrit expressément (*Vies des douze Césars*, Jules César, 79) : « On raconte que voyant M. Brutus prêt à le frapper, il se serait écrié en grec : "Et toi aussi, mon fils !" » Dion Cassius corrobore ce témoignage (XLIV, 19, 5). César a donc dit καὶ σύ, τέκνον ! [kai su teknon], soit, mot à mot, « aussi toi, enfant ! ». Le *tu quoque, fili mi*, que l'on répète partout et qui ne figure dans aucun texte ancien, est une traduction des grammairiens de la Renaissance, reprise par Lhomond dans son *De viris illustribus* (cf. Dubuisson 1980).

Encore cette traduction est-elle inexacte, car καὶ σύ « toi aussi ! » était en réalité une formule de malédiction, et ce que César voulut exprimer, ce fut non pas une constatation douloureuse en voyant le fils de sa maîtresse Servilia, qu'il considérait comme son propre fils, se ruer sur lui pour l'achever de son stylet, mais bien un anathème ; il dit à Brutus en mourant : « Puisse-t-il t'arriver la même chose ! » Quant aux mots prononcés en franchissant le Rubicon, il est établi (cf. Dubuisson, *ibid.*) qu'ils l'ont également été en grec : ἀνερρίφθω κύβος [anerríphthô kúbos], c'est-à-dire littéralement « que (le) dé (= le sort) ait été jeté ! ». La traduction latine qui fait autorité, et dont l'équivalent français *le sort en est jeté* s'emploie lorsque l'on prend une audacieuse décision, est encore plus inexacte que la précédente, car ἀνερρίφθω est en grec ancien un impératif parfait passif ; il s'agit donc d'un ordre rétroactif indiquant le résultat d'une action, et il conviendrait d'adopter, pour la traduction latine de ce proverbe grec bien connu, la correction d'Érasme *jacta alea esto*, sans compter qu'*alea jacta est* signifie, en fait, « le sort *en a été* jeté », ce qui est bizarre, le parfait latin référant au passé, et non, comme le parfait grec, au résultat toujours actuel d'un acte que l'on vient d'accomplir.

• Le grec, langue première des patriciens romains

Pourquoi César a-t-il parlé en grec en deux circonstances où son émotion était forte, d'une part quand il fait un choix très hardi, d'autre part quand il sent qu'il s'enfonce dans la mort ? Précisément parce que le grec était la langue apprise depuis l'enfance, celle, donc, qui resurgit quand le trouble est à son comble, et à son degré le plus bas le contrôle de soi-même.

Sur le statut du grec dans l'éducation des enfants appartenant aux familles privilégiées de Rome, tous les textes sont parfaitement clairs. Un des plus célèbres est celui du livre I de l'*Institution oratoire*, où Quintilien peut encore écrire, plus d'un siècle après la mort de Cicéron :

> « Je préfère que l'enfant commence par le grec, parce que le latin étant davantage utilisé, nous nous en imprégnerons de toute façon [...]. Je ne voudrais pas, cependant, [...] que l'enfant ne parlât ou n'apprît pendant trop longtemps que le grec, ce qui est le cas pour la plupart. Cette habitude entraîne un grand nombre de défauts de prononciation, [...] ainsi que d'incorrections de langage. »

D'où venait cette situation ? On connaît le mot d'Horace : *Graecia capta ferum victorem cepit* « La Grèce soumise a soumis son grossier vainqueur ». De fait, la découverte de l'éclatante civilisation grecque, depuis qu'en -146 Rome avait vaincu la Grèce et en avait fait une province mise sous son autorité, produisit parmi les élites romaines un sentiment d'infériorité, encore très vif à l'époque de Cicéron. Assez vite, l'apprentissage du grec leur apparut comme celui du raffinement et de la seule vraie culture, et son ignorance comme le fait d'un rustre, ou, chez un représentant des classes supérieures, comme une anomalie. Le grammairien Varron défendit même la théorie échevelée de l'origine grecque du latin, bien entendu sans aucun argument qui puisse nous convaincre aujourd'hui, ni sans doute qui le persuadât lui-même, puisqu'il s'agissait surtout de rehausser le prestige du latin (cf. Dubuisson 1981). L'hellénisation de l'aristocratie romaine possédait des aspects plus cachés. La connaissance du grec parmi les classes dirigeantes devint un enjeu politique, dans la mesure où la pratique de la rhétorique athénienne, en améliorant l'art oratoire, leur fournissait une arme efficace de conquête, et de conservation, du pouvoir ; des mesures furent même prises dès la fin du IIᵉ siècle avant J.-C. pour empêcher la formation d'écoles de rhéteurs latins.

• Les ambiguïtés du bilinguisme à Rome (fin de la République et début de l'Empire)

À la fin du Iᵉʳ siècle, le poète Juvénal s'en prend, dans une de ses *Satires*, à l'usage que feraient du grec certaines femmes romaines (des classes aisées) jusque dans les douceurs privées. Cette pénétration, si l'on ose ainsi dire, du grec dans la vie intime des riches n'est peut-être pas sans liens avec l'idée, répandue chez beaucoup de lettrés, de l'infériorité du latin par rapport au grec. Lucrèce, écrivant, au Iᵉʳ siècle avant l'ère chrétienne, son *De natura rerum*, se plaint de la *patrii sermonis egestas* (« indigence de notre langue paternelle ») pour exposer la doctrine d'Épicure. Cicéron, comme bien d'autres intellectuels bilingues, adopte en public une attitude nationaliste et antigrecque, refusant de ratifier le mot de Lucrèce, assurant intrépidement que le latin est plus riche que le grec, créditant, avant Sénèque et Quintilien, le latin de force et de sérieux dans l'éloquence par opposition à la délicatesse et à la subtilité du grec, mais sa correspondance recourt tout naturellement au grec chaque fois qu'il ne trouve pas en latin la formulation adéquate.

Le bilinguisme des élites, et la forte présence du grec, qui affectait même la vie officielle romaine, n'étaient pas sans entraîner des réactions assez vives. Un texte célèbre de Valère Maxime, contemporain de Tibère, regrette le temps où les Romains défendaient davantage leur langue :

> « [...] les magistrats d'autrefois veillaient à préserver [...] leur propre dignité et celle du peuple romain [...]. On peut citer [...] leur souci constant de ne jamais accorder de réponse aux Grecs qu'en latin. Bien plus, on éliminait la faconde qui fait leur avantage en les forçant à se servir d'un interprète, et cela non seulement à Rome, mais même en Grèce et en Asie, afin, bien entendu, de rendre plus respectable et de répandre dans tous les peuples l'honneur de la langue latine. Ces hommes ne manquaient pourtant pas de culture ; mais ils pensaient que le manteau grec devait être subordonné à la toge : c'était une indignité, selon eux, que d'offrir aux attraits et au charme des lettres le poids et l'autorité du pouvoir. »

Suit un éloge de Marius, chaudement approuvé de n'avoir pas « accablé la curie d'interventions en grec », et dont on sait que, bien qu'il connût fort bien le grec, il jugeait ridicule (contrairement à son adversaire Sylla, d'origine sociale plus élevée) d'apprendre la littérature d'un peuple que les Romains avaient réduit en esclavage, puisque ce raffinement n'avait pas servi la liberté de ceux qui en faisaient profession. Valère Maxime, en outre, se réfère implicitement aux Romains qui défendaient le latin contre le grec, notamment Caton, lequel, en -191, venu à Athènes en qualité de tribun militaire, avait pris le parti de parler en latin à la foule, en s'aidant d'un interprète, alors que les patriciens tels que lui étaient capables, à cette époque déjà, de s'exprimer en grec. Ce que demande donc Valère Maxime, ce sont de véritables mesures de protection contre un bilinguisme qui donne au grec une place excessive à ses yeux.

Que les modèles anciens dont il se réclame ne soient plus suivis un siècle plus tard, c'est ce que montre, entre bien d'autres exemples, le choix que fait Cicéron, non sans indigner ses ennemis, de parler en grec, en -70, au sénat de Syracuse. L'empereur Tibère avait été élevé en grec, et le parlait parfaitement (il l'utilisait même quand il écrivait des poèmes), mais il refusait de s'adresser dans cette langue au sénat, fût-ce pour dire quelques mots, et montrait un purisme sourcilleux face aux hellénismes des Romains cultivés et à l'excès apparent d'emprunts grecs en latin. Il en fut de même de l'empereur Claude.

Ainsi, le bilinguisme à Rome dans les derniers siècles de la République et le premier de l'Empire, est à la fois général en privé et souvent condamné en public par les personnages officiels. Il est intéressant de noter qu'en latin classique, l'adjectif *bilinguis* est une qualification péjorative du mélange des langues, et que, dans un autre de ses sens, il réfère, comme si celui qui a deux langues ne pouvait être qu'un fourbe, à la duplicité, que récuse l'exigence romaine de droiture, et même à la médisance et au mensonge, tout comme son héritier en français médiéval. C'est assez dire la méfiance qu'inspirait, à côté de la fascination qu'elle exerçait, cette langue grecque que l'on apprenait très tôt. Si Auguste encouragea Virgile et Tite-Live à écrire leurs ouvrages fondateurs, ce fut surtout parce qu'il voulait que la poésie et l'histoire eussent à Rome leurs lettres de noblesse, afin de balancer l'influence des grandes œuvres grecques. Il fallait, à ses yeux, que le latin cessât de laisser au grec seul le statut de langue véhiculaire principale des pays méditerranéens, et d'instrument d'une culture prestigieuse.

• Le grec et les masses romaines

Tant de mesures de protection, tant de frilosité et tant de craintes n'étaient pourtant pas nécessaires. Le grec ne pénétra jamais au-delà de la société patricienne, car la plèbe n'avait pas les moyens de stipendier des précepteurs hellénophones. Or seul un véritable enracinement du grec dans les milieux plébéiens aurait eu le pouvoir de lui donner un statut assez puissant pour qu'il pût rivaliser avec le latin. En d'autres termes, une langue intruse ne s'implante solidement et profondément que si elle touche toute une communauté, et non ses seules élites. L'éclatante et très longue destinée du latin en Occident (cf. ci-dessus, p. 68-74), alors qu'aujourd'hui le grec est la langue d'un petit pays d'Europe soumis pendant près de quatre cents ans au joug ottoman, devait montrer que le bilinguisme de l'aristocratie romaine à l'époque classique n'était qu'un épisode sans lendemain. Le prestige du grec n'avait pas tué celui du latin, même s'il avait donné des complexes aux Romains cultivés. Et une langue qui garde intact son prestige malgré la rivalité d'une autre, même très prestigieuse, n'est nullement mise en situation précaire.

Mais aux risques graves qu'entraîne, quand elle se produit, la perte de prestige peuvent s'ajouter d'autres circonstances, qui réduisent encore les capacités de résistance d'une langue, si déjà des facteurs comme ceux qui ont été étudiés émoussent ces capacités. Ce sont ces circonstances qu'il faut examiner maintenant.

De quelques circonstances « favorables »
à l'extinction des langues

Parmi les circonstances qui participent, sans avoir de rôle causal direct, à la disparition des langues, on peut ranger le purisme défensif et l'absence de normalisation d'une part, d'autre part le défaut d'écriture, enfin le fait d'être un groupe minoritaire.

LE PURISME ET LE DÉFAUT DE NORMALISATION

Les apories du purisme

• L'exaltation du fonds lexical autochtone

Une outrance dans l'attitude ou dans la prescription puriste peut accélérer le processus de précarisation d'une langue malade. On en observe les effets semblables à partir de cas apparemment contradictoires. Les uns rejettent des emprunts en faveur de mots du fonds local que depuis fort longtemps plus personne n'emploie ; ainsi, dans les langues celtiques en état précaire, comme l'irlandais, certains locuteurs âgés utilisent des termes autochtones tout à fait archaïques et inconnus des partenaires, là où des mots d'origine anglaise intégrés de longue date sont les seuls dont se servent ceux qui pratiquent encore la langue. Les autres appliquent cette attitude à la grammaire, s'attachant avec une ombrageuse obstination à des formes ou à des constructions désuètes. Tel est, notamment, le cas des puristes défendant une norme archaïque du nahuatl, dans les parties du Mexique où cette langue est menacée par l'affrontement avec l'espagnol. On a vu au chapitre VI que c'est là un des signes de l'obsolescence des langues. Ces garants du bon usage, qui, par l'insistance artificielle sur une norme exigeante, cherchent à se convaincre de leur propre compétence sans vouloir admettre qu'elle s'étiole, sont parfois vilipendés par ceux qui jugent que le purisme est ennemi de la langue.

• Le refus d'emprunt et son effet pervers : l'abandon

Mais une autre forme de purisme exerce une action pernicieuse. C'est l'attitude des locuteurs qui refusent d'emprunter des mots étrangers pour référer à des réalités du monde et de la technique modernes, sous prétexte que ces emprunts dénaturent la langue. On ne saurait demander aux locuteurs d'être linguistes professionnels, évidemment. Mais ce rejet systématique d'un phénomène comme l'emprunt, naturel et assez peu nuisible dès lors qu'il est contenu dans certaines limites, dénote une ignorance de ce qui fait la vie des langues. Cette ignorance devient délétère quand elle produit l'effet que l'on a noté dans d'autres communautés nahuatl : faute de disposer des termes nécessaires, car la langue ne les a pas créés, les puristes, ici, jugeant que l'emprunt des termes espagnols n'est pas admissible au sein d'un discours en nahuatl, renoncent purement et simplement à parler leur langue et passent à l'espagnol !

• Les circularités de la revendication puriste

On observe enfin, parfois, une étrange circularité. Les locuteurs commencent par multiplier les emprunts à la langue de prestige, après quoi ils déclarent impure la langue dont ils ont eux-mêmes provoqué l'implosion ! Selon un témoignage recueilli il y a vingt-trois ans (Hill et Hill 1977), les locuteurs chez qui le taux d'emprunt à l'espagnol était le plus élevé étaient aussi ceux qui affirmaient qu'un nahuatl à ce point contaminé produit une impression de honte, et ne mérite pas d'être plus long-temps préservé !

La généralisation de ces attitudes est de nature à accé-lérer la disparition de la langue ancestrale, alors que juste-ment, dans les communautés aztèques où le nahuatl se porte bien, les locuteurs ont assimilé les emprunts espa-gnols, et ne se font pas grief de les utiliser quand la chose est nécessaire.

La déroute des codes non normalisés

Une étonnante contradiction s'observe ici. Les mêmes qui préfèrent renoncer à une langue où il leur faudrait introduire trop d'emprunts ne se soucient pas de faire ce qui, précisément, permettrait de réduire le nombre de ces derniers. Cette entreprise dont ils méconnaissent la néces-sité est celle qui a contribué à façonner le vocabulaire de maintes langues, dont le français, ou encore, pour citer des exemples plus exotiques, le hongrois, le finnois, le turc, l'estonien et bien d'autres (cf. Fodor et Hagège 1983-1994). Il s'agit de la normalisation, ou action consciente que des experts, cautionnés, sinon sollicités, par l'autorité publique, accomplissent sur le vocabulaire d'une langue, pour l'adapter à l'évolution des techniques, des connais-sances et des habitudes. Le réglage des langues à diverses époques de leur histoire a souvent été un facteur efficace de leur adaptation aux changements, comme le montre clairement, entre autres, l'étude de celles que je viens de mentionner. Dans le domaine du vocabulaire, les réforma-teurs ont souvent préféré les solutions nationales (mots dérivés du fonds ancien, donc en principe motivés) aux solutions internationales (emprunts directs, donc opaques, même sous un revêtement local).

Cela dit, quand le défaut de normalisation a longue-ment érodé les forces d'une langue, il peut arriver qu'il soit trop tard pour intervenir. L'exemple des langues celtiques le montre. Le gouvernement irlandais a promu à partir de

1958 une forme écrite, fondée sur certaines variantes modernes, et à laquelle il s'est efforcé de donner une autorité réelle en organisant son enseignement à tous les niveaux du système d'éducation, et en l'utilisant dans l'administration et dans les documents officiels chaque fois qu'une version irlandaise est recommandée à côté de la version en anglais. Mais il ne semble pas que cette entreprise ait ralenti le déclin que subit l'irlandais depuis plus d'un siècle et demi face à la concurrence de l'anglais. Car la minorité de ceux qui, dans les comtés de l'Ouest, ont encore un maniement naturel de cette langue, se sert des variantes dialectales, dont l'existence vivante a plus de réalité que des créations artificielles.

Cela est encore plus vrai pour le breton. Du moins l'irlandais profite-t-il de son statut officiel dans la constitution du pays, qui rend moins illusoire la promotion d'une norme. Mais quand la langue supradialectale que l'on entend promouvoir n'a de statut que régional, alors les usagers des variantes locales ont plus de raisons encore de la juger artificielle, et de ne pas souhaiter s'en servir. Le breton unifié que l'on tente de favoriser a le mérite d'exister et devrait, évidemment, permettre une renaissance de la langue. Mais les usagers des parlers restent souvent méfiants à l'égard d'un breton construit, qui n'est pas la langue maternelle de quelqu'un. Il convient, au demeurant, de ne pas s'exagérer la dispersion dialectale du breton. L'expérience prouve que tous les Bretons se comprennent quand ils utilisent leur parler local. Le problème d'un breton unifié se pose, certes, mais le déclin du breton s'explique aussi par d'autres causes que l'absence de cette norme fédératrice.

La marginalité des parlers entre lesquels se disperse une langue peut décourager l'effort de normalisation, surtout lorsque les communautés qui tentent cet effort ont en face d'elles une langue à la vaste diffusion régionale ou internationale et à la puissante capacité d'absorption. Que peuvent, par exemple, les langues ouraliennes, altaïques ou sibériennes de Russie, qui déjà, dans les enclaves où elles existent encore, sont cernées de vastes terres dominées par le russe ? Leur isolement et l'absence d'un vouloir culturel s'exprimant dans une politique scolaire et éditoriale découragent tout essai de dégager une norme unifiée à partir des forts contrastes dialectaux qui les dynamitent. C'est ainsi que, sauf heureux retournement dont on n'aperçoit pas les signes, paraissent voués à une extinction proche l'énets (péninsule de Taimyr), le yukaghir (Yakoutie), le nivkh (île de Sakhaline) et beaucoup d'autres. Mais il faut redire que l'absence de normalisation n'est pas en soi une cause suffisante, et qu'elle ne fait qu'aggraver la situation en s'ajoutant aux autres causes.

L'ABSENCE D'ÉCRITURE

L'absence d'écriture n'est pas non plus en soi une cause directe d'extinction d'une langue. Si important que soit le rôle joué par l'écriture dans l'histoire des langues de civilisation, il s'agit d'une invention tardive, et d'un revêtement extérieur, qu'on ne saurait compter parmi les propriétés inhérentes. L'existence d'une écriture n'a pas empêché des langues qui furent autrefois prestigieuses et répandues de s'éteindre, et inversement, il existe dans le monde d'aujourd'hui, en Afrique et en Océanie notamment, de nombreux pidgins qui ne s'écrivent pas, et qui, néanmoins, rendent assez de services à ceux qui peuvent par ce biais entrer en communication, pour se porter fort bien et ne pas paraître exposés à disparaître dans un bref délai.

Cela dit, entre deux langues que d'autres discriminants désignent comme soumises aux mêmes risques d'obsolescence, celle qui possède un système d'écriture sera généralement plus armée que l'autre pour résister. Il ne s'agit pas ici de facteurs de maintien ni de moyens de lutte, mais bien du prestige supérieur que confère, dans la plupart des sociétés (non dans toutes), la notation graphique, et de l'appoint essentiel qu'elle constitue, de par le pouvoir qu'elle donne à une langue de diffuser la parole en la reproduisant au-delà des situations concrètes de son échange. L'existence d'une écriture permet quatre autres entreprises qui font beaucoup, aussi, pour l'affermissement des langues : la littérature écrite, qui facilite la conservation sur support matériel et ne fait pas, comme l'orale, appel à la seule mémoire, l'éducation scolaire, la diffusion d'imprimés, et la normalisation. À propos de cette dernière, on rappellera un point important : c'est faute de posséder une écriture que tant de langues sont appelées par les masses des « dialectes », et ce terme, qui n'évoque pas, pour la majorité, la réalité purement technique qu'y voient les linguistes (cf. p. 195), mais un mode d'expression dévalué sinon méprisé, agit en retour sur les locuteurs eux-mêmes, et accentue l'absence d'estime qu'ils peuvent avoir pour leur propre langue.

L'ÉTAT DE NATION MINORITAIRE

Le statut des minorités parmi les nations homogènes

Dans certaines sociétés, les minorités sont stigmatisées, et le fait même, pour une langue, d'être parlée par un petit nombre de locuteurs peut contribuer, en venant renforcer d'autres facteurs, à la mettre en situation de fragilité. C'est surtout le cas quand l'environnement est constitué par une communauté homogène et très consciente de son identité. Les Thaïs sont une illustration de ce genre de communauté. Leur orgueil national a été forgé par cinq cents ans d'unité fondée sur la domination préalable de groupes importants, comme les Mons et les Khmers. Les Thaïs (du moins ceux du Siam) n'ont jamais été colonisés, ni par un peuple asiatique, ni par un pays européen. Le système monarchique et le bouddhisme theravada sont, avec la conscience nationale, les piliers de l'identité thaï (cf. Bradley 1989). Il s'ensuit qu'en dépit de la reconnaissance dont elles bénéficient officiellement, les minorités non thaïs, descendantes de populations jadis conquises ou demeurées périphériques, sont regardées en Thaïlande avec hostilité, du fait de leur statut même de groupuscules isolés. Pour échapper à leur isolement, certaines tentent de s'assimiler par mariage. Tel est le cas des Ugong. La conséquence est la menace d'extinction de leur langue.

Le sentiment d'identité réduisant les effets du petit nombre

Même quand elles vivent à l'écart des grands courants commerciaux qui laminent les individualités, il est difficile aux petites tribus de rester elles-mêmes culturellement et linguistiquement. Cela est encore plus vrai quand elles sont exposées à la rapacité meurtrière des prospecteurs et des marchands, comme il est arrivé aux Andoké de l'Amazonie colombienne (cf. p. 128). Pourtant, le petit nombre peut être compensé par un puissant sentiment d'identité, et dès lors ne plus être un des facteurs de la précarité d'une langue. Ainsi, le bayso, langue couchitique orientale du sud de l'Éthiopie, a résisté durant un millénaire à la concurrence des langues plus répandues qui l'environnent, alors que le nombre de ses locuteurs (500 en 1990) a toujours été faible.

De même, on voit s'opposer d'une manière significative le hinoukh (nord-est du Caucase) et le négidal (langue tongouse de la région de Khabarovsk). Ils n'ont, l'un et l'autre, que deux cents locuteurs environ. Mais le premier s'appuie sur une forte conscience d'identité, ce qui n'est pas le cas du second. Les Hinoukh apportent même la preuve qu'un sentiment identitaire puissant a le pouvoir de neutraliser les effets des unions allogènes. Les hommes hinoukh se marient avec des femmes du village voisin, où se parle le dido, et les femmes hinoukh quittent aussi la communauté en épousant des hommes d'autres groupes ethniques (cf. Kibrik 1991, 259). Pourtant, la conscience ethnique ne se dissout pas dans ces unions, tant elle est enracinée.

Ainsi, même quand les circonstances sont contraires, une volonté de vivre et une passion d'identité peuvent sauver une langue de l'anéantissement.

CHAPITRE VIII

Le bilan

Définitions et critères

ÉVALUATION DU NOMBRE DES LANGUES ACTUELLEMENT PARLÉES DANS LE MONDE

Avant d'établir un bilan de la mort des langues, il est utile de connaître à peu près le chiffre de celles qui sont vivantes. Cette évaluation peut être assez variable selon les critères qui sont adoptés pour décider de ce que l'on appellera une langue. Une des causes de cette variation est que si ce sont les langues qui sont prises en compte, on devra alors exclure les dialectes ; or l'attribution, à un idiome donné, de l'un ou l'autre de ces deux statuts varie selon les linguistes, et tous ne s'accordent pas sur la définition qui paraît la plus simple : une langue est celui des dialectes en présence (à un moment donné) qu'une autorité politique établit, en même temps que son pouvoir, dans un certain lieu ; s'il existe une écriture, à fonction administrative et littéraire, c'est au service de ce dialecte qu'elle sera mise.

Cette définition n'étant pas nécessairement celle de tous les linguistes, tous ne produiront donc pas les mêmes chiffres selon les discriminants qu'ils utilisent pour décider si tel idiome est un dialecte ou une langue. Une autre cause de fluctuation dans les chiffres proposés tient à la décision que l'on prend de faire figurer ou non dans le décompte certaines au moins des langues dont la survie à brève échéance, ou même à moyen terme, est loin d'être assurée. Une dernière cause, liée à la précédente, est la nécessité, prônée par certains, de n'inclure dans le calcul que les langues parlées non seulement par les adultes, mais aussi par les enfants. De fait, une langue ignorée de tous les enfants d'une communauté, et qui n'est connue que des adultes, doit être considérée comme engagée sur la voie de l'extinction.

Compte tenu de ces difficultés de parvenir à un accord, les évaluations proposées, au début des années 1990, par divers linguistes allaient de 4 500 à 6 000 langues. On peut considérer 5 000 comme un chiffre raisonnable, et le prendre comme la base par rapport à laquelle seront évaluées les pertes actuelles en langues. Ajoutons que le nombre des langues parlées dans le monde a probablement connu un sommet jusqu'au début du xvie siècle, et a commencé de décliner vers cette époque, notamment dans le sillage de l'expansion et de la domination européennes, et des brutalités qui les ont accompagnées, qu'il s'agisse de la conquête de l'Amérique du Sud par les Espagnols, du recrutement de la main-d'œuvre servile parmi les peuples d'Afrique arrachés à leurs villages, ou d'autres violences de dimensions comparables. Pour l'Amérique du Nord et l'Australie, ces violences ont commencé un peu plus tard, mais ont produit, en s'étendant jusqu'à la fin du xixe siècle, des résultats tout aussi efficaces sur les langues ainsi immolées.

LIENS ENTRE L'ÉTAT DE LANGUE
MENACÉE ET DIVERS PARAMÈTRES

Langues en danger et langues menacées

On appellera « langues en danger » celles dont de nombreux signes donnent à penser qu'une extinction immédiate les guette. On parlera de « langues menacées » pour celles qui, dans un avenir prévisible, coïncidant au maximum avec la durée d'une vie humaine, seront en danger. Il n'est pas toujours facile de maintenir rigoureusement cette distinction, du fait de la variété des situations et de la rapidité des changements, que précipite encore le rythme actuel des événements. Mais on peut du moins la conserver comme cadre global pour clarifier l'étude. On parlera ici de langues menacées comme catégorie générale incluant le cas plus radical des langues en danger.

Lien entre langues menacées et sous-développement, ainsi qu'entre langues menacées et nombre de langues

On constate, sur la base de chiffres établis en 1990 (cf. Krauss 1992), que les plus grandes concentrations de langues menacées se trouvent dans les régions du globe où dominent des conditions de sous-développement.

On constate également une corrélation entre le nombre de langues menacées et le nombre de langues, comme si ce dernier, à partir d'un certain seuil, sécrétait des relations de luttes pour la vie, d'où certaines langues sortent victorieuses et d'autres vaincues.

Lien entre nombre de langues
et sous-développement

La majorité des 170 États que l'on peut considérer comme souverains (ne dépendant (politiquement) d'aucun autre et constituant une entité de droit à laquelle est accordée une reconnaissance internationale) ont pour langue officielle, unique ou non, une des suivantes, qui sont aussi, en nombre de locuteurs, parmi les plus parlées du monde : anglais, français, espagnol, arabe, portugais. En d'autres termes, les langues les plus répandues sont aussi celles qui appartiennent aux entités politiques les plus structurées.

Selon une évaluation un peu ancienne (cf. Fishman 1968), mais qui pourrait bien devoir, aujourd'hui, être révisée en hausse, on observe que dans les États linguistiquement homogènes, le revenu national brut par habitant tendait, au milieu des années 1960, à une moyenne d'au moins 300 dollars, alors que dans les États linguistiquement hétérogènes, cet indice connaissait des chiffres allant d'un niveau bas à un niveau très bas, qui sont caractéristiques, plus encore à l'heure présente, d'États sous-développés. Les degrés variables de prospérité économique commandent les degrés variables de prestige, ainsi que, par voie de conséquence, les mouvements d'émigration et d'immigration, et comme je l'ai noté, cette situation n'est pas sans effets sur le maintien ou la disparition des langues d'ethnies pauvres.

Ainsi, le nombre des langues d'un pays et le niveau de vie de ses habitants tendent à être inversement proportionnels. Cette observation n'est pas indifférente. Une longue controverse a opposé, en Papouasie-Nouvelle-Guinée, précisément le pays du monde le plus riche en langues, partisans et adversaires de la diversité linguistique (cf. Dixon 1991, 247). Les premiers ont fait valoir que cette diversité était saine, puisqu'elle enrichit le nombre des vues que l'on peut avoir du monde et aide à résoudre par là les problèmes individuels, sociaux et techniques. Les seconds arguent de l'inefficacité qu'induit ce foisonnement et de son pouvoir néfaste de division. Ils établissent une corrélation directe entre sous-développement et diversité linguistique. Le gouvernement a décidé que l'éducation préprimaire se ferait sur la base des langues vernaculaires. La décision est heureuse, mais on imagine la quantité considérable de matériaux qu'elle implique, et par conséquent le nombre de travaux encore nécessaires que cela représente, sur des langues papoues dont un grand nombre ne sont pas même encore décrites.

Lien entre santé des langues et nombre de locuteurs

Sur le chiffre de 5 000 langues environ que j'ai établi comme l'évaluation la plus probable pour le monde contemporain, 600, soit un peu moins d'un huitième, sont parlées par plus de 100 000 locuteurs. Inversement 500 le sont par moins de 100 personnes. De plus, 90 % des langues de la planète sont parlées par 5 %, environ, de la population mondiale. Cela n'est que faiblement compensé par les cas comme ceux du hinoukh et du bayso (cf. p. 193-194). Examinons maintenant deux corrélations, qui possèdent une valeur générale.

• Corrélation entre faible volume démographique et mauvaise santé linguistique

Le faible nombre de locuteurs peut être considéré, surtout quand il ne cesse de décroître, comme un des signes fréquents, bien que non universels, du déclin d'une langue et des menaces qui pèsent sur elle. Il a lui-même des causes, qui ont été examinées au chapitre VII. Le nombre de locuteurs n'est pas toujours facile à évaluer, car dans beaucoup d'ethnies dont la culture est en perdition, les membres du groupe qui se revendiquent comme tels ne sont pas nécessairement tous locuteurs de la langue autochtone : ainsi, on comptait environ, en 1989, 2 500 Itelmen en

Russie, parmi lesquels 1 400 vivaient au Kamtchatka, leur territoire traditionnel (où ils ont pour voisins les locuteurs, également rares et dispersés, d'autres langues du même groupe, que les chercheurs russes appellent « paléo-asiatique » ou « paléosibérien » : guiliak, két, yukaghir, tchouktche, tous idiomes en danger eux aussi) ; mais plus de 80 % des Itelmen indiquaient le russe pour langue maternelle, et l'itelmen n'est plus parlé, aujourd'hui, que par 200 à 300 personnes, qui sont toutes bilingues (itelmen + russe).

Indépendamment de cette inadéquation fréquente entre le chiffre d'une ethnie et celui des locuteurs réels, le fait important est la corrélation entre le petit nombre d'usagers et la mauvaise santé de leur langue. En Amérique du Nord, si on se livre à une vaste comparaison de toutes les langues de cette partie du continent (Canada d'une part et d'autre part États-Unis dont Alaska), on constate que celle qui montre le plus de vitalité, à savoir le navajo, est aussi celle qui a le plus de locuteurs, environ cent quarante mille, encore qu'il soit loin d'être certain que tous parlent la langue, ou au moins la parlent comme il est normal pour des locuteurs de naissance. Mais en outre, le navajo lui-même est en situation nettement plus précaire que le nahuatl, et justement, on ne peut manquer de mettre ce fait en corrélation avec un autre, également d'ordre numérique : le nahuatl, qui ne donne pas partout, on l'a vu, les mêmes signes de bonne santé au Mexique, conserve tout de même, présentement, 1 400 000 locuteurs.

La corrélation va au-delà encore. Le quetchua, l'aymara et le guarani sont en situation plus saine que le nahuatl, et précisément, ils sont parlés tous trois par un plus grand nombre d'usagers que ne l'est ce dernier. Le guarani, en particulier, qui est en bonne santé pour le moment, est connu des trois quarts de la population du Paraguay actuel (trois millions d'habitants), soit 2 250 000 personnes ; il est également présent, en plus petits effectifs de locuteurs, au sud du Brésil et au nord-est de l'Argentine.

Au Chili, il faut encore mentionner l'araucan ou mapudungu, langue des Mapuches, dont le nombre de locuteurs varie considérablement selon les sources et les estimations, soit entre 150 000 et 1 000 000 ; solidement implanté dans ce pays, le mapuche est en outre énergiquement défendu par ses locuteurs, qui, néanmoins, sont loin de le parler tous (Clairis 1991 propose une évaluation optimiste à 400 000). On ne peut donc nier, en raisonnant symétriquement, que le faible volume démographique d'une communauté ne soit une des faces du processus général de précarisation de sa langue.

Cependant, lorsqu'il y a défaut de transmission, un nombre relativement important de locuteurs, malgré l'apparence rassurante qu'il peut produire, n'a pas de pouvoir de compensation. Ce cas est très fréquent. Un exemple mexicain est celui du purhepecha (ou tarasque), parlé dans l'État de Michoacán par quelque 90 000 locuteurs, mais non transmis aux enfants, au moins dans la région du lac de Pátzcuaro, par opposition à la montagne, plus conservatrice comme presque toujours, et où l'on trouve des enfants unilingues (cf. Chamoreau 1999). Il faut considérer le purhepecha comme une langue menacée.

• Corrélation entre nombre de langues menacées
et nombre de communautés restreintes

Cette corrélation, pour une région donnée, renforce celle qui vient d'être établie entre importance démographique et santé de la langue. Il est intéressant de noter, à ce sujet, que certains groupes, qui se sentent menacés du fait même de leur faiblesse démographique, résolvent spontanément ce problème en recherchant la fusion dans un ensemble plus important. Les conséquences peuvent être bénéfiques pour les langues. Ainsi, en Guyana (ex-Guyane britannique), les Mapidian, appartenant à la famille des Arawaks, et les Taruma, décimés par diverses catastrophes, sont partis se placer sous la protection des Waiwai, tribu caribe plus nombreuse. Dans ce nouveau cadre, ils sont en mesure de préserver leur langue pendant plusieurs générations.

• Utilisation du nombre de locuteurs comme discriminant

Les statistiques dont on dispose informent sur le nombre de locuteurs, vu comme un signe, en général fiable, de santé d'une langue, ou, au contraire, de menace sur sa survie. Certains systématisent la valeur de ce signe, par le calcul de l'indice de vitalité d'une langue, obtenu en divisant le nombre d'enfants locuteurs de cette langue par celui des enfants locuteurs de la langue dominante du pays (méthode utilisée à propos du Mexique par T. Smith Stark 1995). On peut trouver ces calculs un peu rigides par rapport à une réalité très souple. Mais il reste que la valeur indicielle du nombre de locuteurs est certaine quand il s'agit d'enfants. C'est pourquoi, dans ce qui suit, les chiffres concernant ce point, quand ils existent, seront utilisés comme indicateurs de l'étape de son destin à laquelle semble être parvenue une langue donnée. Il convient à présent d'examiner les éléments d'un bilan.

Données numériques sur l'extinction des langues dans diverses parties du monde

DONNÉES GÉNÉRALES

Langues des pays plurilingues

Un groupe de 22 pays se détache avec une particulière netteté par le nombre considérable des langues qui s'y parlent, ou qui s'y parlaient encore au début des années 1990 (cf. Krauss 1992). Parmi ces 22, 9 pays possèdent chacun plus de 200 langues : la Papouasie-Nouvelle-Guinée en a 850 et l'Indonésie 670 ; viennent ensuite le Nigéria (410) et l'Inde (380) ; suivent le Cameroun (270), le Mexique (240), la République du Congo (210), l'Australie (200) et le Brésil (200). Les 13 autres pays possèdent 100 à 160 langues chacun. Ce sont, en nombre décroissant de langues, les Philippines, la Russie, les États-Unis, la Malaisie, la Chine, le Soudan, la Tanzanie, l'Éthiopie, le Tchad, le Vanuatu (ex-Nouvelles-Hébrides), la République centrafricaine, la Birmanie et le Népal.

Beaucoup des très nombreuses langues de la majorité de ces pays sont menacées, et même, dans bien des cas, en danger, selon les définitions données plus haut. En effet, ces langues présentent toutes, ou presque toutes, les caractéristiques étudiées au chapitre précédent comme causes d'extinction. Les chiffres que l'on vient de produire sont évidemment optimistes. On inclut dans ce calcul les langues que l'on se refuse, du fait que les dernières enquêtes réalisées sur le terrain mentionnent un ou quelques vieillards encore capables d'en parler une, à considérer comme tout à fait mortes. Mais il est fort probable que depuis 1992, beaucoup de ces locuteurs ultimes ont disparu en emportant avec eux l'aptitude à proférer des mots de ces langues. De surcroît, l'absence de locuteurs enfants dans ces cas devrait, si l'on appliquait strictement les critères adoptés, faire éliminer ces langues.

Cas particulier des pays à langue dominante unique

La Russie, la Chine, le Brésil, les États-Unis, l'Australie, le Mexique figurent dans la liste précédente, mais on sait que tous ces pays possèdent une langue officielle très fortement promue par les moyens dont dispose le pouvoir politique, et que par conséquent, les langues qui y sont menacées sont celles des nombreuses minorités, lesquelles ne bénéficient, bien entendu, d'aucune promotion qui vienne compenser de quelque manière l'abandon volontaire par les usagers eux-mêmes. Tous les autres pays, soit 16 sur les 22 mentionnés, possèdent aussi une, ou plus d'une, langue officielle, mais que celle-ci soit empruntée à l'ancien colonisateur ou qu'elle soit celle de la communauté économiquement et politiquement dominante, un fait demeure : dans aucun il ne s'agit de la langue vernaculaire d'une ethnie dont le nombre soit supérieur à celui de toutes les autres ethnies réunies. Néanmoins, la promotion, dans ces 16 pays et dans bien d'autres, de la langue parlée par le groupe auquel appartient l'équipe au pouvoir est tout aussi redoutable pour les langues de minorités, en particulier lorsque la langue officielle n'est pas étrangère et n'est pas récusée par les autres groupes.

Ainsi, les langues en danger subissent non seulement la pression de langues en parfaite santé et dont la diffusion internationale, déjà vaste, est encore en augmentation, mais elles subissent aussi celle de langues localement puissantes et en outre promues par de nombreux moyens. Les résultats de cette situation sont présentés ci-dessous.

DONNÉES PARTICULIÈRES :
EXTINCTION DES LANGUES *IN SITU*

Il n'est évidemment pas question d'offrir ici un catalogue des langues qui viennent de s'éteindre, ou qui sont en danger de s'éteindre à brève échéance. Seuls seront mentionnés les phénomènes les plus caractéristiques, dont on peut tirer un enseignement de portée générale.

Les langues éteintes le sont-elles toutes vraiment ?

Dans de nombreux cas, la situation paraît tout à fait claire : les détenteurs de la langue sont morts sans l'avoir jamais transmise, et où que l'on aille à la ronde ou en dehors de la communauté, on ne l'entend plus nulle part.

Mais même alors, nul ne sait ce qui est dit dans l'intimité des foyers. À plus forte raison, pour les langues tout à fait moribondes, mais dont on n'est pas sûr qu'elles soient vraiment mortes, il ne faut pas se hâter de décréter l'inhumation. Le cholón, langue du groupe quechua de la vallée de Huallaga, sur les pentes orientales des Andes péruviennes, était donné pour mort, lorsqu'on le découvrit encore vivant dans quelques familles (cf. Cerrón-Palomino 1987). C'est pourquoi les données qui suivent sont à prendre avec les nuances qu'impose la complexité des situations.

Afrique

Deux cents langues au moins sont en train de mourir en Afrique ou ont déjà disparu au moment où sont écrites ces lignes (juillet 2000). Certaines familles sont particulièrement menacées, comme celles que les linguistes appellent khoi et san, parlées en Afrique du Sud.

La Tanzanie peut constituer, à elle seule, une illustration résumée du phénomène. En effet, c'est le seul pays africain où soient représentées toutes les familles de langues africaines les plus importantes en nombre. C'est aussi un pays où, partout, les langues de petites ethnies sont en train de mourir. On manque de données absolument fiables sur chaque situation particulière, ou d'éléments assez précis pour savoir si une langue donnée a déjà entièrement disparu, ou, dans le cas où elle existe encore, quelle durée de vie il est possible de lui assigner. Mais un fait est certain : le swahili est dominant. Certes, le bilinguisme généralisé qui caractérise ce pays n'est pas parfait, et les usagers natifs d'autres langues n'ont pas toujours une absolue maîtrise du swahili. Mais il est compris partout. On peut considérer qu'il a, parmi les classes favorisées qui, autrefois, recevaient une éducation occidentale, remplacé l'anglais des temps coloniaux, ce qui n'est pas de nature à faire perdre le sommeil. Mais en outre, il exerce une pression sur les autres langues, qui sont très nombreuses. Un des hommes politiques tanzaniens les plus célèbres, l'ancien président J. Nyerere, déclarait en 1984 que l'expansion du swahili était en Tanzanie un phénomène naturel. Le poids du swahili est d'autant plus redoutable qu'à son prestige en tant que grande langue africaine devenue officielle, s'ajoute le fait qu'il jouit d'une certaine popularité, de par son utilité comme idiome véhiculaire, même chez les petites communautés bilingues, dont, pourtant, il met directement les langues en danger.

Par suite de cette situation, on peut considérer que seules quatre ou cinq langues jouissent de quelque prestige régional : le sukuma, le nyamwézi, le makondé, le shambala, et surtout le masai, dont on a vu plus haut le puissant et dangereux pouvoir d'absorption qu'il a exercé ou exerce encore sur des idiomes de petites ethnies. Il existe également en Tanzanie des langues qui n'ont de « prestige » qu'à l'échelle locale. Toutes les autres n'ont aucun prestige. Comme on peut s'y attendre, les langues ethniques auxquelles leurs usagers demeurent attachés tout en étant bilingues sont plus menacées que celles dont les locuteurs sont unilingues. De surcroît, il n'existe, pour les idiomes de petites ethnies, aucun soutien officiel par une politique scolaire ou par l'alphabétisation. Et pourtant, on observe dans ce pays une conscience régionale croissante. Il n'est pas exclu qu'elle ait pour effet de ralentir en quelque mesure, et pour quelque temps, l'inquiétant processus de disparition des langues, qui est déjà fortement avancé.

Amériques

• Amérique latine

La situation est très variable selon les idiomes et les régions. On a vu, quand on a proposé d'établir une corrélation entre le degré de résistance d'une langue à la précarisation et le nombre de ses usagers, que le nahuatl, et davantage encore le quetchua, l'aymara et surtout le guarani, possèdent un grand nombre de locuteurs, si on les compare à bien d'autres langues amérindiennes. Les langues qui appartiennent à la grande famille maya, si on les prend toutes ensemble, sont parlées par des masses d'individus plus importantes encore. Le Guatemala, à lui seul, en abrite plus de 6 000 000, et l'on en trouve des quantités significatives dans les États mexicains de Yucatán, Quintana Roo, Chiapas, Tabasco, Campeche, San Luís Potosí. On note que les deux langues maya qui sont le moins exposées, le yucatec (parlé dans la presqu'île du Yucatán au Mexique) et le quiché (parlé au Guatemala), ont l'une et l'autre plus de 500 000 locuteurs ; le quiché en aurait même plus de 1 000 000 selon un recensement de 1993. Trois autres langues maya sont parlées par un nombre variant entre 400 000 et 700 000 locuteurs : le qeqchi, le kakchiquel et le mam.

On peut espérer que ces diverses langues seront encore valides durant une relativement longue période. Pour autant, elles restent exposées à la dangereuse concurrence de l'espagnol. Cela est encore plus vrai pour les autres langues maya : ces langues sont parlées par un nombre d'individus qui varie, selon les populations, entre 100 000 et 100, et quatre d'entre elles n'existent que dans une seule municipalité. Elles ne sont plus apprises comme premières langues par les enfants, ou ne sont enseignées que dans peu d'écoles de campagne, ou ne cessent de perdre des locuteurs, notamment ceux qui, attirés par les villes, désertent les communautés rurales, où les langues sont le mieux préservées.

Encore ne s'agit-il ici que d'une famille relativement à l'abri de trop graves pertes dans l'immédiat. Mais ce cas est loin d'être général. Il suffit, pour s'en convaincre, d'examiner celui de la famille caraïbe, qui était saine et abondamment représentée avant l'arrivée des Espagnols au XVIᵉ siècle. Aujourd'hui, en dehors du makushi, qui a environ 15 000 locuteurs, les langues caraïbes en ont toutes moins de 1 000 ; on ignore ce qu'il est advenu du matipú, de l'amapá et du sikiana, qui, en 1990, avaient, respectivement, 40, 37 et 33 locuteurs. Les Wayana (Guyane française) sont quelques centaines (cf. Launey sous presse).

Si l'on prend pour cadre à présent, en se limitant à trois exemples, des pays entiers, on examinera brièvement les cas du Brésil, du Mexique et de la Colombie. La plupart des quelque 200 langues indiennes du Brésil sont parlées par de toutes petites communautés, ce qui laisse mal augurer du sort de celles qui sont encore valides. Beaucoup de langues de la famille tupi autrefois présentes le long de la moyenne vallée de l'Amazone et dans l'État de Rondônia, proche de la frontière bolivienne, sont aujourd'hui mortes selon toute vraisemblance, notamment l'apiaká et le puruborá. De la grande famille gê, qui comprenait autrefois un nombre important de langues, il ne reste que bien peu de membres, et sont probablement éteints, à l'heure actuelle, le nakrehé (Minas Gerais), le pataxó (Bahía), cependant que le fulnió (Pernambuc), avec 4 000 locuteurs, est la seule langue indienne non éteinte du Nordeste, qui était autrefois une véritable mosaïque d'idiomes. Les quatre langues de la famille yanomami, parlées dans le Roraima et aussi en territoire vénézuélien de l'autre côté de la frontière, ont récemment perdu beaucoup de locuteurs, du fait de l'intrusion brutale des chercheurs d'or (*garimpeiros*) : tout comme la culture originale et bien conservée de ces tribus, leurs langues sont aujourd'hui menacées.

Depuis la prise de la capitale des Aztèques, Tenochtitlan, en 1521, par les Espagnols, les Indiens du territoire correspondant aujourd'hui au Mexique ont subi des pertes humaines et culturelles énormes, en particulier aux XVIe, XIXe et XXe siècles. La population indigène du Mexique, qui était de 25 millions en 1519, était passée à 1 million en 1605 ! Il est fort probable qu'en ce qui concerne les langues, cette érosion avait commencé dès le XVe siècle, lors des conquêtes réalisées par les Aztèques eux-mêmes. À l'autre extrémité chronologique, c'est-à-dire du début du XXe siècle jusqu'à la présente année 2000, on peut considérer qu'au moins 130 langues de plus se sont éteintes au Mexique, appartenant à toutes les familles linguistiques représentées dans le pays.

En Colombie, il existe, en dehors de l'espagnol, très fermement établi partout comme on s'en doute, et des deux créoles, celui de Palenque (palenquero), à base lexicale espagnole, et celui des îles San Andrés y Providencia, à base lexicale anglaise, 65 langues indiennes très variées, vu la diversité géographique et climatique du pays. Dix de ces langues constituent autant d'isolats dans l'état actuel des connaissances, et les 55 autres se répartissent entre 12 familles. Les unes sont importantes en Amérique du Centre et du Sud : familles chibcha, caraïbe, arawak, tupi ; les autres sont représentées dans la seule Colombie : familles guahibo, huitoto, tucano, etc. De cette grande diversité de langues colombiennes, en 1995, 5 étaient moribondes, et 15 étaient en danger (cf. Landaburu 1995).

• Amérique du Nord

Les évaluations varient d'un auteur à l'autre, et les informations dont on dispose présentent beaucoup de lacunes. Il y a quarante ans (cf. Chafe 1962), il n'y avait plus, pour les États-Unis (dont l'Alaska) et le Canada réunis, que 213 langues, au lieu des 600 ou 700 qui existaient au début du XVIe siècle. Sur ces 213, il n'y en avait que 89 dont les locuteurs eussent tous les âges, de l'enfance à la vieillesse. Depuis 1962, au moins 50 langues se sont éteintes, celles qui n'étaient alors parlées que par 1 à 10 locuteurs âgés : on connaît, notamment, le nom de la dernière locutrice du cupeño, qui est morte en 1987, âgée de 94 ans, à Pala en Californie. Trente-cinq autres langues, qui n'étaient pratiquées que par 10 à 100 locuteurs, sont certainement moribondes, et on peut considérer que leur mort est proche.

Sibérie

Sont au bord de l'extinction de nombreuses langues de petits groupes nomades ou sédentaires qui sont dispersés à travers les étendues de la Sibérie centrale et méridionale. Cela est vrai du yugh (région de Krasnoyarsk) et du kerek (région du détroit de Béring). Se trouvent en situation à peine moins périlleuse l'orok (Sakhalin), l'ulch et l'oroch (région de Khabarovsk). Est bien menacé l'alutor (nord-est du Kamtchatka), ainsi que d'autres langues appartenant également aux familles sibérienne, turque et toungouse, dont quelques-unes ont été mentionnées plus haut. Un cas révélateur est celui de l'évenki, la plus importante des langues toungouses, une branche de la famille altaïque génétiquement reliée aux branches turque et mongole. Les Évenki étaient environ 30 000 en 1989, mais chez ces trilingues, qui parlent aussi le yakoute et surtout le russe, 30 % seulement considéraient l'évenki comme leur langue première. La situation est pire encore pour l'udege, également toungouse et étroitement apparenté à l'évenki : 4 % de la population possède une réelle compétence dans cette langue.

Langues andaman

Les langues des îles Andaman, archipel situé entre le sud-ouest de la Birmanie et le nord-ouest de Sumatra, ne se rattachent avec certitude à aucune famille connue. Les indigènes étaient au nombre de 460 en 1931. Il se pourrait que beaucoup des langues appartenant aux trois groupes du Nord, du Centre et du Sud soient à présent éteintes.

Asie du Sud-Est : langues tibéto-birmanes, austro-asiatiques/mon-khmer, thaï, miao-yao, austronésiennes continentales. Japon

De ce très vaste ensemble, on ne retiendra que certains points importants liés au danger d'extinction. Ce danger menace les langues muong, palaung, khmu, bahnar du Vietnam et du Laos, très importantes du point de vue comparatif et historique, dans la mesure où elles fournissent la preuve de l'origine austro-asiatique du vietnamien en dépit de sa très forte pénétration par le chinois et de son caractère monosyllabique et tonal, qui masque cette origine (cf. Matisoff 1991). D'autres langues austro-asiatiques, appartenant au groupe mon-khmer, celles du sous-groupe pear, sont en voie d'extinction ou déjà éteintes en Thaïlande. Au nord du Japon, l'aïnu est moribond.

Indonésie

Les informations dont on dispose pour ce pays, qui se classe, comme on l'a vu, parmi les plus riches en langues de la planète, sont très lacunaires. Une bonne quinzaine de langues se sont éteintes durant le XXᵉ siècle. Cinquante-deux des 670 langues d'Indonésie ont moins de 200 locuteurs, 121 en ont de 200 à 1 000 et 200 en comptent de 1 000 à 10 000.

Papouasie-Nouvelle-Guinée

La terre la plus riche du globe en langues est aussi une de celles où les risques d'extinction sont les plus élevés. On y trouve 130 langues parlées par moins de 200 personnes ; 290 le sont par moins de 1 000, et parmi celles qui le sont par plus de 1 000, beaucoup ne sont connues que des adultes. La pression du tok pisin et du hiri motu, les deux langues pidgins parlées dans les villes, en particulier à Port-Moresby, la capitale, a eu raison, quasiment, du koiari, qui se parlait dans une région proche, et pourrait avoir raison du yimas, parlé dans la basse vallée du Sepik, bien que les femmes soient encore attachées à son usage.

Australie

L'Australie est sans doute le continent où les ravages infligés aux langues, comme aux hommes, ont été les plus rapides et les plus violents. Il y a deux cents ans, il s'y trouvait, très probablement, 1 à 2 millions d'aborigènes, parlant environ 250 langues. Plus de 50 sont mortes depuis l'arrivée des Européens. Cent cinquante autres sont à présent moribondes. Sur les 50 restantes, il en existe un nombre croissant, peut-être plus de la moitié (cf. Dixon 1991), que les enfants de moins de quinze ans ne connaissent pas. Cinq à 10 langues seulement, le chiffre variant selon les auteurs, sont parlées par plus de 1 000 personnes. Elles se situent surtout dans les zones où les Blancs sont entrés le plus tard, et où ils ne sont encore que partiellement établis : territoires du Nord, parties septentrionales de l'Australie du Sud, de l'Australie de l'Ouest et du Queensland.

Philippines et Taïwan

Aux Philippines, certaines langues de la famille indonésienne, comme le tagalog, langue officielle à côté de l'anglais, ou comme le cebuano et l'ilocano, sont parlées par plusieurs millions de locuteurs, et ne sont pas en danger. Cependant, 6 parmi les langues de cette famille ont moins de 200 locuteurs, et il est probable que 3 de ces dernières sont aujourd'hui éteintes. Les langues indigènes de Taïwan, appartenant à la famille austronésienne, étaient au moins une trentaine lors de l'arrivée des colons hollandais en 1622. Mais elles ont été soumises à deux reprises à la domination du chinois : d'une part, en 1661, des opposants chinois à la dynastie mandchoue des Qing, qui s'était installée à Pékin dix-sept ans plus tôt, partirent à

Taïwan, en chassèrent les Hollandais, et entreprirent de siniser la population ; d'autre part, en 1949, selon le même schéma, le gouvernement nationaliste de Chiang Kai-Tchek, chassé de Chine continentale, vint s'installer à Taïwan. Le résultat est qu'il n'y reste plus que 10 langues autochtones, la situation de celles qui sont parlées par moins de 2 000 personnes étant assez précaire.

CAS PARTICULIERS D'EXTINCTIONS
DE LANGUES EN DIASPORA

Nombreux exemples à travers le monde

On note qu'aucune des langues mentionnées comme des cas d'extinction *in situ* (dans les lieux où vit la majorité de leurs locuteurs) n'appartient à l'Europe (si l'on excepte les langues celtiques), ni au Maghreb, au Proche-Orient, ou à l'Asie antérieure. Ce sont là des terres, en effet, où se parlent des langues solidement installées, ou servies par une diffusion internationale. Cependant, les langues ne meurent pas seulement chez elles. Elles peuvent disparaître aussi dans une diaspora où s'est implantée une partie de leurs locuteurs. On a pu voir, au chapitre VI, que c'est là le cas du hongrois d'Autriche orientale, du dialecte albanais arvanitika de Grèce, du bhojpuri de Trinité, de l'arménien en France.

Sur le sort des francophonies de Terre-Neuve et d'Ontario

Deux exemples frappants concernent le français, en des lieux dont la puissance d'absorption est élevée, et qui sont évidemment situés dans l'Amérique du Nord en majorité anglophone. L'un est la péninsule de Port-au-Port, dans la province canadienne de Terre-Neuve, où des Acadiens vinrent s'installer entre le milieu du XIXe siècle et les premières années du XXe. À cette époque, la population francophone était de 2 000 âmes, alors qu'elle n'est plus que d'un millier à peine, surtout dans les villages de Cap-Saint-Georges et La Grand'Terre ; les deux autres, L'Anse-à-canards et Stephenville, n'avaient plus, en 1980, que des sous-usagers de plus de 50 ans. L'avenir du français de Terre-Neuve, langue d'une infime minorité environnée d'anglophones que les nouvelles générations ne rêvent que d'imiter, paraît bien sombre, à moins de quelque prodige. Le second lieu de francophonie en danger est la ville de Welland, dans l'Ontario, à proximité des chutes du Niagara. Là vinrent s'installer après la Première Guerre mondiale, attirées par le développement des industries du fer, de l'acier, du caoutchouc, des textiles, une quarantaine de familles franco-canadiennes du Québec, qui constituaient, lors du recensement de 1981, 15,5 % des 45 000 habitants de la ville. Cependant, le poids de la majorité anglophone et sa présence sur tous les lieux de travail, l'augmentation constante des mariages mixtes, ainsi que l'énorme pression des médias, ont pour effet une désaffection des plus jeunes à l'égard du français, en dépit des mesures nombreuses qui le soutiennent.

Seul le Québec est aujourd'hui capable, en Amérique du Nord, de défendre efficacement, par la loi, une langue française qui se parle sur un îlot de 6 000 000 de personnes, immergé dans un océan de près de 250 000 000 d'anglophones. Car quoi qu'en disent certains de ces derniers, très empressés de défendre la liberté de langue, la situation est celle qu'évoque le mot fameux prêté à Lacordaire : « Entre le fort et le faible, c'est la liberté qui opprime, et la loi qui affranchit. »

Sur l'histoire du norvégien aux États-Unis

On a vu (cf. p. 113) un exemple de ce qu'il advenait du finnois en milieu américain, quant aux structures linguistiques. Un autre cas est celui du norvégien. À partir de 1825 et durant une partie du XIXᵉ siècle, plus d'un demi-million de Norvégiens émigra aux États-Unis, à la recherche d'emplois agricoles, essentiellement au centre de la portion septentrionale du pays : nord de l'Illinois et de l'Iowa, ouest du Wisconsin et du Minnesota, est du Dakota du Sud, et quasi-totalité du Dakota du Nord, avec quelques implantations plus limitées dans le Nebraska, le Montana, le Washington, l'Oregon et la Californie. L'Église luthérienne et la solidarité créaient des liens tels, qu'à la fin du XIXᵉ siècle, dans certaines de ces régions, on pouvait traverser de nombreuses fermes sans entendre d'autre langue que le norvégien. Mais dans les années 1910, un besoin d'intégration des plus jeunes à la société anglophone commença d'induire une chute de l'apprentissage du norvégien. L'idée se fit jour, selon laquelle les Norvégiens ne cessent pas d'être eux-mêmes, ni d'exercer des activités typiquement norvégiennes, s'ils donnent à l'anglais une place prépondérante ! Le norvégien se cantonna toujours plus dans l'usage familial. Il devint, du fait de la masse croissante des emprunts à l'anglais, qui envahirent le vocabulaire puis la grammaire, un norvégien américain. On peut douter (cf. Haugen 1989, 73) que, parmi les 4 120 000 Américains qui revendiquèrent leur origine norvégienne lors du recensement de 1980 aux États-Unis, les 184 491 qui se déclarèrent locuteurs du norvégien en aient une pratique qui permette d'assurer que la langue y est encore bien vivante.

LANGUES D'INSULAIRES, LANGUES RÉGIONALES, LANGUES JUIVES

Il faut considérer comme des cas à part ceux de communautés qui, pendant très longtemps, n'ont pas connu d'organisation en États, ou n'en connaissent toujours aucune, mais en outre, pour les unes (langues de petites îles côtières), ont vécu dans un long isolement, pour les autres (langues régionales, langues juives), ont été victimes, à travers les siècles, de discriminations ou de persécutions permanentes, soit au sein d'États constitués, soit à travers leurs migrations et errances. Les langues de ces communautés ne sont pas toutes également menacées. Mais certaines d'entre elles sont moribondes ou mortes.

Langues de petites îles côtières, ou les variétés moribondes de langues en bonne santé

Bien entendu, les langues d'insulaires sont loin d'être toutes en danger. Ce n'est le cas ni de l'anglais britannique, ni du japonais, ni de l'islandais, ni de très nombreuses autres langues, qui sont parlées dans des États indépendants fort anciennement établis et souvent engagés depuis longtemps dans des entreprises de large expansion. En revanche, il existe des langues de petites îles côtières dont la situation se transforme, et qui se trouvent soudain mises en danger. Tel est le cas, aux États-Unis, sur deux îles de la côte atlantique. L'une, l'île Smith, appartenant à l'État de Maryland, est située dans la baie de Chesapeake, à dix miles de la péninsule de Delmarva sur le continent. L'autre, l'île Ocracoke, appartenant à la Caroline-du-Nord, fait partie du banc insulaire qui borde toute la côte septentrionale de cet État. Ces îles, toutes deux peuplées par des colons venus du sud de l'Angleterre au milieu du XVIIᵉ siècle, ont été jusqu'à une époque récente isolées du continent, auquel ne les relie aucun pont aujourd'hui encore. Il s'y est développé des formes d'anglais spécifiques et conservatrices, aussi bien pour la grammaire que pour la phonologie.

Ces dialectes de l'anglais sont en train de disparaître, selon un processus qui s'accélère à l'heure actuelle, mais qui n'est pas identique dans les deux cas. Sur l'île Smith, la disparition s'explique par celle des habitants eux-mêmes, qui étaient 700 en 1960, et 450 en 1990 (cf. Schilling-Estes and Wolfram 1999). La dépopulation est due au déclin des activités traditionnelles de pêche, essentiellement des crabes et des huîtres, et par suite, à l'exode des insulaires, qui partent d'autant plus à la recherche d'emplois sur le continent, que leur île est menacée, en outre, de s'enfoncer dans la baie, et de devenir inhabitable dans une centaine d'années. Sur l'île d'Ocracoke, c'est le tourisme qui a supplanté l'économie traditionnelle, elle aussi fondée sur les activités de pêche. L'installation d'un nombre croissant d'habitants du continent construisant à Ocracoke des résidences secondaires, les mariages avec les insulaires, entraînent la perte des particularités du dialecte et sa fusion avec l'anglais continental du Maryland, alors que le dialecte de l'île Smith, ne disparaissant que faute de locuteurs et non sous la poussée du contact avec un autre, conserve tous ses traits et ne s'altère pas. On voit donc que non seulement parmi les diverses formes d'une langue saine, comme ici l'anglo-américain, il en est qui meurent, mais qu'en outre, les causes du phénomène sont variables.

Langues régionales

La conscience politique des Basques espagnols n'est pas étrangère au maintien du basque en France, et de même pour l'alsacien le voisinage de l'Allemagne, pour le catalan celui de la Catalogne d'Espagne. Le corse est servi par le traditionnel isolement insulaire, et surtout par le sentiment d'identité puisé dans l'originalité de cette langue où, longtemps avant le millénaire d'imprégnation toscane, s'étaient déjà développés un substrat prélatin et plus tard des archaïsmes romans propres au bassin tyrrhénien. Mais l'omniprésence du français et l'importance de ce qu'il représente dans l'histoire de la nation française ne sont pas des facteurs favorables, malgré le changement récent de politique, au développement des langues régionales.

Langues juives

Les langues juives, c'est-à-dire celles qui se sont constituées à partir des idiomes en usage dans les pays de diaspora, ont suivi le sort des communautés juives elles-mêmes. Le judéo-allemand (= yidiche) était la langue des

Juifs d'Europe, dont l'écrasante majorité a été exterminée de 1939 à 1945. Il semblerait que le monde exprimé par le yidiche soit « quasiment mythique » (cf. Szulmajster-Celnikier 1991, XI). Pourtant, une sorte de renaissance s'esquisse (cf. chap. XI).

La situation est très précaire, et pour la même raison (cf. Séphiha 1977), en ce qui concerne le judéo-espagnol (= djudezmo). Le judéo-arabe maghrébin, sous ses trois variantes tunisienne, algérienne et marocaine, n'a pas été transmis par ses derniers locuteurs, et cela pour les mêmes raisons que les autres langues juives : le départ en Israël, en France ou aux États-Unis impliquait l'adoption des langues de ces pays dans l'existence quotidienne, les conditions naturelles de maintien des langues juives ayant été brisées par la disparition des cadres traditionnels de la vie. Les locuteurs qui ne partaient pas étaient des personnes âgées, par exemple certains usagers du judéo-espagnol des Balkans ou de Turquie. C'est pourquoi toutes ces langues sont aujourd'hui moribondes.

Ce qui est perdu quand les langues meurent

Après cette traversée rapide mais édifiante des territoires d'extinction, on pourrait juger que le destin de toutes ces langues qui disparaissent est celui de bien d'autres manifestations des cultures humaines, et qu'il n'y a pas lieu de se morfondre en lamentations. Il peut être utile, pourtant, de se demander ce que cela signifie quant au patrimoine des hommes, et ce qui est perdu quand les langues meurent. Les langues, sans épuiser le contenu des cultures, en sont une composante fondamentale, la part de génie qui se dépose dans chacune est assez grande pour que la mort d'un grand nombre soit une sorte de catastrophe, et ce qui disparaît est perdu pour notre fonds universel d'humanité.

LANGUE ET CULTURE

L'alibi d'adaptation

D'autres composantes que la langue, comme on le sait, définissent une culture. Aux États-Unis, par exemple, les nombreuses communautés d'anciens immigrants qui conservent, bien qu'américanisées depuis longtemps, leurs habitudes culinaires, et qui y sont aidées par la quasi-inexistence, dans la culture américaine en tant que telle, de quelque chose qui ressemble à une gastronomie, peuvent se persuader à bon droit qu'elles n'ont pas perdu, en s'assimilant, tout ce qui les définissait. Il reste vrai, par ailleurs, que l'attachement à une communauté ne disparaît pas avec la perte de la langue, comme on peut le voir, dans ce même pays, chez celles qui entretiennent le souvenir de leurs origines par des organisations de solidarité où les descendants se retrouvent entre eux à dates fixes, ainsi que par des études et recherches universitaires, ou par des enquêtes historiques et généalogiques.

Mais certains vont plus loin. Il ne manque pas de communautés qui, changeant de langue sous le prétexte de la nécessité qu'elles ressentent de s'adapter à un nouvel environnement, tentent de se convaincre que perdre sa langue n'est pas perdre son identité, et qu'en adoptant l'idiome dominant, on peut plus efficacement encore être soi-même, puisqu'on se fait entendre plus facilement de la majorité. Il s'agit, en réalité, de justifier un abandon à mobiles purement économiques. Est-il besoin de souligner que cet argument, utilisé par des communautés d'immigrés dans les pays neufs où ils viennent faire fortune, est un alibi non exempt d'hypocrisie ? Il convient de reconnaître qu'en réalité, la perte de langue est celle de l'instrument même par lequel une culture s'exprime le plus directement. C'est une perte grave pour le maintien d'une identité et pour la force symbolique que l'usage de la langue confère à cette dernière. Dans les communautés indiennes d'Amérique du Nord aujourd'hui, c'est là le sujet d'un débat passionné. Certains assurent qu'il n'est pas nécessaire de parler l'idiome de la tribu pour participer à des danses dans lesquelles elle se reconnaît, ou à des activités sociales qui relèvent de la culture ethnique. Ils considèrent même qu'un discours en anglais sur les thèmes traditionnels est concevable, et qu'il peut avoir certains traits importants du discours en langue vernaculaire. On a le droit d'en douter.

Les activités verbales et la culture

Les expressions verbales d'une culture ont leur origine dans son histoire et vont au plus profond de son identité. « Si vous ne parlez pas la langue », disait une femme de la tribu iroquoise des Oneida qui avait fait des recherches ethnologiques sur les siens, « vous ne pouvez pas comprendre la culture » (cf. Jocks 1998, 219). Elle se référait aux cérémonies durant lesquelles des échanges oratoires s'instauraient entre les membres de la tribu, et qui appartenaient au fonds primordial de la culture iroquoise. On a vu, d'autre part, à propos des chasseurs-cueilleurs yaaku au Kénya et des sociétés traditionnelles australiennes, que la disparition du mode de vie et des habitudes entraîne celle de la langue. Si la langue est loin d'être la seule expression d'une culture, elle englobe toutes les autres, néanmoins, puisqu'elle les met toutes en mots ; elle conserve donc une place centrale, et sa perte peut, à longue échéance sinon dans l'immédiat, causer celle de la culture entière.

LES LANGUES ET LE GÉNIE HUMAIN

Prodiges des langues initiatiques

En Australie, comme en Afrique, comme en Amérique précolombienne, il existe des langues initiatiques, c'est-à-dire des langues secrètes qui, réservées aux seules périodes d'initiation des jeunes hommes, leur sont enseignées lors de ces périodes, et ne doivent plus, selon la tradition, être utilisées par la suite. Un exemple en est le damin, langue d'initiation qui existait autrefois chez les Lardil, population de l'île de Mornington (dans le Queensland du Nord, en Australie). Elle était apprise en stade avancé de noviciat. Le linguiste à qui son existence fut révélée en 1960 ne put en recueillir que des bribes auprès d'hommes très âgés (cf. Hale 1992). Seuls pouvaient, en effet, s'en souvenir les hommes qui avaient été initiés avant les premières décennies du XXᵉ siècle, c'est-à-dire avant l'arrivée de la mission chrétienne qui vint alors administrer l'île. Car à cette date, les prêtres, hostiles aux rites animistes et à l'éducation sexuelle que comportait l'initiation, en interdirent la pratique, selon l'inspiration générale des missionnaires chrétiens qui, évidemment, partout et toujours (bien que parfois avec quelques scrupules), de la Guinée à l'Amazonie, de l'Alaska à la Patagonie et du XVIᵉ au XXIᵉ siècle, ont détruit et détruisent les cultures tribales comme incompatibles avec l'Évangile.

Le damin est une langue inventée, comme le sont en général les langues d'initiation. Et ce qui s'y découvre d'invention est tout à fait étonnant. En phonétique, le damin contient des sons qui ne sont connus que dans une seule autre partie du monde, l'Afrique du Sud, à savoir les consonnes claquantes des langues bantoues de la famille nguni et des langues khoisan : ces consonnes sont produites par aspiration de l'air, au lieu de l'expiration qui est propre à toutes les autres, ce qui donne, par exemple, pour les bilabiales, des sons semblables au bruit du baiser ; le damin comporte également des sons que l'on ne trouve dans aucune autre langue du monde, notamment une latérale sourde ingressive, c'est-à-dire, en termes plus avenants, une consonne *l* réalisée en avalant l'air et sans vibration de la voix. Mais c'est surtout le vocabulaire du damin qui est remarquable (la morphologie et la syntaxe sont celles du lardil). Le damin était conçu pour être appris en un jour. Cela impliquait un nombre réduit de mots, moins de 200 en tout, et par conséquent un très haut degré d'abstraction, permettant l'existence de termes au spectre sémantique très large : tout mot damin devait pouvoir couvrir le nombre considérable des sens dont chacun est exprimé, dans toute autre langue, par un mot distinct.

Ainsi, il n'existe que deux verbes pour le sens très général d'« agir », qui s'emploient l'un quand l'effet de l'action est nuisible, l'autre quand il ne l'est pas ; toute autre distinction sémantique que celle-là, c'est-à-dire les autres sens qui sont, dans n'importe quelle langue, ceux de la totalité des verbes aussi bien transitifs qu'intransitifs, est déduite du contexte, puisque l'action qu'exerce soit un X seul, soit un X sur un Y, peut se concevoir en fonction du sens d'X et d'Y. Néanmoins, il importe qu'il y ait une limite à l'abstraction, car pour qu'une langue puisse fonctionner, une place doit être faite au pouvoir expressif. C'est pourquoi le damin contient également certains termes au sémantisme aussi précis que les termes correspondants du lardil, et par exemple un pour les poissons osseux, un autre pour l'ensemble homogène des poissons à cartilage, des requins et des pastenagues, un enfin pour l'ensemble hétérogène des tortues de mer et des dugongs.

Ce savant dosage d'abstraction et de souci du concret suppose un ensemble de subtiles activités de l'esprit pour échafauder une langue que les traditions affectent à des usages rituels particuliers. On sait fort peu de chose, en dehors des faits rappelés ci-dessus, sur le damin ; on ne connaît rien de son passé, ni de l'évolution qu'il a pu ou aurait pu connaître. Mais le peu qu'on entrevoit de cette langue laisse assez deviner tout ce que sa disparition représente de perte en matériaux précieux pour la connaissance des activités mentales, et plus généralement pour les sciences cognitives.

Cinq façons de courir et autant d'être assis

Certaines langues expriment avec une précision tout à fait frappante les circonstances, variant avec l'identité et le nombre des participants, dans lesquelles sont effectués divers mouvements, ou adoptées diverses positions. Ainsi, pour un seul verbe « courir » du français, on trouve en pomo central, encore connu de quelques vieillards vivant dans des réserves à 160 km au nord de San Francisco, cinq formes verbales qui combinent différemment affixes et radicaux ; l'une signifie que la course est exécutée par une personne seule, l'autre qu'il s'agit de plusieurs personnes, la troisième que le coureur a quatre pattes, et qu'il est donc, littéralement, un coyote, un daim ou un chien, et métaphoriquement une personne âgée, la quatrième que l'on a, au lieu d'un seul, plusieurs des coureurs du type précédent, et la cinquième que l'on se réfère à un groupe d'humains dans une voiture. Dans cette même langue, on désigne par cinq verbes différents le fait d'être assis ; dans un cas, il s'agit d'une seule personne sur une chaise ou d'un seul oiseau sur une branche, dans un autre de plusieurs personnes ou oiseaux, dans un troisième d'une personne assise à terre, dans un quatrième de plusieurs en cette même position, et dans un dernier d'un récipient de liquide posé sur une table (cf. Mithun 1998, ainsi que pour les trois exemples suivants, tirés du pomo).

On peut juger que cette exactitude dans la description des actions ou des postures est un luxe dont peuvent se dispenser les civilisations occidentales modernes, orientées vers l'efficacité et le rendement. Mais d'une part, rien n'indique que l'emploi d'une telle langue constitue un obstacle pour agir, et d'autre part, sa disparition est celle d'une précieuse trace du talent humain, tel qu'il s'exerce dans la reconstruction verbale du monde.

La division du travail linguistique

On dit en français *s'arrêter de cueillir (des fruits, etc.)*. Les deux éléments de cet ensemble sont des verbes pleins, même s'il est vrai que dans *il s'arrête de cueillir*, le second est en fait réduit au statut de nom verbal. L'équivalent pomo d'*arrêter de cueillir* est *š-yé-w*, soit, mot à mot, *š-* = PRÉFIXE indiquant l'action de cueillir + *yé* = verbe « s'arrêter » + *-w* = SUFFIXE signifiant achèvement de l'action. En d'autres termes, alors que le français traite l'action de cueillir par un verbe, le pomo la traite par un préfixe, et c'est l'action de s'arrêter qu'il exprime par un verbe. Cette langue indienne révèle ici une possibilité que les langues indo-européennes ne permettent généralement pas de soupçonner, à savoir celle de confier l'expression de notions pleines, comme « cueillir », à des outils grammaticaux tels que les préfixes. Le phénomène n'est pas limité au pomo : en zuni, que parlaient, en 1990, 8 000 personnes d'un pueblo du Nouveau Mexique, et qu'on doit considérer comme menacé, un bon tiers du vocabulaire est constitué d'éléments qui se distinguent des noms par le fait d'être invariables, ne prenant pas d'affixe de nombre singulier ou pluriel ; pour cette raison, ces éléments sont appelés « particules » par les spécialistes de la langue ; appartiennent à cette catégorie certains mots exprimant des notions qui, en français, sont des noms ou des adjectifs, comme *tepi* « chat sauvage », *citta* « mère » (ainsi que tous les noms de parenté), *šiwani* « faiseur de pluie », ou *kʔayu* « frais ».

Ce qui précède illustre une assignation aux mots-outils invariables, en pomo central ou en zuni, de sens qui, en anglais, en français ou en espagnol, sont traités par des verbes ou par des noms. Ces faits sont assez singuliers, si on les rapporte aux caractéristiques de la majorité des langues. La connaissance de ces phénomènes permet de se faire, sur les possibilités d'agencer les instruments d'expression, une idée plus large que celle qu'on s'en fait d'après le seul examen des langues occidentales bien décrites et bien vivantes.

Le regroupement subtil des sens

Des sens différents entre eux, qu'un francophone ne songerait pas à traiter par un même mot, apparaissent logiquement reliés si on examine la façon dont il peut arriver qu'une langue les apparente. Ainsi, les trois mots du pomo *ba-yól, s-yól* et *š-yól*, signifient respectivement « introduire soudain des mots dans une chanson qu'on était en train de fredonner », « faire descendre (dans la gorge) ses biscuits avec du café ou du thé », « remuer avec une cuiller ». Ordinairement, un francophone ne s'aviserait pas de considérer comme apparentées ces trois actions, qui lui paraissent, au contraire, n'avoir pas de rapport entre elles. Or on observe qu'en pomo, le radical *yól* « mélanger » figure dans les trois mots ; étant entendu, par ailleurs, que *ba-* signifie « oralement », *s-* « en suçant » et *š-* « en tenant un manche », les trois mots signifient littéralement « mélanger oralement », « mélanger en suçant » et « mélanger avec un objet à manche ».

Si l'on considère que les communautés humaines construisent leurs langues selon les associations que leurs cultures établissent entre les choses, et que réciproquement, le reflet de ces associations dans les mots conduit plus tard leurs descendants à rétablir les mêmes rapports entre les choses, on voit que le pomo incarne une conception des objets tout à fait originale par rapport à celle que dénotent les langues occidentales. Ce sont des trésors de ce type qui sont perdus lorsque les langues meurent.

La richesse des moyens de ne pas assumer

J'ai appelé *médiaphoriques* (cf. Hagège 1995), c'est-à-dire référant (*phoriques*) à un intermédiaire (*média-*), des outils grammaticaux que possèdent de nombreuses langues, et qui permettent au locuteur d'imputer à autrui ce qu'il asserte, à savoir de faire connaître qu'il le dit par ouï-dire ou par déduction, ou d'après un autre témoignage que le sien propre. Le français ne possède pas pour cela d'outil exclusif, mais il connaît un emploi médiaphorique du conditionnel. Si, par exemple, les évangélistes avaient écrit en français, ils auraient pu, en cas de doute, vouloir employer ce mode. On lirait alors, dans *Marc*, 9, 2, pris ici comme illustration : « Six jours après, Jésus *aurait pris* avec lui Pierre, Jacques et Jean, et il les *aurait conduits* seuls à l'écart sur une haute montagne. Il *aurait été* transfiguré devant eux ; ses vêtements *seraient devenus* resplendissants. »

Certaines langues disposent d'un riche inventaire de moyens pour marquer qu'il n'y a pas d'assomption, par le locuteur, de ce qu'il dit. Il s'en trouve, parmi elles, qui sont en voie d'extinction. Le pomo central fournit, ici encore, un exemple frappant. À côté d'un suffixe -*ya*, indiquant que ce qui est dit résulte d'une connaissance par observation directe, il en existe au moins quatre autres qui sont médiaphoriques, -*do*, -*ʔdo*, -*nme* et -*ka*, dénotant, respectivement, l'information que l'on tient d'une personne spécifique, le savoir par ouï-dire, la conscience par perception d'un bruit indiquant que l'événement est certain, enfin la supposition par déduction logique. On est en droit de considérer que l'extinction d'une langue possédant de tels moyens produit une lacune sérieuse dans notre connaissance des vastes ressources cognitives des idiomes humains.

Les enseignements de la diversité

• L'exemple amérindien

La plupart des langues de l'Europe (cf. Hagège 1994) appartiennent à une seule et même famille, appelée, comme on sait, indo-européenne. Le contraste est frappant avec les langues indiennes d'Amérique du Nord, dont la majorité est en danger. Celles-ci constituent une bonne cinquantaine de familles distinctes, et peut-être même plus de 60, si l'on en croit certaines classifications (cf. Campbell and Mithun 1979). Quelques-unes de ces familles se réduisent, comme le zuni cité ci-dessus, à un isolat (une seule langue), en contraste accusé avec d'autres, comme l'athapaske-eyak-tlingit, qui contient au moins 40 langues. On a tenté, évidemment, de réduire ce foisonnement en proposant des regroupements, par exemple en trois grandes familles (cf. Greenberg 1987), mais ces tentatives sont loin d'avoir rencontré l'assentiment général (cf. Campbell 1988).

La diversité génétique des langues amérindiennes se double d'une tout aussi remarquable diversité typologique : ces langues, du point de vue de leurs traits structurels, diffèrent davantage encore entre elles qu'elles ne diffèrent ensemble des langues indo-européennes prises en bloc. Dans certaines, les réalités résultant du contact avec les étrangers ont été désignées par l'association ingénieuse de mots autochtones en des touts complexes, adaptés aux habitudes morphologiques. Ainsi, dans la plus orientale, autrefois, des langues des cinq tribus de la Ligue iroquoise, le mohawk, idiome où la plupart des noms viennent de phrases à verbes, « école » se dit littéralement « on l'utilise pour se faire apprendre à connaître les mots ». Cent autres façons de dire l'univers et d'accommoder les emprunts se rencontrent dans d'autres langues en danger, même à s'en tenir au seul ensemble amérindien.

• Si l'anglais seul...

S'il n'existait sur le globe aucune autre langue que l'anglais, que connaîtrions-nous du fonctionnement de l'esprit humain, tel qu'il se reflète à travers les structures de la langue, et que saurions-nous des principes fondamentaux de la grammaire ? Assurément, nous connaîtrions beaucoup, car l'anglais, de même que toute autre langue, illustre un grand nombre de ces principes. Mais il est évident que nous ignorerions aussi un nombre beaucoup plus grand d'autres principes, qui trouvent leur application dans l'immense diversité des langues humaines.

C'est là une des raisons scientifiques pour lesquelles la mort des langues ne peut laisser indifférent : de leurs propriétés, qui sont les manifestations historiques et sociales de la faculté de langage, on ne peut connaître, si l'on s'en tient à une seule langue, en fît-on une étude très attentive et très pénétrante, que ce qu'une certaine culture a sélectionné, à travers des millénaires d'élaboration raffinée, où elle a construit ses modes d'expression, d'une manière inconsciente ou demi-consciente le plus souvent. Il est impossible, sur une base aussi restreinte, de parvenir à l'ensemble des traits universels qui définissent une langue. Certains de ceux que l'on poserait pourraient être, en réalité, des propriétés spécifiques de l'anglais, tandis que d'autres manqueraient, qui sont une partie intégrante de la définition, et que l'anglais ne permet pas d'apercevoir.

• L'extinction des langues et la science linguistique

Dans l'univers des langues humaines, ce qui est apparent ici est ailleurs masqué. Ainsi, comme j'en ai donné plus haut un exemple, ce qui dans une langue est traité par un radical, fondement premier d'un mot, est confié dans une autre à un préfixe ou à un suffixe, éléments périphériques. Ce qui est ici un fait grammatical de routine est là un phénomène exceptionnel. Ce qu'une communauté linguistique juge digne de recevoir un nom, une autre l'ignore et ne lui donne aucun accès direct au dicible.

La science du langage et des langues ne peut se contenter d'être une axiomatique sur fondement unilingue. Elle doit, de toute nécessité, exploiter tout son matériau, qui est considérable. Et c'est précisément parce que les langues meurent, ou se trouvent en péril de mort, que la linguistique est menacée par des dérives rhétoriques, qu'encourage l'indigence de la base factuelle concrète. Ainsi, l'étiolement de la diversité des langues est, à long terme, celui de la linguistique elle-même. Ce pourrait même être une perte sévère pour d'autres sciences humaines. Car comment se faire une idée fidèle et complète des capacités créatrices de l'esprit, si des témoins de réalisations qui ne sont attestées nulle part ailleurs s'engouffrent dans l'oubli ?

LE DOMMAGE ÉCOLOGIQUE
ET GÉNÉTIQUE

Les prévisions les plus pessimistes, fondées sur le nombre de langues en état d'obsolescence ou d'agonie, évaluent à 90 % les pertes probables à l'horizon de l'année 2100. Cela fait 4 500 langues sur 5 000 !

Une comparaison avec les espèces zoologiques et botaniques peut être faite ici. Selon une étude de spécialistes à laquelle la presse a récemment fait écho (cf. journal *Le Monde*, 10 mars 2000), le rythme de disparition des espèces vivantes est aujourd'hui 1 000 à 10 000 fois supérieur à ce qu'il a été lors des grandes périodes géologiques d'extinction. Contribuent à cette performance remarquable l'agriculture intensive (moins de 30 % des espèces végétales procurent plus de 90 % des aliments de la population mondiale), la déforestation massive et méthodique (bien qu'anarchique), l'urbanisation et l'industrialisation. Le résultat est que sont en danger d'extinction immédiate une proportion considérable des quelque 1 650 000 espèces actuelles, lesquelles se répartissent en 45 000 vertébrés, 990 000 invertébrés et 360 000 plantes. Pour donner quelques détails, on retiendra que sur 4 400 espèces de mammifères, 326, soit 7,4 %, et sur 8 600 espèces d'oiseaux, 231, soit 2,7 %, sont en danger. Encore ces chiffres sont-ils optimistes, et ceux qui les produisent considèrent-ils que si l'on tient compte des problèmes de comptage des animaux, il serait plus exact de parler de 10 % pour les mammifères et de 5 % pour les oiseaux. Si la progression continue au rythme actuel, 25 % des espèces animales risquent d'être effacées du globe avant 2025, et 50 % avant 2100, soit des proportions sensiblement égales à celles des langues.

Cependant, il se pourrait, sinon que la tendance soit inversée, au moins que le rythme soit ralenti. En effet, les États les plus avertis du péril immense ont adopté ou adoptent des mesures. Il existe plus de 40 organismes internationaux des Nations Unies pour la sauvegarde de la nature. Et par ailleurs, l'initiative privée ne fait assurément pas défaut : pour la protection du monde animal comme pour celle des végétaux, on compte plus de 300 associations.

La disparition des langues est à regarder comme un grave dommage subi par ce qui a été appelé le « génome linguistique » de l'espèce humaine (cf. Matisoff 1991, 220), ou patrimoine de gènes linguistiques que représente l'ensemble des langues vivantes et mortes depuis l'origine des temps. N'y a-t-il rien qu'il soit possible de faire pour réagir contre ce dommage ? Les langues qui sont encore vivantes sont-elles moins dignes d'être protégées que les espèces animales et végétales ?

CHAPITRE IX

Facteurs de maintien et lutte contre le désastre

Les facteurs de maintien

LA CONSCIENCE D'IDENTITÉ

L'attitude actuelle d'une partie des Bretons, des Écossais, des Occitans, pour ne prendre que ces exemples, peut être considérée comme une nouveauté. Alors que les facteurs essentiel de l'abandon de ces langues ont été la mise à l'écart sur les plans économique, social et politique, et la perte de prestige qui en est résultée, on note qu'une résurgence de fierté apparaît depuis peu chez les plus conscients. C'est là un facteur qui peut agir dans un sens opposé à celui des forces de dislocation. Héritiers d'une tradition d'humiliation, ils la remettent en cause, et puisent un haut sentiment d'identité dans cela même qui faisait mépriser la langue ancestrale : sa marginalité ou celle de ses locuteurs.

Un phénomène analogue a été relevé chez les Aborigènes d'Australie, méprisés par les Blancs non contents de les avoir dépossédés de leurs terres. Ces langues mêmes qui sont, avec la culture qu'elles expriment, la cible du mépris, sont souvent l'objet d'un regain d'intérêt de la part des Aborigènes qui les abandonnaient pour s'adapter. Car elles leur permettent d'affirmer leur identité, notamment dans les situations où ils peuvent, de surcroît, défier l'autorité de leurs adversaires, les policiers blancs, face auxquels les idiomes aborigènes sont employés comme langues secrètes (cf. Wurm 1991, 15). Pouvoir parler entre soi une langue que les adversaires ne comprennent pas, c'est là, bien entendu un facteur d'attachement à cette langue, dans la mesure où une telle situation confère le sentiment d'une supériorité, que le rejet raciste par les oppresseurs récuse obstinément. Mais cet emploi des langues aborigènes pour narguer les Blancs n'est qu'un des aspects d'un réveil général de la conscience identitaire chez les Australiens autochtones. En juillet 2000, les plus déterminés des Aborigènes ont réclamé une reconnaissance du grave préjudice causé aux enfants qu'on arracha de force à leurs familles et à leurs langues durant presque tout le XIXe siècle.

La conscience d'identité est particulièrement forte dans les communautés solidement structurées, comme le sont certaines tribus des pentes orientales des Andes, notamment les Chuars (Équateur), les Campas (Pérou) et, à une échelle numérique plus importante, les Aymaras de Bolivie. On rapporte même qu'un dirigeant de la tribu des Cogui (groupe arhuaco de la famille linguistique chibcha, vivant à mi-hauteur de la Sierra Nevada de Santa Marta dans le département de Magdalena en Colombie) avait interdit à la population de parler en espagnol, dans le souci de préserver son identité culturelle et son homogénéité (cf. Adelaar 1991, 51).

LA VIE SÉPARÉE :
HABITAT CHEZ SOI, ISOLEMENT,
COMMUNAUTÉS RURALES

L'habitat autochtone

La préservation d'une langue autochtone semble favorisée par l'attachement au territoire originaire des locuteurs. Inversement, les déplacements, réinstallations, déportations des locuteurs hors de leur patrie ont des effets négatifs sur la conservation de leurs langues. On a vu plus haut (cf. p. 110) que le cayuga se maintient mieux dans la région des Grands lacs américains et canadiens, habitat originel des Iroquois (*Ontario* est un mot iroquois, signifiant « beau (*io*) lac (*ontar*) »). Le cayuga est, en revanche, plus menacé en Oklahoma, État où ont été déplacés dans des réserves, à l'origine (1834), les Indiens des « cinq nations », et plus tard, d'autres peuples indiens chassés de leurs territoires.

Dans l'ancienne Union soviétique, de même, les déplacements, volontaires ou imposés, en particulier les regroupements, durant les années 1940, dans des fermes collectives, ont eu des conséquences néfastes sur les langues de plusieurs populations, notamment le naukan et le nivkh, qui ne doivent leur survie présente qu'à une assez forte conscience ethnique ; celle-ci neutralise à peu près, jusqu'ici, les effets d'un autre facteur négatif qui affecte le nganasan, à savoir la dispersion ; au contraire, de nombreuses langues, même quand le nombre de leurs locuteurs est très faible, se maintiennent bien dans les régions, en particulier montagneuses ou d'accès difficile, où vivent depuis longtemps leurs usagers : tel est le cas, par exemple, de celles du Daghestan (est du Caucase), du bats en Géorgie, ou des idiomes du Pamir (yazgulami, bartangi et autres langues iraniennes).

Le choix du ghetto et l'endogamie

Ce que réalise l'isolement dû à des conditions naturelles, un choix social peut aussi le réaliser. Les Chinois américains de la troisième génération résidant dans les ghettos des quartiers qu'ils peuplent exclusivement (*chinatowns*) passent moins souvent à l'anglais langue maternelle que ceux qui vivent en dehors de ces lieux de ségrégation volontaire. L'endogamie constitue aussi un facteur de maintien, lié au précédent, puisque c'est la sortie hors du groupe qui favorise l'exogamie, et à terme, met la langue en danger.

La vie rurale

• À l'écart des grands axes et des fleuves

La vie au sein de communautés rurales est également un facteur de maintien des langues. Encore ce facteur n'agit-il vraiment que lorsque lesdites communautés vivent à l'écart des grands axes de circulation. Comme on l'a remarqué (cf. Dixon 1998, 82), la majorité des langues indigènes qui ont pu survivre dans le bassin de l'Amazone se trouvent être celles d'ethnies habitant assez à l'écart des principaux fleuves ; si elles vivaient dans leur voisinage immédiat, elles seraient exposées aux contacts avec les communautés les plus nombreuses, qui sont aussi celles dont l'activité économique est fondée sur l'exploitation des ressources hydrographiques. Dans un environnement différent, ceux des Nubiens qui continuent de vivre à la campagne depuis que la construction du barrage d'Assouan et la réalisation du lac Nasser ont entraîné, à partir de 1960, l'inondation de leur ancien territoire et les ont fait migrer un peu plus au nord, sont non seulement fort loin encore du Caire, mais en outre à une dizaine de kilomètres des rives du Nil. Ils attachent beaucoup plus d'importance que les Nubiens urbanisés à la conservation de leur langue comme symbole de leur appartenance ethnique, et pourraient contribuer à sa sauvegarde au moins provisoire face au prestige de l'arabe et à l'arabisation totale d'une partie de la société nubienne (cf. p. 137-138), qui se détache de plus en plus du nubien. On verra pourtant, plus bas, qu'un facteur de maintien qui devrait agir en faveur de ce dernier, la religion, est, en réalité, une menace de plus pour lui.

• Le maintien par une soudaine prospérité : Val d'Aoste et Tyrol du Sud

Ce qui précède possède une valeur générale, mais non universelle. Des circonstances particulières peuvent faire que ce soit non la vie rurale, mais au contraire la renonciation à cette vie, qui devienne un facteur de maintien des langues. La vallée d'Ayas, dans la région autonome du Val d'Aoste en Italie, connaissait une économie agricole et pastorale jusqu'aux dernières décennies. Mais le passage à une économie fondée sur le ski et le tourisme a installé la prospérité, et il est devenu possible de financer un programme préscolaire d'enseignement trilingue pour les enfants de 3 à 5 ans ; dans ce programme, le dialecte franco-provençal, dont la situation générale est précaire, a sa place à côté de l'italien et du français.

De même, les parlers ladins, qui, avec ceux des Grisons suisses à l'ouest et ceux du Frioul à l'est, constituent un des trois ensembles dialectaux très fragiles que l'on regroupe sous le nom de rhétoromanche, ont bénéficié d'une étonnante promotion ; pourtant, les districts du Tyrol méridional (au nord de l'Italie) où l'on rencontre ces parlers sont petits et discontinus : ce sont quatre vallées formant une croix autour d'un massif montagneux des Dolomites. Mais une industrie touristique florissante s'y est développée, s'articulant sur le ski de luxe. Le tourisme, étant largement international, a introduit non une langue menaçante unique, mais plusieurs, qui, de surcroît, ne peuvent exercer d'effet durable, car il s'agit d'une activité saisonnière, les habitants demeurant entre eux durant les autres parties de l'année, et dans un certain état d'isolement. Il n'est pas exclu que ces facteurs aient agi en faveur du renforcement des parlers ladins, que l'on observe depuis quelque temps.

• Les grandes langues de l'Union indienne, les moins grandes, et le rôle des villes

Il se trouve qu'en Inde, c'est l'urbanisation, et non l'exaltation de la vie à la campagne, qui a servi beaucoup de langues. Le rôle joué par Calcutta au XIXᵉ siècle dans le développement du bengali, et celui qu'a joué Delhi dans la promotion du hindi ont souvent été soulignés (cf. Mahapatra 1991, 185-186). C'est aux langues parlées sur un territoire où se trouve au moins une grande ville que l'État accorde une reconnaissance, et ce cas, même si l'argument n'est pas évoqué, est bien celui des 18 mentionnées dans le fameux article VIII de la Constitution de l'Union indienne ; pour certaines, comme le telugu, le gujrati, le marati, l'assamais, le pendjabi, cela signifiait la création d'un nouvel État doté de pouvoirs politiques, donc possédant un centre urbain important. Et c'est à partir de tels centres qu'ont été conduites contre le gouvernement fédéral, des années 1950 au début des années 1970, des luttes parfois violentes pour la reconnaissance.

Ainsi, le pays est passé, des 14 États et 6 territoires de 1956, tous définis, on le notera, sur des bases linguistiques, à 22 États et 9 territoires. La situation fut longtemps très tendue dans l'extrême nord-est, autour de l'Assam, sur les hauts plateaux et la chaîne de l'Arakan. Dans cette zone, qui borde, du sud au nord, divers pays et provinces également plurilingues : Bangladesh, Birmanie, Tibet, et qui rejoint, à l'ouest, la frange orientale de l'Himalaya, certaines régions ont finalement obtenu la reconnaissance de New Delhi. Elles constituent donc de nouvelles entités politiques, encore une fois définies sur le critère des langues dominantes dans les agglomérations : États du Manipur, du Meghalaya et du Nagaland, Territoires du Mizoram et de l'Arunachal Pradesh. Dans ces lieux se parlent des langues des familles tibéto-birmane (notamment garo et manipuri), ou mon-khmer (khasi, entre autres) ; le nombre des locuteurs est variable, allant pour certaines jusqu'à quelques centaines de milliers, mais toutes sont fragiles ; et cette promotion officielle les renforce contre la puissance des langues qui les entourent : bengali, birman, assamais. Quant aux langues tribales du reste de l'Inde, parlées par des minorités parfois assez démunies sinon misérables, leur mode de vie rural, bien qu'il contribue peut-être à les maintenir, n'est pas, dans le contexte indien d'aujourd'hui, un facteur favorable à leur promotion.

LA COHÉSION FAMILIALE ET RELIGIEUSE

La cohésion familiale et la cohésion religieuse, qui sont souvent solidaires, jouent certainement un rôle en tant que facteurs de maintien des langues. L'une et l'autre ont beaucoup fait pour la permanence du norvégien aux États-Unis pendant une longue période jusqu'à ce qu'il soit évincé par l'omniprésence grandissante de l'anglais (cf. p. 214-215). Les relations entre ces facteurs sont logiques : la cohésion religieuse donne plus de force aux traditions, et une de ces dernières est le respect des personnes âgées, lesquelles sont elles-mêmes les plus sûrs garants des langues ancestrales qu'elles ont transmises. De plus, la cohésion religieuse, au XIXe siècle, conduisait les Norvégiens des États-Unis à resserrer leurs rangs autour de leur Église luthérienne, en opposition hautaine à la dispersion des nombreuses obédiences protestantes anglophones, rivales entre elles.

Le rôle joué par la religion s'observe ailleurs aux États-Unis, mine d'exemples pertinents, dans la mesure où seules des langues puissamment défendues sont capables de résister, même sans s'en affranchir complètement, au poids de l'anglais. Il existe au centre et au sud-est de la Pennsylvanie, ainsi que, plus sporadiquement, en Ohio, Illinois, Indiana et Virginies du Nord et du Sud, des communautés allemandes, descendant de celles qui s'y installèrent aux temps coloniaux. Chez tous ces locuteurs, l'allemand présente des traces d'érosion importantes, notamment la confusion entre les cas de déclinaison, que l'on trouve aussi dans divers dialectes rhénans et autres en Allemagne, mais à un moindre degré d'avancement. Or on constate que ces délabrements sont moins accentués chez les Germano-Américains qui appartiennent à une des deux sectes des Mennonites et des Amish, de stricte observance religieuse, surtout la seconde. On peut en déduire, bien qu'il existe des contre-exemples surprenants (cf. Huffines 1989), que la religion a le pouvoir de contribuer au maintien d'une langue. Il est même probable que si l'allemand était destiné à disparaître en Pennsylvanie dans l'emploi quotidien, il se conserverait dans l'usage confessionnel.

Cependant, en certaines circonstances, l'effet de la religion peut jouer dans le sens opposé. Les Nubiens de Haute Égypte, par exemple, dont on vient de voir qu'ils préservent ce qu'ils peuvent de leur langue dans les villages isolés où ils continuent de vivre, sont, paradoxalement, pris au piège du renouveau islamiste, qui se manifeste en Égypte comme dans d'autres pays musulmans. En effet, la langue dans laquelle s'exprime cette foi revigorée, à travers une fréquentation accrue des mosquées, est et ne peut être que l'arabe. Les sermons se font en arabe classique ; les enfants nubiens qui récitent convenablement les versets du Coran sont récompensés ; les femmes nubiennes, qui ne sont pas les moins enthousiastes parmi les promoteurs de ce renouveau religieux, étudient l'arabe afin de pratiquer correctement la lecture du Coran et l'islam en général. Le nubien est absent de toutes ces activités. Il y a plus : il en est la victime, à brève échéance.

L'ÉCRITURE

Dans certains environnements culturels, le fait, pour une langue, de s'écrire est un instrument de promotion important. Ce cas est bien illustré par l'Inde. Déjà, dans le passé, la notation des prākrits par une variante ou une autre de l'écriture brāhmī, puis de la devanāgarī, a constitué pour eux le moyen de conquérir une réelle dignité nationale dans chacune des régions où ils se sont formés. Mais en outre, à l'heure actuelle, les langues que la Constitution reconnaît et qui sont assurées de se maintenir sont celles qui s'écrivent, par opposition à celles de petites ethnies, que l'absence d'écriture fragilise.

Cependant, ici comme dans d'autres cas, les situations ne sont pas simples. L'écriture peut se muer en instrument d'oppression, pour peu que sa forme soit imposée d'en haut, et ne soit pas celle que les populations avaient choisie. C'est ce qui s'est produit en Union Soviétique lorsque le pouvoir, après avoir promu l'écriture latine durant les années 1920, en est venu, durant les années 1930, à généraliser l'écriture cyrillique. On sait que derrière cette décision, l'intention réelle était la russification des langues et des ethnies. Cela fut bien perçu par les intellectuels russes, comme le linguiste Polivanov, ou ceux des républiques turques, de l'Ouzbékistan au Kirghizstan, qui prirent le risque de s'opposer à cette politique d'apparence anodine.

L'UNILINGUISME

Je n'insisterai pas ici sur ce facteur. Il suffit de rappeler que les langues ethniques auxquelles leurs usagers restent attachés tout en étant bilingues sont plus menacées que celles qui n'ont que des utilisateurs unilingues. Ce fait peut être illustré, entre autres, par diverses langues tribales de Tanzanie, qui sont exposées au raz de marée des locuteurs de swahili (cf. p. 205-206).

LA MIXITÉ

J'appellerai langues mixtes les hybrides linguistiques qui résultent du contact entre deux langues, dont les systèmes se mêlent totalement. Il ne s'agit donc pas de l'alternance des codes, qui est un mélange non au niveau de la structure d'une langue, mais dans la succession linéaire de la phrase, dont les éléments appartiennent, alternativement, à l'une ou à l'autre des deux langues en présence. Il s'agit de l'issue d'une influence réciproque, qui peut avoir duré pendant une assez longue période. J'en donnerai ici quelques illustrations.

Communiquer sur l'île du Cuivre

L'île du Cuivre appartient au petit archipel des îles du Commandeur, situées à 90 km, environ, de la côte orientale de la presqu'île du Kamtchatka, et à 150 km d'Attu, la plus occidentale des îles Aléoutiennes. Il se parle sur cette île une étrange langue mixte (cf. Vakhtin 1998). Une quinzaine d'Aléoutes avaient été installés sur l'île du Cuivre par la Compagnie russo-américaine en 1812 ; plusieurs familles aléoutes provenant de diverses îles voisines y furent encore transportées durant le XIXᵉ siècle, et en 1900, la population était de 253 personnes. Il s'agissait essentiellement d'Aléoutes, locuteurs de leur langue et du russe, ainsi que de Russes et de quelques Eskimos et Kamtchadals (habitants du Kamtchatka). Or le fait frappant est qu'il se développa en ce lieu une langue mixte. Pour mesurer son intérêt, il faut comparer la situation linguistique de l'île du Cuivre avec celle de l'île Béring voisine. À Béring, où vit la totalité des quelques centaines d'Aléoutes, la majorité de la population, comme dans tout le nord-est de la Russie, est passée au russe ; l'aléoute ne survivait, en 1990, que chez une vingtaine de personnes âgées. Il s'agit donc d'une langue au bord de l'extinction.

Au contraire, sur l'île du Cuivre, il s'est formé, durant un siècle et demi de contact très étroit entre l'idiome indigène et le russe, une langue hybride où l'on dit, par exemple, *axsa-yit* « il meurt », *axsa-chaa-yiš* « tu tues », *sagyi-ggii-yiš* « tu as un fusil », ou *ni-ayuu- li* « ils n'étaient pas longs ». On voit que dans ces phrases, les désinences verbales sont toutes russes : *-yit* = 3ᵉ personne du singulier présent, *-yiš* = 2ᵉ personne du singulier présent, et *-li* = pluriel de toutes les personnes au passé ; de même est russe la marque de négation *ni*. Au contraire, sont tous des mots de la langue aléoute le verbe-adjectif *ayuu* « être long », le radical verbal *axsa*, le morphème de factitif *-chaa-* (= « faire », comme dans « faire mourir », c'est-à-dire « tuer »), le nom *sagyi* « fusil », le verbe auxiliaire *-ggii*, qui signifie « posséder » et indique que l'on possède ce qu'exprime le nom qui le précède (ici le nom est *sagyi*, et par conséquent, *sagyi-ggii* signifie « posséder un fusil »).

En d'autres termes, la langue mixte en question associe, par affixation (préfixes et suffixes), certaines désinences verbales, négations, et autres morphèmes pris du russe, avec des radicaux qui appartiennent à l'aléoute. L'intérêt du procédé provient de sa rareté, comme il est facile de s'en convaincre en comparant la langue de l'île du Cuivre avec celle des habitants de l'île Atka, située à l'est des Aléoutes : dans cette langue, les désinences sont autochtones, et ce sont les radicaux qui sont souvent empruntés, en l'occurrence à l'anglais, comme dans la phrase *fish-iza-xx* « il va habituellement à la pêche », où le radical verbal *fish*, emprunté, est suivi de deux morphèmes aléoutes, *iza*, qui indique un présent d'habitude, et *xx*, qui est la désinence verbale de 3ᵉ personne du singulier.

On pourrait se demander comment il se fait que la langue de l'île du Cuivre ne soit pas un pidgin du russe, c'est-à-dire une langue à vocabulaire russe et morphologie réduite. La raison semble en être qu'ici les rapports ne sont pas d'inégalité, comme ils l'étaient entre les esclaves déportés sur les plantations des Caraïbes et leurs maîtres (cf. p. 350-352). Sur l'île du Cuivre, les Russes et les Aléoutes étaient des travailleurs de même statut, et l'imprégnation linguistique était réciproque. Selon les enquêteurs qui ont étudié cette langue mixte, les habitants sont persuadés qu'ils parlent en russe. Et de plus, cette langue est très vivante et ne paraît pas, malgré le petit nombre de ses locuteurs, être menacée d'extinction. On peut en déduire que l'aléoute est ici le bénéficiaire d'un étrange *salut par l'hybridation*. Pour une langue amérindienne du grand nord sibérien et canadien qui risquait de disparaître, l'étroite symbiose avec le russe, réalisée à travers celle de deux communautés, russe et aléoute, apparaît comme un facteur de maintien inattendu, mais efficace.

Autres cas d'hybridation

Il existe d'autres cas d'hybridation profonde. Le ma?a, ou mbugu, en est un exemple. Parlé en Tanzanie du nord-est, le mbugu est une langue de la famille couchitique, qui a emprunté aux langues bantoues voisines un grand nombre de particularités de sa morphologie et de sa syntaxe, tout en conservant un vocabulaire couchitique pour l'essentiel. Un autre exemple est celui de la langue d'un groupe tzigane de Grande-Bretagne, qui associe une grammaire anglaise avec un lexique romani. Un autre encore est celui de la « media lengua », parlée en Équateur, qui possède une grammaire quechua et un lexique espagnol. Un autre enfin est celui du mitchif, langue mixte parlée dans une réserve indienne près de la localité de Lac La Biche et du lac du même nom, à 220 km au nord-est d'Edmonton (Alberta, Canada), par une communauté de métis d'Indiens Cri et de Français venus du Québec au début du XXᵉ siècle ; cette langue hybride associe des racines cri (algonquines) et une grammaire française.

Il ne s'agit pas, dans tous ces exemples, du péril résultant d'une situation de contact intense, qui fait perdre à une langue certains de ses traits, comme dans le cas du dahalo abandonnant, sous le poids du swahili, son opposition entre les genres et ses marques diversifiées de pluriel. Je ne crois pas non plus, contrairement à d'autres auteurs (cf., par exemple, Myers-Scotton 1992), que l'emprunt d'une morphologie étrangère soit le signe d'un état moribond, et moins encore l'emprunt d'un lexique étranger que l'on associe avec une base grammaticale autochtone. Bien entendu, l'hybridité dérange. Les langues très composites comme celles qui viennent d'être citées paraissent, aux yeux de certains, n'être pas des langues « normales ». Mais c'est la myopie du contemporain qui fausse le jugement. L'histoire des langues contient bien des cas d'emprunts sur une vaste échelle. La mixité peut être le résultat d'une lutte pour s'adapter. Loin d'être une étape conduisant vers la mort, elle apparaît, dans les cas cités ici, comme l'image de la vie, c'est-à-dire d'un ajournement de la mort.

La lutte contre le désastre

Il n'existe pas seulement des facteurs de maintien des langues, contribuant à empêcher qu'elles ne disparaissent. Il existe aussi des initiatives concrètes que prennent les sociétés pour retenir, au bord du désastre, les langues que les ancêtres ont construites. J'étudierai successivement dans cette section l'école, l'officialisation, l'implication des locuteurs, et le rôle des linguistes.

L'ÉCOLE

On a vu que l'école américaine était pour les autres langues, aux États-Unis et au Canada, un redoutable facteur d'extinction. Plus généralement, il n'est pas paradoxal d'affirmer que dans tout pays où domine une langue, l'absence, en certains lieux isolés, d'écoles où elle s'enseigne est une chance pour la langue dominée, sinon même un élément, négatif, de sauvegarde. Cela apparaît, par exemple, dans les régions de Thaïlande où des langues de minorités résistent à l'influence du thaï. Inversement, la création d'écoles enseignant la langue dominée peut avoir un effet décisif pour la sauver, même lorsqu'elle est sur le point de disparaître. C'est ce qu'attestent l'histoire du maori et celle du hawaïen. Le succès est moins évident dans le cas de l'irlandais et des langues de Sibérie.

La renaissance du maori

En 1867, le gouvernement néo-zélandais lança un programme d'éducation dans lequel l'anglais était la seule langue présente. Le succès de ce programme fut d'autant plus grand que les Maoris avaient été alphabétisés dès 1835 par les missionnaires, et que dix ans plus tard, le nombre d'exemplaires du Nouveau testament était égal à la moitié de la population maorie. L'alphabétisation avait eu un effet tout à fait néfaste sur le maori, méprisé, de surcroît, par la population blanche, et en voie d'être entièrement chassé par l'anglais. Cependant, un sursaut national eut lieu dans les années 1970, c'est-à-dire à une date qu'on aurait pu croire trop tardive, tant le maori était alors malade : sur les 300 000 membres de cette nation, un quart environ se servaient de leur langue, et les enfants ne l'apprenaient plus. Les Maoris réclamèrent officiellement la création d'écoles enseignant exclusivement leur idiome vernaculaire. À la fin des années 1980, six écoles primaires et secondaires furent créées, dans lesquelles le maori est la principale langue d'instruction. Dès 1982 avait commencé d'être appliqué un programme d'immersion, dans lequel 13 000 enfants se trouvaient intégrés en 1994. Il y avait alors 400 *kohanga reo*, c'est-à-dire « nids de langues », où 6 000 enfants, environ, apprenaient le maori. Ce programme est donc, en quelque mesure, un succès. Certaines circonstances sont favorables. D'une part, le maori est aujourd'hui la seule langue indigène de Nouvelle-Zélande, et sa promotion n'entre donc pas en concurrence avec d'autres entreprises. D'autre part, il existe une volonté affirmée des Maori de ranimer leur langue et de ne pas la laisser disparaître, dans la mesure où elle exprime des valeurs qu'a perdues, selon eux, la société blanche, et auxquelles ils sont attachés, notamment la tolérance et la solidarité.

La lutte pour le hawaïen

Il s'agit ici encore d'une entreprise très récente. L'exemple du maori a inspiré les membres de la communauté hawaïenne, décidés à tout tenter pour sauver leur langue au bord du gouffre. Car Hawaï est un des 50 États américains, et il est facile d'imaginer ce que cela signifie pour une langue minoritaire, comme l'est le hawaïen dans son propre pays. Au début, les établissements d'immersion pour enfants d'âge préscolaire étaient une initiative privée, confiée à un professeur d'université. En 1987, les trois qui existaient furent reconnus par le ministère hawaïen de l'éducation, et reçurent un financement d'État (cf. Zepeda and Hill 1991). Les promoteurs parvinrent même à obtenir une dispense quant aux diplômes purement pédagogiques qui sont requis pour enseigner, car le pouvoir voulut bien convenir que l'urgence ne justifiait pas une telle précaution, le recrutement de personnes tout simplement capables de parler aux enfants et de les instruire à travers ce dialogue n'allant déjà pas de soi pour une langue moribonde. On s'efforce néanmoins de former des maîtres, afin que cet enseignement soit étendu aux grades supérieurs, au moins jusqu'au collège. On se heurte, sur ce point, à un obstacle qui apparaît de manière récurrente pour les langues menacées d'extinction : face aux enfants, dont on s'évertue à former un nombre croissant, les seuls locuteurs naturels du hawaïen sont les plus âgés, en nombre assez faible et disparaissant progressivement. Pour répondre à ce défi, on invite les parents à apprendre la langue en même temps que leurs enfants, et à tenter de la parler avec eux dans leurs foyers ; on leur offre des cours pour adultes. En 1987, une quinzaine d'enfants entre deux et cinq ans parlaient le hawaïen.

Les tribulations de l'irlandais

Je n'insisterai pas ici sur ce point, déjà traité ailleurs (cf. Hagège 1994, 242-245). Je rappellerai seulement l'existence des *gaeltachtai*, c'est-à-dire les zones, toutes situées à la périphérie dans les comtés de l'ouest (abris historiques des Celtes), où les modes de vie traditionnels ont maintenu l'usage de l'irlandais, et où il est le vecteur de l'enseignement dans les écoles. Ce sont les seuls conservatoires vivants de cette langue. Deux facteurs ont conjugué leurs effets pour rendre très difficile une véritable restauration : la politique britannique d'élimination de l'irlandais, conduite durant plusieurs siècles à partir du XVIIe, et bien entendu le prestige universel de l'anglais dans le monde contemporain.

Les langues de Sibérie

Plusieurs langues de Sibérie font l'objet, depuis quelques années, d'un effort d'introduction à l'école élémentaire parmi les matières d'enseignement, dans les régions où ces langues se parlent. Il s'agit du yukaghir, du nivkh, de l'ulch, du selkup, du két. Il est trop tôt pour savoir quels résultats produira cette politique, appliquée à des langues en fort mauvaise santé, parlées par des populations dispersées, et depuis longtemps fortement russifiées.

L'OFFICIALISATION

Langue officielle et langue nationale. Du luxembourgeois et du rhéto-romanche

Une reconnaissance officielle par l'État signifie, en fait, l'inscription d'une langue dans la Constitution de cet État. On répute officielle une langue que la loi soutient, que l'État a le droit d'utiliser dans ses relations diplomatiques, et dans laquelle tout citoyen est habilité à demander toute prestation, judiciaire, de services, etc. Les langues nationales ne sont pas nécessairement officielles, bien qu'on leur accorde une reconnaissance *de facto*. Tel est le cas, au Luxembourg, du luxembourgeois, dialecte moyen-allemand du groupe francique mosellan, qui est la langue de la famille, des affaires et des tribunaux, et auquel sont attachés les habitants, comme à la marque même de leur personnalité, sans avoir, pour autant, choisi de l'officialiser, attribuant ce statut au français, et assignant une place culturelle importante à l'allemand. L'ensemble formé par les parlers rhéto-romanches des Grisons est aussi langue nationale en Suisse, mais non langue officielle, ce qui implique simplement un soutien financier du canton et de la Confédération (cf. Hagège 1994, 154-155). Beaucoup de langues dominées, ne jouissant pas du statut de langue nationale, pour ne rien dire de celui de langue officielle, ont mené un long combat pour la reconnaissance. J'ai souligné plus haut que dans l'Union indienne, ce combat a abouti, pour certaines, à la reconnaissance d'un État ou d'un Territoire, organisé autour d'un grand centre urbain.

Timides balbutiements en Amérique du Nord

Qu'une langue, quelle qu'elle soit, autre que l'anglais, et, au Québec, le français, reçoive un statut de reconnaissance officielle en Amérique du Nord n'est évidemment pas concevable dans le contexte politique et culturel d'aujourd'hui. On n'en aura que plus d'intérêt pour les cas récents et très isolés de deux territoires canadiens. Les North Territories ont accordé un statut officiel, à côté de l'anglais et du français, aux langues des communautés indiennes. Il resterait à savoir dans quel état sont actuellement ces langues. On peut en avoir une idée quand on sait qu'une autre mesure positive a été prise, il y a peu, par un second territoire, le Yukon, qui, sans reconnaître de statut officiel aux langues indiennes, déclare que leur préservation est un but explicite.

Les luttes des langues pour la reconnaissance en Amérique latine

L'Amérique latine est un cas très représentatif de ces luttes pour la reconnaissance, conçue comme un moyen de résister à l'espagnol et de ne pas le laisser supplanter les langues autochtones jusqu'à leur extinction. Les résultats sont inégaux, comme on va le voir.

• Le nahuatl, l'aymara et le quetchua dans l'impasse

À ne prendre en compte que les langues parlées par plus d'un million de locuteurs, ni le nahuatl, ni l'aymara n'ont obtenu de statut officiel, au Mexique pour le premier, en Bolivie, au Pérou ou en Équateur pour le second. Le quetchua, pour lequel a été créée au Pérou, en 1953, une Académie au rôle surtout symbolique, a connu une brève période d'éclat dans ce même pays lorsque, en 1975, le gouvernement militaire du général J. Velasco Alvarado l'a déclaré seconde langue officielle à côté de l'espagnol, par un décret dont aucun travail préalable de promotion et d'explication n'avait préparé ni rendu possible l'application, sans compter que le renversement du régime l'année même de la promulgation de ce décret l'a frappé de nullité.

Cette situation est préoccupante. Car bien que le nahuatl, l'aymara et le quetchua ne paraissent pas être menacés pour le moment si l'on retient le critère du nombre de locuteurs, l'audience mondiale de l'espagnol fait de ce dernier, aujourd'hui comme hier, un rival redoutable pour ces langues. C'est ce qu'ont bien compris tous ceux qui ont lutté et continuent de lutter pour une reconnaissance officielle de ces langues dans les pays où elles ont une réelle importance démographique.

• Le guarani dans la gloire

Seul le guarani a été jusqu'ici le vainqueur de ce combat. Il était favorisé, certes, par un long passé de promotion dans son pays de diffusion principale, le Paraguay. L'histoire est assez exemplaire pour valoir d'être rappelée dans ses grands traits. Dès le milieu du XVIᵉ siècle avait été institué le régime de l'*encomienda,* ou répartition des Indiens et de leurs terres aux colons espagnols. Entre ces derniers, déçus de n'avoir rencontré que les moiteurs et les vipères du Chaco sur la route qui devait les conduire aux profusions d'or du Pérou, et la population indienne soumise, et bientôt asservie, la période est, certes, celle d'un métissage général, qui est à la base de la société paraguayenne d'aujourd'hui. De plus, les colons connaissaient souvent le guarani. Mais ils exploitaient les Indiens et multipliaient les abus, eux-mêmes générateurs de révoltes, si bien que la couronne espagnole, recherchant une issue à la crise, institua le système des Réductions, ou regroupement des Indiens sur de grandes terres autour d'un centre urbain, sous l'autorité des missionnaires (cf. Villagra-Batoux 1996, 183-218). Là, les Indiens sont « réduits » vassaux du roi, mais aussi sauvés de la servitude par les prêtres, qui, pour se donner les moyens de les évangéliser, les isolent des exploiteurs, c'est-à-dire d'une partie de la société espagnole. Ils sont « invités » à cesser d'être nomades, païens, « paresseux ». Ils sont d'abord dirigés, dès 1575, par les Franciscains, puis, à partir de 1605, par les Jésuites.

Il se trouve qu'au même moment, dans le débat qui gagnait les cours européennes sur les langues à utiliser pour christianiser, les Jésuites prenaient position en faveur des « vernacularistes » plutôt que des « latinistes ». Ils y étaient encouragés par le roi Philippe II lui-même, qui, plus tolérant sur ce point que son père, recommandait de ne pas contraindre les Indiens à abandonner leurs langues pour le castillan brutalement imposé. La consolidation des Réductions, l'étroite relation entre missionnaires et Indiens, et les besoins de l'évangélisation se substituant aux mauvais traitements sous le régime précédent, eurent pour effet de rendre indispensable la maîtrise du guarani, et conduisirent à une politique linguistique assez différente de celle que d'autres Jésuites adoptaient au Mexique. Le guarani occupa bientôt une place quasiment égale à celle de l'espagnol dans la vie civile.

Vu le contexte culturel de l'époque, marqué par le passé et par l'histoire du latin, cela signifiait aussi l'accès à l'écriture, situation d'autant plus étonnante que l'imposition du castillan était vécue comme celle d'une langue qui avait ravi au latin, mais en même temps hérité de lui, le prestige d'être écrite. Les Jésuites, s'éprenant véritablement du guarani, langue belle et subtile, lui donnèrent la dignité littéraire d'un idiome indien cultivé. Finalement, ce « guaraní jesuítico » fut même promu par eux seule langue officielle dans toute la Province. Il demeura, sous leur régime, seule langue d'enseignement, pour toutes les matières scolaires. Conservant le système de transcription graphique du frère dominicain Luis de Bolaños, ils firent aussi pour le guarani ce qui assure à tant de langues européennes un statut solide, et dont j'ai dit plus haut combien le manque est préjudiciable : un travail de normalisation, fixant une forme de la langue qui, parmi les variantes dialectales, sera celle qui fera autorité.

L'âge d'or prend fin avec le départ des Jésuites, et une nouvelle période s'ouvre à la fin du XVIIIᵉ siècle, qui aboutit, vers le milieu du XIXᵉ, à une tout autre politique : le mercantilisme libéral, soucieux d'ouvrir le Paraguay à la modernité et aux modes de production du capitalisme européen, s'empresse de bannir le guarani de l'école secondaire et de promouvoir l'espagnol seul. Mais un nouveau paradoxe du bel et dramatique destin du guarani fut sa renaissance à partir de 1870, en réaction à la terrible Guerre de la triple alliance, tentative de génocide de la population de ce pays par ses voisins d'Argentine, du Brésil et d'Uruguay, inquiets de ses progrès économiques et excités contre lui par la Grande-Bretagne. À l'intention de génocide s'ajoutait celle de linguicide : un représentant des intérêts des États-Unis recommandait l'extermination des Guaranis et de leur « langue diabolique » (Villagra-Batoux 1996, 276-277).

Durant la plus grande partie du XXᵉ siècle, et notamment sous la dictature militaire qui, succédant à d'autres, gouverna le pays de 1954 à 1989, le guarani fut loin de connaître, ni à l'école ni dans la vie publique, l'éclat qu'il avait connu de 1575 à 1768. C'est pourquoi il convient de considérer l'événement de 1992 comme une révolution autant que comme un accomplissement : l'article 140 de la nouvelle Constitution déclare le guarani langue officielle du Paraguay à côté de l'espagnol, cependant que l'article 77 stipule l'obligation de l'éducation bilingue. Deux ans plus tard, les travaux du Consejo Asesor de la Reforma Educativa aboutissent à l'introduction de l'éducation bilingue dans la totalité des écoles du Paraguay, faisant de ce pays le seul d'Amérique latine, jusqu'à présent, à avoir donné un tel statut à une langue amérindienne. Malgré le nombre de locuteurs, cette nouveauté est à considérer comme un facteur de lutte nécessaire, car dans le contexte du monde moderne, toutes les langues amérindiennes, sans exception, sont exposées au péril de disparition.

Il n'est pas indifférent d'ajouter que dans un pays peu éloigné du Paraguay, les langues indiennes n'ont pas joui du même privilège. L'Uruguay est un pays sans Indiens, seul dans ce cas parmi tous ceux d'Amérique latine, car les populations d'origine y ont été exterminées, en particulier les Charrúas, que le général Rivera attira dans un guet-apens meurtrier en 1831. Pourtant, les traces de langues indiennes y sont nombreuses, à commencer par celles qui s'observent dans son nom même, qui est guarani (dans cette langue, *uruguá* signifie « escargot » et *y* « fleuve »). On doute, aujourd'hui, que toutes les langues d'Uruguay soient apparentées au guarani, dont la présence dans la toponymie pourrait être due à celle d'un grand nombre de Guaranis, qui quittèrent les Réductions des Jésuites après l'expulsion de ces derniers (cf. Pi Hugarte 1998). Mais on est sûr qu'il y eut de nombreuses tribus indiennes de chasseurs, dont les langues ont disparu avec leurs locuteurs, qu'il s'agisse du lule, du vilela, auxquels on rattache parfois le charrúa ainsi qu'une langue également disparue, le chaná, ou de toutes celles dont on n'a d'autres traces que de brefs vocabulaires établis par des missionnaires.

L'IMPLICATION DES LOCUTEURS

Par implication des locuteurs, il faut entendre aussi bien la sensibilisation des locuteurs entreprise du dehors, que l'engagement spontané de la communauté en faveur de la promotion de sa langue menacée. C'est donc d'une œuvre, nécessairement artificielle pour une part, de réanimation ou de revitalisation qu'il s'agit ici.

Les programmes de réanimation de langues sont nombreux de par le monde, à raison même de la prise de conscience des risques encourus par beaucoup d'entre elles. J'examinerai ici quelques exemples d'Amérique du Nord et d'Amérique latine.

États-Unis et Canada

• « US English » et les réactions indiennes

En Amérique du Nord, un des continents où les langues autres que l'anglais sont le plus menacées, la prise de conscience des indigènes a été favorisée, en quelque mesure, par un assez curieux phénomène. Les États-Unis, comme on sait, n'ont pas de langue(s) officielle(s) (tradition de « pragmatisme anglo-saxon », comme aiment à dire les gourmands de lieux communs ?), et l'anglais n'y possède un statut d'écrasante domination que selon la coutume, et non selon la loi. Du moins jusqu'au milieu des années 1980. En effet, depuis lors, un mouvement dit « US English », initialement issu, en 1983, d'une organisation (raciste ?) de parents hostiles à l'immigration, a commencé d'agir.

Fort de nombreuses adhésions à travers tout le pays, ce mouvement pousse les États à légaliser l'anglais comme langue officielle, en attendant qu'il obtienne ce statut au niveau fédéral. Son dessein explicitement proclamé est d'empêcher « l'institutionnalisation des langues d'émigrés en concurrence avec l'anglais ». Il se trouve qu'un aspect du programme d'US English présentait la préservation des « langues américaines autochtones » comme « une obligation intellectuelle » à l'égard de ces langues, qui « ne sont parlées nulle part ailleurs au monde » (cf. Zepeda and Hill 1991). Or paradoxalement, cet aspect n'ayant, volontairement ou non, reçu aucune publicité, les communautés indiennes ne retinrent d'US English qu'un fait : en s'opposant au financement des programmes d'éducation bilingue, ce mouvement menaçait les langues amérindiennes.

C'est ainsi qu'US English a été le moteur indirect d'une floraison d'initiatives prises, en faveur de leurs langues, par les Indiens, que motivait la crainte de voir l'anglais devenir, à travers un amendement de la Constitution, langue officielle des États-Unis. Bien entendu, le programme d'US English n'est pas la seule cause de cette floraison. Quoi qu'il en soit, en 1990, les organes directeurs des tribus sioux, chippewa, ute, yaqui, havasupai, apache et navaho, se fondant sur leur statut légal de nations souveraines possédant, avec les États comme avec les autorités fédérales américaines, des relations de gouvernement à gouvernement, avaient adopté des mesures linguistiques, au terme desquelles la langue indienne est réputée langue officielle de la tribu, et l'anglais langue seconde. Après diverses péripéties, les Indiens parvinrent à faire voter par les deux chambres du Congrès un Native American Language Act, qui garantit la préservation, la protection et la promotion des langues américaines autochtones (y compris celles de l'Alaska, et en y ajoutant celles de Hawaï et des îles du Pacifique (Micronésie) sous administration des États-Unis), ainsi que le droit de les utiliser et d'en développer la pratique. Le gouvernement canadien avait pris des mesures semblables précédemment.

• La réanimation du mohawk

Les principes ainsi recommandés par un vote officiel relèvent de l'idéal. Ils devraient, certes, contribuer, s'ils sont appliqués, à sauver ce qui peut l'être. Mais il est utile d'examiner quelques cas pratiques d'implication des locuteurs dans la défense de leur langue gravement menacée. Je commencerai par une langue iroquoise, appartenant à une tribu dont le contact avec les Blancs remonte au XVIIe siècle, le mohawk. Les locuteurs de cette langue étaient connus pour leur éloquence et leur goût de l'élégance verbale. Cependant, le mohawk, comme tant d'autres langues d'Amérique du Nord, ne s'entendait presque plus en public au début des années 1970, et seuls les anciens s'en servaient peut-être encore en privé. En

1972, les principaux représentants de la nation mohawk qui vivaient au Québec organisèrent à Kahnawà:ke un système scolaire d'immersion, en utilisant des manuels confectionnés par les chercheurs (cf. ci-dessous « Le rôle des linguistes »). Les adultes décidèrent de parler mohawk entre eux. Bientôt les enfants s'habituèrent à voir dans cette langue un bien propre à leur nation. La preuve fut apportée que l'apprentissage du mohawk n'était pas un obstacle à celui de l'anglais, ni à celui du français, nécessaire au Québec, le plus souvent, pour trouver du travail. Beaucoup reste à faire, il est vrai. Mais un seuil psychologique a été franchi, et la lutte pour sauver cette langue en perdition est bien amorcée.

• Le hualapai et l'expérience de Peach Springs

Une autre langue d'Amérique du Nord, le hualapai, appartenant au groupe yuma de la grande famille hokasioux, et parlé autrefois dans la basse vallée du Colorado, a fait l'objet, à partir de 1975, d'un programme d'éducation bilingue destiné à contenir une progression alarmante de l'érosion. Dans les années 1980, l'expérience dite de Peach Springs, du nom de la localité de l'Arizona septentrional, sur la frange sud-ouest du Grand canyon, où elle a été installée, était citée partout chez les Indiens des États-Unis. Lorsque le programme fut lancé, près de 50 % des Hualapai avaient l'anglais pour langue première. La situation semble s'être améliorée, mais, en dépit des efforts prodigués, ainsi que du dévouement et de la compétence du personnel, la baisse régulière du financement fédéral constitue un élément négatif (cf. Zepeda and Hill 1991, 146).

Guatemala, Nicaragua

On a vu que sur la vingtaine actuelle de langues de la famille maya, cinq seulement, le yucatec, le quiché, le qeqchi, le kakchiquel et le mam paraissent relativement valides, avec un nombre de locuteurs variant entre 400 000 et 1 000 000. Pour les consolider et pour préserver toutes les autres, dont la situation est beaucoup plus précaire, les Mayas du Guatemala, après la guerre civile qui a ravagé ce pays au début des années 1980, ont établi une Académie des langues mayas, qui a été reconnue officiellement par l'État en 1991. Un alphabet valable pour l'ensemble de la famille a été élaboré et légalisé par décret présidentiel. Il existe encore d'autres institutions, qui ont pour but de donner aux élites maya une formation linguistique, afin qu'elles puissent organiser la normalisation.

Un cas remarquable est, au Nicaragua, celui du rama, langue de la famille chibcha, parlée au milieu des années 1980 par 25 personnes environ, et victime d'une profonde dépréciation aux yeux mêmes de ses locuteurs, en corrélation avec le passage à l'anglais sous l'influence des missionnaires moraves dans la seconde moitié du XIXe siècle (cf. Craig 1992). La Révolution sandiniste, après avoir voulu promouvoir une éducation générale en espagnol, s'adapta aux demandes des populations de la côte atlantique, pour lesquelles elle établit un statut d'autonomie. À ce facteur favorable mais insuffisant s'ajouta l'implication des locuteurs, et en particulier d'une femme qui, s'étant éprise du rama, avait engagé toute son énergie pour le préserver de la mort. Elle n'en était pourtant pas une locutrice de naissance !

LE RÔLE DES LINGUISTES

Les linguistes, ou du moins les linguistes qui s'intéressent aux langues concrètes à travers le monde, sont nécessairement parmi ceux que la mort des langues laisse le moins indifférents. Ce phénomène les préoccupe assez pour être devenu une nouvelle thématique au sein des études linguistiques, et pour faire l'objet, déjà, d'un grand nombre de travaux et de réunions savantes. C'est pourquoi le rôle que les linguistes peuvent jouer dans la lutte contre le désastre des extinctions de langues humaines en grand nombre et partout n'est certainement pas négligeable. Ce rôle s'exerce sur les deux plans du travail linguistique proprement dit et de l'action auprès des populations de locuteurs, comme on va le voir maintenant.

Les tâches ordinaires du linguiste professionnel et le tribut au terrain

• Les travaux savants

Comme toute science, la linguistique propose des modèles théoriques. Mais elle doit aussi les mettre à l'épreuve, sous peine de stérilité. Certains linguistes alimentent la théorie linguistique de sa propre substance indéfiniment déglutie. D'autres, eux aussi linguistes professionnels et donc théoriciens, pratiquent et défendent une linguistique des langues, à la fois comme préalable et comme aboutissement d'une recherche des traits linguistiques universels, ainsi que d'une linguistique du langage.

Cela suppose un affrontement des réalités de beaucoup de langues, notamment à travers des séjours sur le terrain. Et là comme dans le lieu où il se retire pour réfléchir et composer, les tâches ordinaires qui attendent le linguiste sont multiples. Il doit, sur la base des éléments appris auprès de ses informateurs, rédiger une phonologie, une grammaire, un dictionnaire, un recueil de récits traditionnels ou plus généralement de littérature orale, qu'il transcrira, quand la langue n'a pas de système reconnu d'écriture, selon un mode de graphie qu'il lui appartient de fixer lui-même, avec l'assistance des plus motivés parmi ses informateurs. Cet aspect orthographique de sa tâche met en pleine lumière l'importance du concours qu'il est censé apporter aux populations. Car l'orthographe qu'il élabore et qui, en général, ayant un but scientifique, ne notera que ce qui est distinctif parmi les sons et non chacun des détails de toute production sonore, est souvent prise par les informateurs comme modèle pour répondre à leurs propres besoins de mise en écriture.

• L'urgence du combat contre le temps

Le linguiste qui sait qu'une langue est menacée est plus particulièrement incité à en faire la description que si elle est parlée par des locuteurs très nombreux et de tous âges. C'est une tâche douloureuse autant qu'exaltante que de recueillir sur les lèvres d'un vieillard les dernières phrases qu'il peut encore produire d'une langue qu'il ne consent pas facilement à parler, car il n'a plus d'interlocuteur naturel avec qui la partager. Et fréquemment, le linguiste sait que lors de son prochain séjour, le vieil informateur ne sera plus là pour lui transmettre ce dont il se souvenait encore. Plus une langue menacée est isolée sur le plan génétique (c'est-à-dire dépourvue de parentes au sein d'une même famille linguistique), et en outre plus elle est isolée sur le plan typologique (c'est-à-dire seule témoin du type de structure, phonologique, grammaticale ou lexicale, qu'elle illustre), plus il est urgent de la décrire avant qu'elle ne meure.

Mais la description qu'en fera le linguiste ne servira pas seulement la science. Ce serait déjà un motif bien suffisant pour agir au plus vite, que la prise de conscience d'une dramatique réalité : la linguistique pourrait bien, si les linguistes ne se hâtent pas d'aller explorer les très nombreuses langues encore inconnues qui sont menacées de mort, être la seule science qui aura tranquillement laissé disparaître 50 % à 90 % du matériau sur lequel elle travaille ! Pour ne prendre qu'un exemple des tâches qui restent à accomplir, il suffit de dire que sur les quelque 670 langues d'Indonésie, en dépit des nombreux et bons travaux qu'ont accomplis les linguistes de Leyde et d'autres universités des Pays-Bas à l'époque où le pays était une colonie néerlandaise, 6 % seulement sont connues d'une manière satisfaisante. Mais à cette raison impérative d'agir en toute hâte s'en ajoute une autre : les travaux que laisse le linguiste sont les seuls témoignages existants sur une langue, dans les cas, nombreux, où elle n'a jamais été décrite avant qu'il ne vienne sur place pour l'étudier. Sans les travaux du linguiste, une langue inconnue avant lui et en voie d'extinction s'engouffrerait dans l'oubli, et avec elle, toute la culture qu'elle exprime.

• L'éminente vocation des témoignages et supports : livres, enregistrements sonores, Internet

C'est pourquoi le travail de linguiste revêt une si haute signification. Il est le germe d'une résurrection possible. En d'autres termes, s'il ne sauve pas de l'extinction une langue qui en est gravement menacée, il procure les éléments qui peuvent permettre de lui redonner un souffle, à condition qu'un vouloir puissant se manifeste pour la restaurer. On pourrait soutenir, évidemment, que les travaux laissés par le linguiste confèrent à la langue éteinte un profil de conservation qui est celui d'un objet de musée. Mais il faut rappeler qu'en dehors des livres qu'il écrit, tout linguiste, en principe, se sert aussi d'enregistrements sonores. Certes, ces supports sont aussi matériels et peuvent un jour se dégrader, mais leur durée de vie est, quoi qu'on dise, assez longue, et ils peuvent beaucoup pour ceux qui seront déterminés à s'en servir. Leur nombre s'enrichit aujourd'hui d'un nouvel apport : les sites sur Internet, dont je parlerai en conclusion de ce livre.

• La part prise à l'effort de standardisation

Les linguistes sont souvent sollicités par les responsables de la politique des langues, en particulier dans les pays plurilingues, pour donner leur opinion ou leurs suggestions quant au travail, souvent nécessaire, de mise au point et de promotion d'une norme dialectale surplombant des parlers dispersés. Il arrive qu'un tel travail favorise la survie d'une langue menacée. Ainsi, les langues kheokoe, autrefois appelées « hottentots », d'Union sud-africaine et de Namibie ont été réduites à la portion congrue par deux siècles de politique coloniale, depuis l'époque (fin du XVIIe siècle) où la Compagnie des Indes Orientales commença d'imposer le néerlandais aux Africains, dont les intéressantes langues à consonnes claquantes (prononcées par éjection du souffle : cf. p. 221-222) étaient tenues par les colons pour purs borborygmes et hoquets de sauvages.

Aujourd'hui, les seuls survivants de cette famille linguistique sont le nama et le damara, assez proches l'un de l'autre. Bien qu'ils soient encore parlés par quelque 125 000 locuteurs, ils sont mis en danger par la pression de l'afrikaans et de l'anglais (cf. Haacke 1989). Seule l'action des linguistes pourrait, en recommandant une standardisation, favoriser la survie du nama, le plus répandu des deux, que beaucoup d'usagers abandonnent avec l'idée qu'il n'a pas de prestige, du fait de cette dispersion en deux langues proches, et qu'ils sont donc mis par lui en mauvaise position sur le marché de l'emploi.

Le linguiste a souvent aussi pour tâche la néologie. Que les locuteurs le lui demandent explicitement ou qu'il en ressente lui-même la nécessité, il doit, en fonction des besoins d'adaptation du vocabulaire et de ce qu'il sait des règles de formation des mots dans la langue qu'il étudie, proposer des termes nouveaux. Les linguistes qui se sont rendus dans des pays lointains pour y décrire des langues savent aussi que parfois, les autorités politiques les invitent à apporter un concours technique à l'œuvre d'édification d'une terminologie moderne dans de nombreux domaines.

L'action auprès des locuteurs

• L'aide à la prise de conscience

On remarque que le plus souvent, les locuteurs ne prennent conscience du péril où se trouve leur langue que lorsqu'il est trop tard pour qu'une action efficace puisse être entreprise. Le linguiste, qui reconnaît les signes de précarisation et d'obsolescence (cf. chap. VI), a pour devoir d'avertir le plus tôt possible les locuteurs du processus qu'il observe. La plupart des linguistes le comprennent, qui assistent activement les populations, quand celles-ci ont décidé d'échafauder un programme d'éducation bilingue pour sauver leur langue. Le linguiste les aide, alors, à la respecter et à en être fiers.

Une des meilleures façons de favoriser la prise de conscience est tout simplement de former des linguistes professionnels parmi les locuteurs. C'est encore une tâche qu'accomplissent de nombreux linguistes, confiant la poursuite de l'entreprise, quand ils quittent définitivement un terrain, et même quand ils ont le projet de s'y rendre de nouveau, à des informateurs bien entraînés, qui joignent à leur aptitude de descripteurs l'avantage d'être eux-mêmes locuteurs de naissance. Le linguiste étranger qui poursuit un travail scientifique a l'intention de le soumettre à ceux qui, dans son pays, le jugeront. Il est donc soucieux de sa promotion universitaire. Mais il a le devoir de se soucier aussi des populations, et non pas seulement des spécialistes autochtones auxquels il a transmis son savoir technique. C'est pourquoi il importe qu'il rende lisibles, au moins pour une part, les descriptions qu'il rédige, même si l'on doit admettre qu'il ne puisse se dispenser d'une terminologie de métier. Beaucoup de linguistes de terrain qui conduisent leurs enquêtes sur des langues menacées laissent également aux autochtones des manuels qu'ils ont rédigés en vue de l'enseignement aux enfants. Ainsi, par une sorte de paradoxe, les meilleurs informateurs fournissent la matière, et c'est le linguiste qui, formé pour l'interpréter et la systématiser, la ressert comme terreau d'enseignement à la masse des autochtones en voie d'oublier leur langue ! Souvent, les locuteurs qui n'ont pas les moyens de lancer un programme de réanimation de leur langue en danger, apprécient que le linguiste laisse une description, destinée à empêcher qu'elle ne soit oubliée. Tel est le cas, par exemple, des Yimas de Papouasie-Nouvelle-Guinée.

• L'aide à la réanimation

Dans certains cas rares, mais attestés, l'action de linguistes joue un rôle important, en contribuant à réanimer une langue en déshérence. L'urat, langue papoue de la province du Sepik oriental, en Nouvelle-Guinée, était en voie d'être abandonné au bénéfice du tok pisin. Mais les linguistes qui ont exercé leur activité dans cette région ont tant fait pour revaloriser l'urat aux yeux des usagers, qu'il connaît une sorte de nouvelle floraison. Un autre cas est celui de l'atacameño, autrefois parlé dans la région désertique du même nom, au nord du Chili. Sans parvenir à réintroduire dans l'usage quotidien cette langue, qui était moribonde dès la seconde moitié du XIXe siècle, les chercheurs étrangers l'ont rendue de nouveau estimable à ses propres usagers, qui l'abandonnaient pour l'espagnol, au point qu'aujourd'hui, beaucoup d'indigènes peuvent produire des mots et expressions si on le leur demande (cf. Adelaar 1991, 50). Tant il est vrai qu'une sollicitude inattendue venue de l'extérieur a le pouvoir d'entretenir la mémoire, par le plaisir qu'elle procure à ceux qui ne croyaient plus en leur langue.

Les exigences des Mayas

Une des attitudes les plus intéressantes est celle des Mayas du Guatemala. Très conscients de la valeur culturelle de leur héritage, très soucieux de se faire entendre des spécialistes, un groupe de Mayas organisa à Antigua en 1985 un Atelier, qui adressa trois sommations explicites aux linguistes étrangers : ne pas contribuer aux divisions internes de chaque langue maya, ne pas isoler les locuteurs lors du travail sur leur propre langue, ne pas monopoliser la méthodologie linguistique et les connaissances sans les faire partager aux peuples mayas. Quatre ans plus tard, dans un nouvel Atelier, ce même groupe affirme que faire de la linguistique est un acte essentiellement politique, et que le financement de telle recherche linguistique plutôt que telle autre répond à des choix politiques. Le plus déterminé des membres de ce groupe déclare ouvertement (Cojtí Cuxil 1990, 19) que le règne ancien du colonialisme espagnol au Guatemala a réduit les langues mayas à un statut subordonné, et les condamne à mourir, en sorte que les linguistes ne peuvent aucunement se vouloir neutres ou apolitiques, et sont confrontés à une alternative : ou bien une complicité active avec l'ordre colonial, ou bien un engagement en faveur d'un ordre linguistique nouveau, qui respecte les droits de toutes les communautés.

Un détail qui pourra surprendre concerne les exemples. Les Mayas de ce groupe n'apprécient guère que les verbes signifiant « tuer » ou « frapper » apparaissent dans de très nombreux exemples, et jugent que le linguiste qui donne ces exemples offre de leur peuple l'image fort négative d'un ensemble d'assassins et d'êtres violents. Les Mayas qui ont reçu une formation linguistique savent pourtant bien que dans toute langue humaine où l'on étudie le phénomène de grammaire appelé transitivité, les notions « tuer » ou « frapper » présentent un avantage important : ceux qui participent à ces actions peuvent être indifféremment un « je », un « tu », un « il », etc., et au singulier comme au pluriel ; cette absence de restriction grammaticale facilite grandement l'examen des phrases qui sont bâties sur une structure de transitivité pure ; cette dernière est celle où des agents (ceux qui frappent ou tuent) soumettent des patients (ceux qui sont frappés ou tués) à un processus conduit jusqu'à son terme, ce terme étant même, dans un des deux cas, la suppression du patient ! Ce sont bien les structures syntaxiquement révélatrices comme celle-là qui sollicitent l'attention des spécialistes des langues. Est-ce donc un égarement, que de s'intéresser aux formes ? Les locuteurs n'admettent pas aisément que ce soit la vocation même du linguiste. Car pour eux, la langue est d'abord faite pour produire du sens à partir de situations réelles, plutôt que d'exemples de grammaire.

Mais les Mayas ne sont pas seuls à le penser. Les lecteurs britanniques sont tout aussi sensibles sur ce point : à la fin des années 1970 (cf. Sampson 1980, 66 n.1), le directeur d'une respectable maison d'édition retira de la vente tous les exemplaires d'un ouvrage de linguistique à la veille de sa parution ; en effet, cet ouvrage illustrait, lui aussi, les faits de transitivité à grand renfort d'exemples où des John, des Bill et des Mary n'avaient d'autre occupation que de massacrer méthodiquement leur entourage ; l'éditeur craignit donc que les lecteurs qui portaient ces prénoms, tout à fait courants, n'eussent la tentation d'engager des poursuites pour obtenir réparation de l'outrage qui leur attribuait une conduite ignoble de tueurs en série. On peut comprendre que le linguiste soit embarrassé devant ces attitudes, si même des locuteurs de langues qui ne sont aucunement menacées s'opposent à l'image diabolique que donnerait d'eux, selon leur opinion, un traité de linguistique qui était fort éloigné d'avoir une telle intention.

On ne peut esquiver le problème que posent aux linguistes des revendications comme celle des Mayas. Les linguistes sont formés à la rigueur scientifique, au souci d'un examen « objectif » des faits, au bannissement de toute prise de position subjective ou normative, à la recherche des modèles de phrases qui donnent le plus fidèlement possible l'image du fonctionnement d'une langue, notamment de la relation qu'entretient le verbe avec son sujet, ainsi qu'avec son complément éventuel. Et pourtant, il demeure vrai que la demande des populations directement concernées par son travail ne saurait être ignorée. Le mieux qu'il puisse faire est de leur fournir tous les instruments qu'elles réclament, de leur montrer une grande attention et de faire, dans leur intérêt, le travail le plus approfondi possible.

LA VOLONTÉ, CHEZ LES LOCUTEURS, D'ABANDONNER LEUR LANGUE

Un solo dans une autre tonalité

Face au concert des voix qui avertissent des périls, une autre opinion s'est exprimée, à peu près contraire, et qui n'est probablement pas si isolée. Selon cette opinion (cf. Ladefoged 1992), c'est du paternalisme que de vouloir faire revenir à leurs langues ceux qui ont pris le parti de s'en écarter, et il n'appartient pas aux linguistes de contrecarrer les choix des locuteurs. En fait, à ma connaissance, aucun linguiste n'a jamais exercé de pression directe, physique par exemple, pour contraindre les locuteurs d'une langue en voie de disparition à la parler de nouveau ; et en tout état de cause, l'impossibilité d'une telle conduite est assez évidente pour en rendre risible l'évocation. J'ai analysé au chapitre VII les causes de l'extinction des langues, et il doit apparaître clairement que ceux qui cessent de parler leur langue n'agissent pas sous l'effet d'un caprice, qu'ils y soient conduits par la pression des événements, ou qu'ils en fassent, ou croient en faire, librement le choix. S'il est vrai que pour leurs descendants, la pratique d'une langue qui n'est pas celle des anciens a le caractère de l'évidence, car ils y sont nés, et ne savent du monde où régnait l'autre que ce qu'on leur en a conté, en revanche, une bonne part de ceux qui vivent le changement le perçoivent comme un malheur. C'est ce qu'attestent un grand nombre de réactions positives au travail des linguistes.

La défense à motivations politiques ou économiques

J'ai entendu des adversaires des langues indiennes des États-Unis, que je ne puis citer nommément car il s'agissait d'anonymes rencontrés en voyage ou en mission, soutenir que les tribus qui affectent de promouvoir ces langues, dont elles ne se servent plus, obéissent à d'autres motivations que purement culturelles. L'exigence de restauration linguistique ne serait pas sincère. Il s'agirait, en réalité, d'un étendard noble, derrière lequel s'abriteraient des revendications économiques, comme la possession d'un territoire dont le sous-sol recèle d'abondantes ressources. Ou bien la défense de la langue cacherait des visées politiques, comme l'autonomie administrative d'une région habitée par telle ou telle ethnie. Je n'ai pas les moyens de vérifier le bien-fondé de ces déclarations. S'il devait s'avérer qu'il en est bien ainsi dans les faits, on ne voit pas en quoi la promotion linguistique pourrait souffrir d'avoir été prise comme prétexte, pourvu qu'elle soit réalisée. En outre, la mort des langues indiennes d'Amérique est étroitement liée à l'expulsion violente hors de leurs territoires traditionnels, dont furent victimes les tribus autochtones au cours du XIXᵉ siècle. La revendication de ces territoires ne peut que favoriser les langues indiennes.

La liberté du choix

Il est exact que l'abandon d'une langue qui n'a plus, aux yeux de ses possesseurs, ni prestige, ni valeur sur le marché de l'emploi, ni perspectives d'avenir pour leurs enfants, est souvent décidé en pleine liberté, et sans aucune coercition. « Est-il plus humain », se demande G. Mounin (1992, 157), « d'essayer de sauver artificiellement des langues non viables que de vouloir maintenir en vie par d'héroïques interventions chirurgicales un patient condamné sans espoir ? ». Il va de soi que le facteur essentiel est la volonté des locuteurs. Mais cette volonté est elle-même un résultat. Ce dont elle résulte, ce sont les causes économiques et sociales analysées au chapitre VII, et qui, elles, ne dépendent pas de la volonté de ceux qu'elles conduisent à abandonner leurs langues.

On peut certainement admettre que la mort des langues est un phénomène aussi naturel que celle des cultures. Mais on doit également comprendre qu'en perdant sa langue, une société perd beaucoup, et que ceux qui ont pour vocation de décrire les langues voient dans leur mort celle de témoignages précieux de la créativité des hommes. C'est assez pour qu'il ne soit pas illégitime de lutter contre ce phénomène, tant qu'il est encore possible de le faire, sans aveuglement, certes, sans outrance artificielle, mais aussi sans faiblesse.

III

LES LANGUES ET LA RÉSURRECTION

CHAPITRE X

L'hébreu : de la vie à la mort ; de la mort à la vie

La langue des Hébreux dans l'ancien Israël

UNE LANGUE QUI, DEPUIS PLUS DE 3 000 ANS, S'APPELLE « L'HÉBREU »

L'hébreu que l'on appelle aujourd'hui « biblique » pour l'opposer à l'hébreu moderne, dit aussi « israélien », fut une langue parlée durant un temps considérable. Par langue parlée, il faut entendre langue qui non seulement existait comme système, mais encore possédait la dimension, essentielle, que F. de Saussure appelait « parole » (cf. chap. III). On éprouve souvent quelque peine à imaginer que des langues très antiques aient pu être des moyens de communication quotidienne. Cette peine est fortement atténuée ici, car la langue qui se parle aujourd'hui dans l'État d'Israël, où elle possède un statut officiel, est désignée du même nom que celle qui se parlait, sur le même sol, il y a... environ trente siècles. Tel est aussi le cas de ses locuteurs, Hébreux, habitants de l'État hébreu. Au contraire, les peuples avec lesquels ces Hébreux furent en relation se sont engouffrés depuis des millénaires dans les abîmes de l'oubli. Ou plutôt, ces peuples n'ont plus d'autre existence que celle des mentions qu'en font les manuels d'histoire ancienne, ou celle des études savantes que publient à leur sujet les archéologues : ces peuples de la haute Antiquité sont les Assyriens, les Babyloniens, les Akkadiens, et beaucoup d'autres encore, dont les attestations de vie gisent dans la poussière des fouilles. L'hébreu est donc étroitement lié aux Hébreux, et il l'est indéfiniment demeuré, en dépit d'une mort que l'on pouvait croire sans fond, puisque les Hébreux ont été les contemporains de nations et d'États depuis très longtemps disparus.

L'HÉBREU PRÉBIBLIQUE

Je ne puis m'attarder ici sur des détails qu'il est facile de trouver dans les travaux spécialisés. Il suffira de rappeler que l'hébreu appartient, au sein de la famille chamito-sémitique, à la branche occidentale, dont le rameau septentrional, le cananéen, comprend également le moabite, le phénicien et d'autres, tous disparus depuis des temps immémoriaux. Les débuts de l'hébreu sont donc ceux, fort modestes, d'une langue sémitique parmi d'autres, parlée, sur un territoire exigu, par un nombre réduit de locuteurs. Les occasions de disparaître à tout jamais ne lui ont pas manqué ; et en dépit de ce qu'ont pensé et écrit, après coup, des érudits adorateurs de l'unicité mythique de l'hébreu comme langue sacrée, rien ne le vouait à devenir ce qu'il devint, sinon le fait d'être lié au destin exceptionnel d'une petite nation à la nuque raide.

Il n'existe pas de corpus écrit de l'hébreu prébiblique, c'est-à-dire de la période située entre le XXᵉ et le XIIᵉ siècle avant J.-C. Mais on possède plusieurs centaines de toponymes et de mots isolés, transcrits en syllabaires akkadien et égyptien, et qui appartiennent clairement à un stade de l'hébreu proche du cananéen. On l'appelle parfois l'amorite, du mot akkadien *amurru* « ouest », par lequel les Akkadiens, qui sont situés originellement à l'est du domaine sémitique, désignent la branche occidentale. Un autre témoignage important de l'hébreu prébiblique remonte au début du XIVᵉ siècle avant J.-C. Il s'agit de documents récemment mis au jour à 300 km du Caire, les gloses de Tell el'Amarna, soit quelque 80 traductions en hébreu jointes à des lettres adressées par les pharaons Aménophis III et Aménophis IV à leurs légats ou alliés en Canaan : apparemment, le scribe hébréophone notait en hébreu, dans la marge, les traductions exactes de termes akkadiens dont le sens, pour lui, n'était pas sûr.

Ces documents révèlent une forme archaïque de l'hébreu, laquelle possède, notamment, des marques de déclinaison du nom (presque disparues en hébreu biblique), un système d'expression du duel plus développé qu'en hébreu postérieur (où le pluriel s'étend à beaucoup de noms précédemment susceptibles d'une forme de duel), et des conjugaisons plus variées que celles de l'hébreu biblique. Ainsi, l'hébreu semble avoir connu une très longue histoire.

L'HÉBREU BIBLIQUE, COMME TOUTE LANGUE : DURÉE, CHANGEMENTS, DIALECTES, EMPRUNTS

L'âge d'or de l'hébreu biblique

La composition des livres qui constituent le principal monument de l'hébreu ancien, à savoir la Bible elle-même, s'étale sur une période importante, mais on peut considérer qu'en dehors du chant de Déborah (*Juges*, 5), probablement antérieur à l'an 1000, la plus grande partie a été écrite à partir de la seconde moitié du IXᵉ siècle. L'âge classique de la littérature biblique dure jusqu'à la fin du VIIᵉ siècle : c'est à ce moment que se fixe le texte fondamental, celui du *Pentateuque*, que sont écrits les livres de *Josué*, des *Juges*, de *Samuel*, des *Rois*, et que sont recueillies les prophéties d'*Amos*, d'*Osée* et des premiers chapitres d'*Isaïe* ; quant aux textes les plus récents de la Bible, ils ne sont pas postérieurs à la fin du VIᵉ siècle avant l'ère chrétienne. La langue dans laquelle tout cet ensemble est écrit reflète ce qui était l'usage courant des Hébreux, mais en est la forme littéraire. Les Hébreux utilisaient la variante parlée de cette langue elle-même. D'un tel fait, la Bible porte témoignage en maints endroits, par exemple celui où l'Araméen Laban et l'Hébreu Jacob concluent un pacte, concrétisé par un monument délimitant les territoires linguistiques ; un autre passage est celui dans lequel les espions dépêchés par Josué à Jéricho avant la prise de la ville et la conquête du pays de Canaan s'entretiennent sans difficulté avec Rahab ; une autre page encore est celle où les Gibéonites se font aisément comprendre de Josué.

Évolution historique.
Diversification dialectale. Emprunts

Ainsi, pendant au moins huit siècles, et sans doute bien davantage, l'hébreu fut une langue parlée au plein sens de ce terme. Cela ne signifie pas, étant donné, surtout, une telle profondeur de temps, que l'hébreu n'ait pas, comme toute langue, connu bien des changements, ainsi que leur corollaire, à savoir des différenciations dialectales entre les territoires ; une, en particulier, est celle qui s'était créée de longue date, et qu'avait accentuée, en -931, à la mort de Salomon, le schisme de son royaume, dès lors divisé, par suite de l'antagonisme invétéré entre tribus du sud et tribus du nord, en deux monarchies, qui furent installées respectivement dans ces deux zones, c'est-à-dire Juda (avec Jérusalem) et Israël. Un témoignage biblique souvent cité quant aux différenciations dialectales en hébreu est celui que l'on trouve dans *Juges*, 12, 6, où, au cours de la guerre qui les oppose les uns aux autres, les Éphraïmites, reconnus, au gué du Jourdain, par les gens de Galaad sur le seul indice de leur prononciation *s* au lieu de *š* à l'initiale du mot *šiboleth*, sont égorgés un à un par ces derniers. À l'évolution de sa forme, à la répartition en parlers distincts, il s'ajouta, durant la longue vie de l'hébreu, un autre phénomène tout à fait naturel pour une langue vivante : l'emprunt aux langues voisines, soit l'akkadien (et, à travers ce dernier, le sumérien), l'égyptien pharaonique, et aussi, quoique beaucoup moins qu'à une étape ultérieure du destin de l'hébreu, l'araméen.

Écriture de l'hébreu

L'hébreu ne se parlait pas seulement. Il s'écrivait aussi. Pour cela, il utilisait un héritier du système que les Assyriens, renonçant à l'écriture hiéroglyphique en cunéiformes, adoptèrent environ sept siècles avant J.-C., c'est-à-dire l'alphabet araméen carré. Ce dernier ne notait que les consonnes, dont deux, cependant, *w* et *y*, ont été utilisées très tôt pour figurer, en dehors de leur emploi consonantique, les voyelles longues *ū* et *ī*. C'est l'alphabet dont on se sert toujours aujourd'hui, ne recourant que dans des cas particuliers (dans tout le texte de la Bible, ainsi que lorsqu'il y a ambiguïté) aux notations des voyelles brèves, fixées, aux IXe et Xe siècles, en même temps que divers autres signes phonétiques, par les Massorètes de l'école de Tibériade, afin de guider la cantilation des textes sacrés et des prières. L'orthographe actuelle multiplie même ces *matres lectionis*, c'est-à-dire ces « mères de lecture » que sont le *w* et le *y* quand ils notent des voyelles, puisqu'ils facilitent la lecture d'une vieille langue sémitique où, pas plus qu'en arabe, il n'est d'usage d'écrire les voyelles.

LE COMMENCEMENT DE LA FIN :
L'EXIL DE BABYLONE
ET SES CONSÉQUENCES LINGUISTIQUES

La prise de Jérusalem et l'exil

On rappellera brièvement des faits historiques bien connus, dont les conséquences sont évidemment essentielles pour le destin de l'hébreu. Le royaume de Juda, trop faible pour avoir les moyens de conduire une politique d'indépendance face au conflit qui opposait ses deux puissants voisins, oscillait dangereusement entre l'alliance égyptienne et l'alliance babylonienne. En -600, Jejoiakim Ier crut pouvoir profiter d'un revers babylonien face à l'Égypte pour se révolter contre la tutelle de Nabuchodonosor II. Celui-ci répliqua en marchant sur Jérusalem, qu'il prit en -597. La famille royale, l'aristocratie, les prêtres, les grands propriétaires judéens furent emmenés en captivité à Babylone. Dix ans plus tard, le roi Sédékias, qui avait tenté de dresser une coalition contre les Babyloniens, est écrasé par ces derniers, et cette fois, Jérusalem est rasée, le Temple est détruit et une nouvelle déportation survient (cf. Briant 1996, 56).

Le retour de captivité en compagnie... de l'araméen

Or la langue qui régnait en Babylonie n'était plus l'akkadien, dont les deux formes, assyrien au nord et néo-babylonien au sud, étaient en voie d'être éclipsées par l'araméen, en dépit de l'éclat du règne de Nabuchodonosor II. Ce mouvement favorable à l'araméen se poursuivit après la prise de Babylone, en -539, par l'armée perse de Cyrus le Grand, que la population, lassée des impiétés de Nabonide, aurait accueilli en libérateur. Mais surtout Cyrus, ayant, selon le *Deutéro-Isaïe*, noué une alliance avec le Dieu d'Israël, publie, peu après sa victoire sur les Babyloniens, un rescrit ordonnant le retour des Judéens dans leur patrie, la reconstruction du temple de Jérusalem, et la restitution des ustensiles d'or et d'argent qu'avait emportés Nabuchodonosor. Dès -538, un premier convoi d'exilés fait retour vers Jérusalem, aux frais des Juifs de Babylone. En -520, au début du règne de Darius Ier, un nouveau contingent rentre de captivité. Nous avons connaissance de ces faits par le livre biblique d'*Esdras* (1 et 6, 2-12), intitulé d'après le nom du prêtre et sacrificateur qui succéda à Néhémie.

Ce dernier fut promu gouverneur de Judée au milieu du -Ve siècle par Artaxerxès Ier. Néhémie releva les remparts de Jérusalem, et procéda à d'importantes réformes. Esdras continua son œuvre, et ils jouent tous deux dans l'histoire du judaïsme un rôle éminent, en tant que restaurateurs du culte et auteurs de la fixation définitive de la loi mosaïque, telle que l'a recueillie l'actuel livre du Pentateuque. La restauration d'Esdras tenta de favoriser aussi un usage étendu de la langue hébraïque au détriment de l'araméen. Mais ce fut en vain. En effet, les soixante ans de vie en déportation avaient accentué encore la pression de l'araméen, cette langue déjà très présente parmi les Hébreux longtemps avant la perte de leur indépendance. Les exilés de Babylone étaient retournés à Jérusalem en compagnie de l'araméen.

Fortune de l'araméen

Les vainqueurs perses ne tentèrent pas d'imposer leur langue dans les vastes territoires conquis. Paradoxalement, le règne de l'araméen était assez établi pour que ceux qui devinrent les maîtres ne fussent pas tentés d'y rien substituer : de Sardes au plateau iranien, d'Égypte en Babylonie, et même à Persépolis, les chancelleries satrapiques n'avaient d'autre choix que de recourir à des scribes locaux, et parmi ces derniers, la langue véhiculaire, dans une situation de plurilinguisme, était presque partout l'araméen, les Perses ne pouvant communiquer directement en langue perse avec tous leurs administrés. Les bureaux achéménides durent donc s'appuyer sur les élites et sur les traditions locales (cf. Briant 1996, 88).

Étrange et brillante destinée que celle de l'araméen, langue proche du cananéen, et qui forme avec lui un des deux rameaux septentrionaux du sémitique occidental. Alors qu'il était une langue de vaincus, c'est-à-dire celle des royaumes araméens qu'avait détruits Sargon à la fin du -VIIIᵉ siècle, il devenait un siècle plus tard, ayant supplanté l'akkadien, la langue des relations dans tout l'empire assyrien, son vainqueur ! À l'origine nomades et marchands qui parcouraient les étendues situées au nord de l'Arabie jusqu'en Syrie-Palestine et en Babylonie, les Araméens, qui essaimaient partout au Proche-Orient, ont fourni des cadres et des fonctionnaires aux Akkadiens comme plus tard à l'empire perse, au point qu'on a pu parler, par-delà les différenciations dialectales, d'un « araméen d'empire », qui emprunte au persan, il est vrai, un lot de termes du vocabulaire administratif. Ainsi, l'araméen a longtemps dominé comme langue du pouvoir une bonne partie du Proche-Orient, alors même qu'il n'y avait plus d'autorité politique, et encore moins d'État, proprement araméen !

L'HÉBREU POST-EXILIQUE
ET L'INFLUENCE DE L'ARAMÉEN

Hébreu et araméen

Tout observateur attentif était en mesure de noter la ressemblance entre l'hébreu et l'araméen. « Vicina est Chaldaeorum lingua sermoni hebraico », devait écrire Saint-Jérôme au IVᵉ siècle. L'adoption de l'alphabet araméen pour transcrire l'hébreu accentuait l'impression de proximité. Le système des sons présentait, en même temps que des différences notables, de fortes homologies. Le lexique foisonnait de racines identiques, et les correspondances phonétiques, quand il n'y avait pas identité, étaient assez régulières pour frapper un locuteur sachant écouter, et pour permettre, à tout candidat au bilinguisme disposant d'un minimum d'agilité, de deviner souvent un mot araméen à partir d'un mot hébreu, et réciproquement. Les formes de conjugaison et de pronoms personnels présentaient beaucoup de ressemblances d'une langue à l'autre. Dans bien des cas, on a quelque peine à déterminer si la parenté formelle et sémantique entre un mot hébreu et un mot araméen est due à un emprunt ou à une communauté d'origine. Cette proximité entre les deux idiomes fut probablement un facteur favorable à la pression de l'araméen, langue de voisins devenue langue véhiculaire d'un puissant empire, dans la capitale duquel les élites juives se trouvèrent déportées.

Pression de l'araméen

En effet, longtemps avant l'exil, les Hébreux, déjà, avaient été, au nord et au nord-est de leur territoire, en contact étroit avec l'araméen, langue vernaculaire de nombreuses populations voisines. L'archéologie révèle la présence de l'araméen en Palestine elle-même dès le IXe siècle (cf. Hadas-Lebel 1976, 95). En -721, la prise de Samarie, capitale du royaume d'Israël, par les Assyriens, avait entraîné l'arrivée d'une population de langue araméenne en remplacement d'une partie des Israélites, victimes d'un premier exil dans l'empire assyrien, avant celui qui frappera Juda en -597. En -701, les délégués d'Ézékias, bloqué dans Jérusalem par Sennachérib, roi d'Assur, s'adressent en araméen au général assyrien pour négocier le versement d'une rançon.

Non seulement les élites de Judée déportées à Babylone acquirent bientôt une pratique totale de l'araméen, langue implicitement officielle de l'empire, au point que l'hébreu des prophètes de l'exil, comme *Ezékiel*, est traversé d'influences araméennes, mais en outre, les masses demeurées en Judée n'avaient opposé qu'une molle résistance à la forte pression de l'araméen, parlé par une population nombreuse. La Bible fait écho à cette situation : « leurs enfants, pour moitié, parlent en achdodien [= araméen], et ne sont pas capables de parler en judéen » (*Néhémie*, 13, 24).

Littérature biblique post-exilique ; hébreu parlé après le retour de captivité et la restauration

On sait qu'une partie des chapitres 4 (8-6,18) et 7 (12-26) du livre d'*Esdras*, ainsi que les chapitres 2,4 à 7,28 du livre de *Daniel*, sont écrits en araméen. Mais l'hébreu des livres post-exiliques de la Bible, que l'on peut appeler hébreu biblique tardif, est lui-même pénétré d'éléments araméens. On classe, généralement, dans la littérature post-exilique les parties de la Bible relatant ou commentant les événements postérieurs à la captivité et au retour : les livres d'*Aggée* et de *Zacharie*, prophètes de la restauration, ainsi que les livres prophétiques de *Daniel, Joël, Abdias, Jonas, Malachie*, et le dernier *Isaïe* (chapitres 55 à 66), mais aussi les livres historiques de *Ruth*, d'*Esdras*, de *Néhémie*, d'*Esther*, des *Chroniques*, et enfin les livres poétiques du *Cantique des cantiques*, de *Qohelet* (= *Ecclésiaste*), de *Job*, des *Proverbes* et la plus grande partie des *Psaumes* (cf. Hadas-Lebel 1976, 95). Un des critères de l'unité de tous ces livres par rapport aux parties antérieures de la Bible est qu'ils sont écrits par des auteurs dont l'hébreu biblique ne semble pas être la langue parlée. Ainsi, on trouve dans *Esther* et dans *Jonas* une tentative claire pour compenser l'afflux de termes nouveaux par l'imitation empressée de la syntaxe et du style de l'hébreu antérieur. Il en est de même, bien que dans une moindre mesure, pour le livre de *Néhémie*, ainsi que pour ceux d'*Esdras* et de *Daniel*.

Il est intéressant de comparer le texte des *Chroniques* avec les passages des livres de *Samuel* et des *Rois* qu'il suit d'assez près. Car on peut déceler, dans les différences, l'effort pour s'adapter à des locuteurs qui n'ont plus l'usage de l'hébreu des grands livres classiques. Cela donne la mesure probable de l'évolution de la langue parlée. *Qohelet* et le *Cantique des cantiques* semblent refléter également l'hébreu populaire de l'époque postérieure à l'exil, et l'influence de l'araméen, qui est une caractéristique de cette nouvelle forme d'hébreu. Non seulement de nombreux emprunts de vocabulaire s'observent, mais il n'est pas jusqu'à l'ordre des mots dans la phrase qui ne soit modifié sur le modèle de l'araméen, lequel sert même d'intermédiaire pour faire passer en hébreu des mots akkadiens que l'araméen a lui-même empruntés, ainsi que quelques mots persans.

L'HÉBREU MICHNIQUE

Une étape dans l'histoire de l'hébreu parlé

Les faits sont connus, et bien étudiés (cf., par exemple, Segal 1927 et Hadas-Lebel 1976). Je rappellerai seulement que, succédant à l'hébreu post-exilique, l'hébreu appelé michnique l'est d'après le nom de la *Michna* (de *šanah* « répéter » [la parole, pour la transmission orale]), gros recueil de commentaires, consacré à la manière d'appliquer la Loi écrite. Les premiers éléments de la *Michna* remontent fort loin, soit pour le moins, sans doute, au IIIe siècle avant l'ère chrétienne ; le choix et l'ordonnance des textes, dus à Juda HaNassi, datent de la fin du IIe siècle, où est fixée la version qui servira de base aux nouveaux commentaires rédigés, en araméen, dans les deux grands centres spirituels du judaïsme, c'est-à-dire au *Talmud* de Babylone et à celui de Jérusalem. Il est vraisemblable que, dans la continuité de l'hébreu biblique puis de l'hébreu post-exilique, par rapport auxquels il représente une nouvelle étape de l'évolution historique, l'hébreu michnique fut, au moins en Judée sinon en Galilée, la langue vernaculaire des Hébreux, comme le laissent inférer les particularités des livres postérieurs à l'exil. Néanmoins, plutôt que le successeur de l'hébreu biblique proprement dit, qui est une langue littéraire, l'hébreu michnique doit être considéré comme l'héritier de la forme de langue que *parlaient* les Hébreux avant l'exil de Babylone.

La révérence religieuse à l'égard de l'hébreu biblique et l'ignorance générale quant à l'évolution naturelle des langues ont longtemps fait croire aux rabbins et lettrés juifs que l'hébreu michnique était une invention de talmudistes et ne correspondait à aucune langue réellement en usage. Certes, cet avis n'était pas partagé par tous, et par exemple, un grand esprit comme le philosophe et médecin espagnol du XIIe siècle Maïmonide, dans son *Commentaire de la Michna*, affirmait que l'hébreu michnique était bien une langue parlée. Mais il était isolé, et la thèse de l'artificialité de l'hébreu michnique fit longtemps autorité.

Parmi les arguments qui la réfutent, on peut n'en retenir ici qu'un seul : l'hébreu biblique présente pour le pronom de 1re personne du singulier deux formes (en fait non interchangeables si l'on examine le détail des faits) *anokhī* et *anī* ; la seconde devient dominante en hébreu biblique tardif, et s'impose, à l'exclusion de la première, en hébreu michnique ; si ce dernier était une langue artificielle, on ne voit pas sur quels critères les rabbins auraient décidé de ne retenir que l'une des deux formes. Ainsi, il est difficile de soutenir que l'hébreu michnique n'ait pas été une langue parlée. Ce que l'on peut tenir pour certain, néanmoins, est qu'il n'était pas seul parlé. L'araméen l'était au moins autant parmi les Hébreux. Et cela n'était pas sans conséquences sur la forme de la langue hébraïque.

La langue michnique, forme araméisée de l'hébreu

Le contact permanent et ancien des deux langues avait eu pour effet le foisonnement des araméismes en hébreu michnique. Les emprunts de vocabulaire sont très nombreux, et quand il n'y a pas emprunt, il y a réactivation d'un mot ou d'un sens peu fréquents dans la Bible, mais dont l'araméen possède des homologues couramment utilisés. En morphologie, l'hébreu michnique n'alla certes pas jusqu'à adopter cette particularité typique de l'araméen, qui consiste à postposer l'article au nom. Il se façonna cependant, sur le modèle de l'araméen (mais avec des mots uniquement autochtones), au moins deux instruments grammaticaux à peu près inconnus de l'hébreu biblique : d'une part *še*, pronom relatif et conjonction de subordination, qui supplanta le *'ašer* de l'hébreu biblique ; et d'autre part *šel*, connecteur équivalent au *de* du français dans *le livre de l'enfant*, et constitué, selon une formation transparente, de *še* « qui » + *le* « (est) à », soit *le livre de l'enfant = le livre qui est à l'enfant*. Ce connecteur *šel* devait connaître une certaine fortune dans l'histoire de l'hébreu, et c'est aujourd'hui un des outils grammaticaux les plus courants de l'hébreu israélien.

QUAND L'HÉBREU CESSA-T-IL
D'ÊTRE PARLÉ ?

Cette question n'est pas moins complexe que celle de la fin du latin (cf. p. 68-74). Je tenterai d'y répondre avec les moyens dont on dispose.

En quelle langue s'exprimait Yeochoua de Nazareth (= Jésus) ?

Au premier siècle de l'ère chrétienne, l'hébreu michnique, qui était la langue parlée des Hébreux depuis au moins le retour de l'exil de Babylone, c'est-à-dire depuis près de cinq siècles et demi, possédait-il encore ce statut ? Une grande partie des Hébreux ne parlait-elle pas désormais l'araméen ? Parlait-on encore l'hébreu en Judée, où la vie juive avait repris son cours après le retour de captivité, et, en tout état de cause, les provinces situées plus au nord, Samarie et Galilée, n'avaient-elles pas été, après la déportation à Babylone, repeuplées de communautés parlant l'araméen, avant qu'en -100, la réunion de la Galilée au royaume hasmonéen ne lui permette, bien tard, d'être rejudaïsée ? En quelle langue parlait Yeochoua de Nazareth ? On s'accorde à penser aujourd'hui qu'il parlait en araméen. Les textes semblent le dire clairement : les mots proférés lors des miracles (*Marc*, 5, 41 et 7, 34), et de même l'invocation à Dieu au moment où le crucifié va mourir (*Marc*, 15, 34), sont rapportés par les évangélistes en araméen. À ces témoignages s'ajoute celui d'une pratique de la vie liturgique, à savoir les *targums* ou commentaires, faits en araméen lors des lectures synagogales. Mais on ignore si cette pratique était ancienne et si elle n'était pas destinée, en Palestine, aux fidèles des seules régions de langue araméennes, ou aux communautés babyloniennes établies à Jérusalem, plutôt qu'aux Judéens qui seraient devenus tous ignorants de l'hébreu.

Ier siècle de l'ère chrétienne : bilinguisme hébreu michnique-araméen chez la plupart des Hébreux ; trilinguisme hébreu michnique-araméen-grec chez les élites urbanisées

• Le bilinguisme des masses

C'est pourquoi le plus probable est qu'il régnait en Judée, au Ier siècle de l'ère chrétienne, une situation de bilinguisme : araméen-hébreu, au moins pour la plus grande partie de la population, et que cette situation remontait au dernier tiers du -VIe siècle. Elle dut se prolonger au moins jusqu'au début du IIe siècle (cf. ci-dessous à propos de Bar Kochba). En dehors de l'araméen, il s'agissait évidemment d'une forme évoluée de l'hébreu michnique, par rapport à ce qu'avait été ce dernier, cinq siècles plus tôt, lors du retour d'exil. Yeochoua de Nazareth, comme la plupart des Juifs de son temps, parlait très probablement l'hébreu ainsi défini, tout autant que l'araméen. Peut-être même cet homme, qui n'était pas sans culture, parlait-il aussi la troisième langue alors présente en Palestine.

• L'hellénisation des élites et le trilinguisme

En effet, les Hébreux les plus instruits étaient assez hellénisés, et connaissaient le grec. Certes, au début, c'est-à-dire après la conquête de l'empire perse par Alexandre et la mort de Darius III en -330, les barrières religieuses avaient tenu les Hébreux relativement à l'écart du monde grec. Mais l'hellénisation des peuples païens qui entouraient de toutes parts les terres juives avait fini par se répandre dans ces dernières, dont les élites, au moins, étaient en relations constantes avec les colons grecs implantés depuis longtemps par Alexandre à Samarie. L'abomination des pratiques du gymnase aux yeux du judaïsme traditionnel avait fait place, dans les cités, à l'adoption de certaines coutumes grecques liées à la vie théâtrale et sportive. Chez les Hébreux de la société favorisée, il était devenu courant de posséder une bonne connaissance du grec, et même une familiarité avec la rhétorique grecque, dont on retrouve des traces dans la *Michna*. Ce recueil contient plus de 500 mots grecs. Le Talmud de Jérusalem en contient quant à lui, selon des évaluations récentes, jusqu'à 1100. L'hébreu michnique fit de nombreux emprunts au grec, et une partie de ces mots grecs phonétiquement hébraïsés a été conservée en hébreu israélien, comme, parmi bien d'autres, *avir* « air », *teatron* « théâtre », *dugma* « exemple ».

• Le bref sursaut anti-hellénique des Maccabées

Il est vrai, néanmoins, que de -167 à -134, les Maccabées s'étaient révoltés contre la politique d'hellénisation du roi séleucide de Syrie Antiochos IV Épiphane, qui voulait imposer la culture grecque à ses États, dont la Palestine. Cela, pour les Juifs, signifiait participer aux rites religieux de l'hellénisme, et par conséquent, en les adoptant de concert avec la langue grecque, qui les exprimait, renier le monothéisme et la loi mosaïque. D'une manière révélatrice, les Maccabées avaient associé défense de la Tora et promotion de l'hébreu biblique, également revendiqué comme un idéal, vers la même époque, par les Esséniens, dont la langue puriste a été révélée par la découverte des manuscrits dits de la mer Morte, de 1947 à 1956, dans les grottes de Qumran au sein du désert de Judée.

Cependant, la lutte entre le retour aux sources et les tentations modernistes se résout souvent par la victoire de ces dernières : une fois obtenue l'indépendance nationale, les amis de l'hellénisme reprirent le dessus sous les rois de la dynastie (sacerdotale !) suivante, celle des Hasmonéens, qui aimaient à porter des noms grecs, tout comme de nombreux Juifs aisés, parmi lesquels, en outre, la version grecque de la Bible (celle des Septante) était souvent pratiquée. Le mouvement n'avait fait que s'accentuer sous la domination romaine, le latin restant alors à l'écart comme langue du pouvoir étranger, et la romanisation apparaissant sur bien des points, à cette époque et dans ce contexte, sans qu'il y ait là un paradoxe, comme un instrument de l'hellénisation. On peut en comprendre les raisons (cf. p. 181-186).

• Le judéo-araméen

Ainsi, au Ier siècle, une partie, au moins, des Hébreux étaient trilingues. Et parmi ceux qui ne connaissaient pas le grec, surtout présent dans les villes, la plupart étaient bilingues. L'araméen des Juifs, que l'on pourrait appeler judéo-araméen, ne coïncidait ni avec les principaux dialectes en présence parmi les populations araméennes, ni avec l'araméen d'empire, qu'avait promu le pouvoir achéménide, et qui vivait encore à l'époque romaine. C'était un araméen hébraïsé, dans sa phonétique comme dans certains aspects de sa syntaxe. La tradition considère l'araméen, ou plus exactement sa forme hébraïsée, comme une langue appartenant aux Juifs, et le voit donc avec sympathie et respect. Pourtant, cette faveur n'est pas unanime. Certains n'oublient pas que le moment où l'araméen se superpose à l'hébreu, en attendant de le supplanter six siècles plus tard, correspond à un épisode tragique de l'histoire juive, celui de l'exil. Ainsi, le *Talmud de Babylone* (traité Baba Qama, 82) attribue au compilateur de la Michna, Juda HaNassi, qui naquit pendant la révolte de Bar Kochba, le mot suivant : « À quoi nous sert, en terre d'Israël, la langue des Syriens ? Ou la langue sacrée, ou le grec ! »

La destruction du Second Temple et le début de la dispersion

Les maladresses de l'autorité romaine, et les vexations liées à l'impérialisme du pouvoir de Titus dans une Palestine coupée en trois portions depuis la mort d'Hérode, suscitent en 66 un soulèvement nationaliste et messianique qui aboutit à la première guerre juive, laquelle se termine tragiquement, comme on sait, pour la Judée. Certes, les Zélotes, derniers résistants juifs, tiennent encore les Romains en échec dans la forteresse de Massada jusqu'en 73. Mais on peut aisément imaginer que la destruction du Second Temple en 70 par les légions de Titus, en mettant fin à l'existence d'un État où s'incarne la passion d'indépendance, est un coup très grave pour la langue hébraïque, en même temps qu'elle est le signal de la dispersion des Hébreux (au sens qu'on a pris l'habitude de donner à ce terme, bien qu'il y ait eu d'autres dispersions précédemment, comme les deux exils des habitants des royaumes d'Israël et de Juda). En dépit de la défaite de 70, et sur le parcours, désormais irréversible pour très longtemps, des Juifs contraints, pour un grand nombre, au départ, un dernier sursaut met encore à l'honneur la langue dans laquelle s'exprime le destin d'une nation. Il s'agit de la seconde guerre juive, c'est-à-dire de l'épisode de Bar Kochba.

La révolte de Bar Kochba et les derniers mots connus comme appartenant à l'hébreu michnique vivant

• L'hébreu michnique et l'araméen dans l'école de Yabneh

Pendant le siège de Jérusalem en 70, un rabbin de haut prestige, Rabban Johanan ben Zakkai, était parvenu à obtenir de Titus la création, à Yabneh, près de la côte, d'une école où le peuple juif, dispersé mais conservé par sa foi et sa vigueur spirituelle, reconstitua une sorte de centre national et religieux, dirigé par un patriarche, chef de la communauté juive de Palestine, et bientôt reconnu par les Romains. D'autres communautés se forment à Babylone et à Alexandrie. L'hébreu michnique et le judéo-araméen continuent d'y vivre comme expressions de l'existence juive. Mais moins de trente-cinq ans après la chute de Jérusalem et la destruction du Second Temple, tous ces centres se soulèvent contre l'oppression romaine.

• La révolte de Bar Kochba et les lettres en hébreu

La répression violente n'empêche pas que de nouveau, en 132, sous l'empereur Hadrien, une révolte éclate en Palestine, dirigée par Simon Bar Kochba. Celui-ci, avec le soutien des rabbins, proclame la restauration de l'indépendance et de l'État juif, promeut la langue hébraïque, libère de nombreuses villes, et commence même de battre monnaie. Des fouilles pratiquées en 1952 à Wadi Murrabaat, dans le désert de Judée au sud-est de Jérusalem, ont révélé de nombreux actes juridiques contemporains de cette seconde guerre juive. Cinq d'entre eux sont en hébreu, tous les autres étant en araméen. Mais on a également découvert une dizaine de lettres de cette même période, toutes écrites en hébreu, dont deux par le chef de l'insurrection. En 1960, ont été mises au jour à Nahal Bever, en Israël, quinze lettres de Bar Kochba, dont cinq sont rédigées en hébreu, huit en araméen et deux en grec.

Quelles que soient les raisons de ce choix, il reste que Bar Kochba et les nationalistes juifs de son état-major étaient capables d'écrire et de lire en trois langues, et que l'hébreu était toujours pratiqué. Il s'agit même d'un hébreu assez courant, exprimant les instructions d'un chef à ses lieutenants sur divers aspects concrets du déroulement des opérations ; pourtant, un fait intéressant est que la langue de ces documents est moins araméisée que d'ordinaire, et qu'ils attestent même un effort pour se rapprocher de la norme classique de l'hébreu. Il est possible qu'il faille mettre ce phénomène en relation avec la forte connotation messianique de l'insurrection, dont l'inspiration divine fut reconnue par un rabbin célèbre, Rabbi Aqiba (tué lors de cette guerre).

• Le Talmud, l'araméen et la fin de l'hébreu michnique

La révolte de Bar Kochba fut finalement écrasée en 135. Les Juifs sont alors cruellement persécutés et Jérusalem leur est interdite. La persécution cesse sous les successeurs d'Hadrien. Appuyés par l'autorité morale du patriarche de Yabneh, les docteurs de la Loi continuent alors d'édifier des ouvrages religieux. Mais ils le font désormais en araméen, et il en sera de même en Mésopotamie, où, sous l'autorité d'un exilarque, se concentre la vie spirituelle du judaïsme après la christianisation de l'empire romain par Constantin en 325. Cet événement est suivi, dans la Palestine soumise à l'empereur, de persécutions des Juifs, et finalement de l'abolition du patriarcat par Théodose II en 415.

Quand les sages jugent nécessaire, pour maintenir vivant l'enseignement religieux, de se livrer à l'étude des commentaires de la loi, à travers un soigneux examen comparatif des formulations de toutes les règles, la langue dans laquelle est écrit, pendant une longue période de travail intense qui dure jusqu'au VIᵉ siècle, ce recueil de savante piété, qu'on appellera le *Talmud* (*talmud tora* = « étude de la loi »), est tout naturellement l'araméen. L'hébreu a cessé de vivre en tant que langue parlée. Il a cédé la place à l'araméen, notamment du fait de la concentration, à Jérusalem, des Juifs araméophones de la diaspora orientale (cf. Segal 1927, Introduction).

Dans le *Talmud de Jérusalem*, qui aborde plusieurs fois le problème des langues (ainsi, au traité Péa, 1, l'étude du grec littéraire est autorisée, bien qu'avec réticences), il est clair que l'hébreu est considéré comme la langue sacrée, qui n'a d'autre emploi que liturgique, et ne se parle pas dans la vie courante (cf., notamment traité Sota, *pass.*). Il s'agit ici, certes, de l'hébreu biblique. Mais l'hébreu michnique lui-même, dès l'écrasement de la révolte de Bar Kochba, était devenu une langue littéraire, son usage oral étant en déclin constant. Tant il est vrai que le maintien ou la revendication d'un hébreu parlé, quelle que soit l'étape de son évolution dont il s'agisse, a toujours été étroitement lié, dans l'histoire d'Israël, au maintien de l'indépendance politique, ou au combat pour l'identité juive et pour l'affirmation nationale. Ici, la disparition de la langue ancestrale se conjugue avec la perte de l'État.

Les langues juives, la mort de l'hébreu dans l'usage oral, et son maintien dans la littérature

L'ARAMÉEN, LA NAISSANCE DES LANGUES JUIVES ET LE STATUT DE L'HÉBREU DANS LA DIASPORA

L'araméen décline à partir du VIIᵉ siècle, face à l'arabe, mais continue aujourd'hui, après 3 000 ans, de résister à la mort

À la suite de la conquête arabe au début du VIIᵉ siècle, le statut de l'araméen, en Palestine comme en Syrie et en Mésopotamie, est bouleversé. Les Hébreux ne sont pas seuls à l'abandonner progressivement, puisqu'il en est de même, selon un mouvement irréversible, des très nombreuses populations qui l'avaient pour langue maternelle ou l'utilisaient comme idiome véhiculaire. Ainsi, l'araméen, au moins en ce qui concerne ses parlers occidentaux, amorce une phase de déclin qui frappe l'imagination lorsque l'on pense à ce que fut son prestige pendant plus de treize siècles en Orient.

Néanmoins, l'histoire de l'araméen, sans présenter l'image exceptionnelle, propre à l'hébreu, d'un idiome mort qui ressuscite, n'en est pas moins unique. Cette langue, la plus vieille encore vivante avec le chinois (si l'on excepte le copte, qui n'a plus d'emploi oral), est toujours parlée aujourd'hui, en deux lieux : d'une part dans la région montagneuse qui, au nord de son domaine, en forme l'extrémité orientale, par deux cent mille personnes environ ; on appelle néo-araméen oriental, ou néo-syriaque, l'ensemble des dialectes qui se sont conservés, non sans de sérieuses transformations comme on peut s'en douter, dans le district de Tur 'Abdin en Irak, ainsi qu'autour du lac d'Urmia, chez des communautés uniates, nestoriennes et jacobites ; d'autre part, un néo-araméen occidental vit encore dans trois villages syriens de l'Anti-Liban, à trente kilomètres au nord-est de Damas.

Les langues des Juifs dans les pays du Levant après la conquête arabe

En Palestine, en Mésopotamie et en Égypte, les Juifs continuent, après la conquête arabe (VIIe siècle), à vivre selon leur Loi et leurs coutumes, mais l'arabe, s'imposant de plus en plus dans leur existence quotidienne, finit par y supplanter l'araméen, et, là où il était en usage dans la société, le grec.

Les langues des Juifs en Europe et au Maghreb

• Langues des Juifs d'Africa, d'Espagne et des autres pays de la diaspora

Les communautés juives dispersées en Gaule, en Germanie, en Ibérie, où elles ont fui après la destruction du Second Temple, viennent s'ajouter à celles qui, dès la fin de la République romaine, s'étaient installées non seulement dans ces territoires, mais même à Rome. Dans cette ville, les Juifs, qui dominaient l'important commerce maritime des céréales et de l'huile d'olive avec l'Africa (Tunisie d'aujourd'hui), possédaient des demeures dans un quartier du mont Coelius situé entre le Colisée et la Voie Appienne (cf. Hagège sous presse). L'hébreu restera la langue religieuse de toute la diaspora, mais pour près de vingt siècles, les Juifs cesseront de le parler. Ils adopteront les langues des pays d'« accueil ». De même le feront plus tard les communautés que les Rois catholiques de Castille et d'Aragon expulsent en 1492. Les Juifs, contraints à l'exil et fuyant, en Espagne comme plus tard au Portugal, les aménités de l'Inquisition, trouveront refuge dans divers lieux : Maghreb, Pays-Bas, France méridionale, Italie, Bosnie, Grèce, Turquie, dans certains desquels se conservera leur langue judéo-espagnole.

• Judéo-langues

Mais surtout, dans la plupart des pays de la *galout* (diaspora), il se formera des langues spécifiques, dites langues juives ou judéo-langues, et étudiées comme un chapitre spécial de la linguistique, tant elles présentent d'intérêt comme illustrations du phénomène d'hybridation : toutes, en effet, se sont constituées sur la base de la langue locale ou de la langue emportée en exil, mais avec un apport lexical, plus ou moins important, de l'hébreu. Ces langues sont aujourd'hui en situation précaire (cf. p. 217-218). Les apports hébraïques que l'on retrouve dans toutes attestent la puissante fascination que l'hébreu, longtemps après sa disparition comme langue vivante, continue d'exercer sur les esprits, à travers les emprunts qui lui sont faits, et que facilite le contact permanent, chez les plus religieux, avec le texte de la Bible.

Outre les langues juives, il s'est même formé des langues calques, œuvres de lettrés pieux. Leur vocabulaire est celui de telle ou telle des langues de la diaspora, tandis que la syntaxe et la morphologie sont calquées sur celles de l'hébreu, ce qui donne un résultat étonnant. Le judéo-espagnol-calque, ou ladino, en est un exemple connu. Il s'agit non pas du judéo-espagnol (djudezmo), langue parlée, mais de l'espagnol hébraïsé, non parlé bien que transmis oralement, des Bibles utilisées par les Juifs après leur expulsion d'Espagne. Le but des rabbins, en décalquant le texte hébraïque sur une langue de Gentils, était, ici comme toujours, d'empêcher que la langue sainte ne tombât irrévocablement dans l'oubli chez les Juifs menacés de déjudaïsation, et qui ne parlaient plus que les idiomes des nations.

Le latin et la continuité/L'hébreu et la brisure

Ce que mettent en relief, d'une part, tous ces efforts des rabbins pour maintenir au moins une trace de l'hébreu, et d'autre part la manière dont se constituent les judéo-langues et les matériaux sur lesquels elles s'échafaudent, c'est un phénomène tout à fait particulier, dont on ne trouve pas d'exemple dans l'histoire des langues romanes ni dans celle du grec. Dans ces derniers cas, en effet, il y a continuité. Le français ou l'espagnol, tout en n'étant plus du latin, sont les produits de l'évolution du latin. Le grec moderne est un produit de l'évolution du grec ancien. Au contraire, dans le cas de l'hébreu, les événements dramatiques qui commencent avec l'exil de Babylone, et qui se poursuivent, 667 ans plus tard, par la destruction du Second Temple, ont pour conséquence une interruption du processus de la vie. La chaîne est brisée. L'hébreu (parlé) a disparu. De tout autres langues l'ont remplacé. Son usage liturgique accroît encore son inaccessibilité de langue de prestige. Il n'est pas même à demi-présent à travers des héritiers. On n'imagine pas comment il pourrait revivre...

L'HÉBREU MÉDIÉVAL

Hébreu biblique, hébreu michnique, hébreu médiéval, hébreu moderne

Ce que la tradition appelle hébreu médiéval ne saurait être considéré comme une nouvelle étape dans l'histoire de l'hébreu, sauf à confondre la réalité orale des langues avec le caractère partiellement artificiel de leur emploi littéraire. L'hébreu des temps bibliques connaissait une forme parlée aussi bien qu'écrite. L'hébreu michnique était lui aussi une langue parlée autant qu'écrite, même si la fin de son emploi oral ne lui a pas permis d'intégrer, comme le fait une langue normalement en usage, les nombreuses innovations des auteurs juifs à travers les siècles. L'hébreu israélien, enfin, langue contemporaine, est autant parlé qu'écrit. Au contraire, il n'existe pas d'autre emploi qu'écrit pour l'hébreu médiéval, idiome purement livresque où les lettrés, tout en se fixant pour modèles à imiter la Bible et la *Michna*, introduisaient de nombreux mots scientifiques ou poétiques. Ces mots ne correspondaient à aucune réalité vivante, à aucune parole spontanée, mais étaient seulement destinés à satisfaire des besoins stylistiques et esthétiques, souvent par imitation des langues de la diaspora, espagnol, arabe, allemand, etc. Le genre littéraire appelé *piyyut*, et désignant des poèmes religieux au style recherché, est la principale illustration de cette activité. Mais les lettrés écrivent également des traités en prose : géographiques, philosophiques, grammaticaux, scientifiques. Ces œuvres auront un intérêt inattendu : elles seront exploitées dans l'entreprise méthodique dont il va être question plus bas.

L'hébreu dans la littérature diasporique jusqu'au XVIIIᵉ siècle

La notion d'hébreu médiéval est appliquée par la tradition non seulement à la langue des auteurs juifs du Moyen Âge, mais aussi à celle des époques suivantes, jusqu'au XIXᵉ siècle. À cette impropriété du terme, un autre inconvénient s'ajoute : bien qu'il s'agisse d'une langue uniquement écrite et donc moins susceptible d'évolution, le style des auteurs, variant avec les époques, offre une assez large variété, et il est difficile de le caractériser par un seul qualificatif, surtout celui de « médiéval ».

Après 70, la littérature hébraïque s'était dispersée en foyers nombreux, dont ceux de Babylone, d'Alexandrie, d'Antioche, d'Athènes et de Rome. Ici s'illustrent les noms de l'historien renégat Flavius Josèphe, du philosophe Philon, et, beaucoup plus tard, d'auteurs qui, dans le monde musulman, à Kairouan, à Fès, à Grenade, au Caire, écriront, non seulement en arabe, mais aussi en hébreu, des œuvres qui restaureront la langue de la Bible, soit en étudiant ses sons, comme Juda ben David Hayyuj au Xe siècle, soit en la prenant comme matériau de somptueux poèmes, comme Juda Halevi au XIIe, ou de traités philosophiques ou grammaticaux, comme, à la même époque, Avicébron (ibn Gabirol) et Abraham ibn Ezra respectivement, ou encore d'œuvres ésotériques, comme le kabbaliste portugais Isaac Abravanel au XVe siècle.

Encore ne sont cités ici que quelques noms, le présent chapitre n'ayant pas pour objet de dresser un inventaire, mais de reconnaître certains jalons du destin de l'hébreu. Celui dont il s'agit ici est célèbre comme époque de lustre de l'hébreu en tant que langue littéraire. Des auteurs, en arabe et en hébreu, expriment leur talent dans le cadre culturel généralement tolérant des pays arabes d'Orient, et surtout, pendant près de huit siècles, jusqu'à la reconquête catholique, ils participent à l'éclat intellectuel et religieux de l'Espagne musulmane. C'est le premier âge d'or de la langue et de la littérature hébraïques après la dispersion. Mais on ne saurait parler de renaissance. L'hébreu n'est toujours qu'une langue écrite.

L'hébreu et la Haskala

Les spécialistes appellent *Haskala* (de *sekel* « intelligence ») l'équivalent juif de ce qu'on nomme en Occident les Lumières, c'est-à-dire une floraison de penseurs brillants, dits (sur le même radical) *maskilim*, qui, à la fin du XVIIIe siècle et au XIXe, inspirés par les philosophes français, anglais et allemands des générations précédentes, ont favorisé une renaissance de la culture juive, en s'efforçant de l'ouvrir aux valeurs de la civilisation européenne, sans trahir les traditions historiques du judaïsme. La question de la langue hébraïque a, comme on peut le comprendre, particulièrement sollicité la réflexion des *maskilim*.

M. Mendelssohn, et surtout ses amis, regroupés autour de N. H. Wessely, fondent en 1784 le premier périodique littéraire hébraïque, *Ha-me'assef* (« Anthologies »). Ils y reprennent l'inspiration de M. H. Luzzatto, dont l'œuvre, au début du XVIIIe siècle, avait donné à la poésie hébraïque une beauté renouvelée, qu'elle n'avait plus connue depuis l'âge d'or espagnol. Ils proposent d'adapter l'hébreu aux temps modernes, afin de pouvoir en faire un instrument d'expression des sciences profanes.

Ils entendaient désacraliser en quelque mesure la vénérable langue de la Bible, précisément pour lui permettre de « revivre », au moins par écrit, en étant capable d'exprimer d'autres réalités que religieuses et liturgiques. Mais paradoxalement, ils exaltèrent, pour tourner le dos au *pilpoul* (« sophistique ») des argumentations rabbiniques, la langue pure des prophètes. Pourtant, les *maskilim* n'étaient pas de simples imitateurs du style de la Bible, comme furent imitateurs du latin de Virgile, au Ve siècle, les poètes Claudien ou Saint-Avit, ou beaucoup plus tard, en France, les auteurs d'œuvres poétiques latines, J.-B. Santeul à la fin du XVIIe siècle ou M. de Polignac au début du XVIIIe. Les *maskilim*, au contraire, souhaitaient, pour l'hébreu, moderniser le lexique. Mais ils s'en tenaient à la Bible, dont on sait que le vocabulaire est limité, alors que l'hébreu michnique pouvait fournir un terreau de néologie. Le résultat est que, faute de mots en nombre suffisant dans ce corpus restreint, les *maskilim* inventèrent un grand nombre d'expressions composées, dont la gaucherie peut faire sourire aujourd'hui (cf. p. 314-315). On appellera par dérision *melitsa* (« (style qui cultive la) figure de rhétorique ») la manière empesée de ces hommes de bonne volonté.

Du moins, les *maskilim* avaient fait la démonstration d'un principe essentiel, même si leur façon de l'appliquer était maladroite : il est possible d'adapter une langue très ancienne, sortie depuis fort longtemps de l'usage oral, à des réalités modernes, en construisant des mots nouveaux. La leçon, on va le voir, ne sera pas oubliée.

L'hébreu écrit à partir du milieu du XIXᵉ siècle

Les *maskilim* eurent des émules dans de nombreux pays de la diaspora, et notamment en Russie. Beaucoup d'écrivains exercèrent leur talent dans des œuvres qui célébraient les heures les plus prestigieuses de l'ancienne histoire juive. Au milieu du XIXᵉ siècle, la presse hébraïque est illustrée par de nombreux titres, et à la fin du même siècle, un écrivain, M. L. Lilienblum, préconise la renaissance nationale, tandis que d'autres, comme Mendele M. Sforim, souvent considéré comme le père de la littérature hébraïque moderne, osent aborder des réalités moins flatteuses que l'ancien Israël, à savoir la vie douloureuse et pittoresque des ghettos d'Europe centrale, avec laquelle les *maskilim* avaient voulu rompre, pour ce qu'elle symbolisait, à leurs yeux, de rétrograde et de misérable. Une pléiade d'écrivains remarquables apparaît alors, la plupart d'origine russe ou ukrainienne, comme S. Tchernikhovsky et surtout H. N. Bialik, qui enrichit l'hébreu écrit par des œuvres puissantes, où la langue, pleine de néologismes, dénote une créativité rare.

Les héritiers de la *Haskala* n'hésitent pas, non plus, à dénoncer l'oppression antisémite, et cette dénonciation est directement, et logiquement, liée à la revendication de l'indépendance nationale, dont pourtant on n'aperçoit pas encore la conséquence logique sur le plan de la langue. C'est sur ce terreau que naît l'idéologie du sionisme, initialement conçu comme doctrine de libération du peuple juif. Les sionistes sont loin de considérer tous l'hébreu hypothétiquement ressuscité comme langue obligée des Juifs. Il est révélateur, en particulier, que T. Herzl n'envisageât, pour l'État juif, sur lequel il écrivit, en 1896, le fameux livre qui portait ce titre même et qui consacra la doctrine sioniste, qu'une solution plurilingue, à la manière helvétique, où l'hébreu n'intervenait pas...

L'hébreu n'était plus vivant, mais il n'était pas mort

On peut comprendre l'attitude d'une partie des sionistes face au problème de la langue. L'hébreu n'était plus parlé depuis le IIIe siècle. De ce point de vue, on pourrait dire qu'il était mort. Mais il y a la parole et il y a la langue (cf. chap. III). Bien plus, l'hébreu était loin d'être mort au sens où le sont le sumérien ou l'akkadien. Sorti de l'usage courant, n'ayant plus, depuis très longtemps, retrouvé la parole, l'hébreu, pour autant, était tout le contraire d'une langue pétrifiée et privée de vie. Un signe éclatant de cet état fort particulier est que l'on ne cessa jamais de créer des mots nouveaux et des tournures nouvelles en hébreu, du Moyen Âge au XXe siècle en passant par la *Haskala*. Cette créativité néologique s'explique par le fait que l'hébreu nécessitait des innovations, justement parce qu'il remplissait pleinement ses fonctions de langue de l'échange écrit, non seulement entre les rabbins, mais aussi entre les marchands (cf. Turniansky 1994, 420-421). Faut-il rappeler qu'il était utilisé pour la comptabilité, et depuis longtemps ?

L'hébreu allait bénéficier des idées nouvelles de la fin du XIXe siècle. Lilienblum fonde en 1880 le mouvement des « Amants de Sion », dont les adeptes, M. M. Dolitzki, N. H. Imber, D. Frischmann, N. Sokolow, écrivains, poètes, critiques littéraires, journalistes, proches des thèses socialistes qui fleurissent en Europe centrale et orientale à la fin du XIXe siècle, créent l'atmosphère intellectuelle propice à une idée folle, que personne, jusque-là, n'a explicitement défendue, même si certains en rêvent sans oser imaginer qu'aucune mise en œuvre soit seulement possible : la renaissance de l'hébreu. Il ne manque donc plus qu'un homme pour la faire passer du rêve à la réalité. Cet homme existe. Il écoute. Il lit. Il s'informe. Il participe. Il est prêt à intervenir. Il s'appellera Eliezer Ben Yehuda.

La résurrection de l'hébreu

La résurrection de l'hébreu est liée au nom de Ben Yehuda. Mais on verra que les faits sont moins simples, et que d'autres que lui ont également joué un rôle essentiel. On verra également que l'homme rencontra une sérieuse hostilité parmi certains milieux juifs.

L'INTUITION DE BEN YEHUDA

La quiétude sacrée
et les bouillonnements profanes

Quand Eliezer Perelman, qui prendra plus tard le nom sous lequel il est célèbre, naît en 1858 à Louchki, la Lituanie, où se trouve cette ville, est administrée par les fonctionnaires du tsar. Le russe fait donc partie des langues avec lesquelles l'enfant est vite en contact, les autres étant le lituanien probablement et le yidiche certainement. Il lit tôt l'hébreu biblique et l'araméen, non seulement parce qu'il a l'esprit très vif et qu'il est dévoré de curiosité, mais aussi parce que son oncle, qui pourvoit à son éducation, l'envoie dans une école talmudique de Polotsk (aujourd'hui en Biélorussie). L'adolescent s'enferme alors dans l'étude des textes sacrés et dans le dédale des interprétations rabbiniques. Il songe même à apporter sa contribution aux savantes exégèses, quand il fait une rencontre importante : celle d'un rabbin progressiste. Ainsi lui est découvert un monde profane, celui des auteurs juifs séculiers, et des thématiques littéraires, politiques et sociales sur lesquelles ils écrivent. Il se met à lire avidement ces ouvrages. Mais apprenant qu'Eliezer ne se contente plus de l'herméneutique du *Talmud*, l'oncle le chasse avec indignation (cf. Zananiri 1978, 4).

Cet épisode initial de sa vie est déjà révélateur des choix auxquels Ben Yehuda sera conduit plus tard. Les épisodes suivants ne le sont pas moins. Recueilli par une famille favorable à l'assimilation comme moyen, pour les Juifs, d'élargir leur champ d'action, il la quitte ensuite pour le lycée gouvernemental de Dunabourg (aujourd'hui Daougavpils, en Lettonie), où il rencontre, dans un milieu urbain fort différent de celui de la yeshiva de Polotsk, d'autres Juifs aux parcours très divers, mais aussi des chrétiens.

Le peuple juif, l'hébreu et l'indépendance nationale : une constante millénaire

Ben Yehuda songe, un moment, à poursuivre ses études à l'université de Saint-Pétersbourg, et à devenir professeur, afin de pouvoir un jour affranchir les esprits de la soumission au pouvoir oppressif du tsar. Mais il prend bientôt conscience que le milieu où il a grandi et la personnalité qu'il s'est façonnée lui dessinent, qu'il s'agisse des études religieuses ou de la littérature profane, un profil entièrement différent de celui d'un Russe ordinaire : le profil d'un Juif, qui rencontre, et doit résoudre, des problèmes propres aux Juifs. C'est ainsi que, tout en partageant l'indignation qui soulève l'intelligentsia russe lors de la guerre turco-bulgare en 1878, c'est au peuple juif que Ben Yehuda, qui vient d'avoir vingt ans, découvre soudain la nécessité d'appliquer ce que la rumeur générale, parmi les gens éclairés, veut appliquer aux peuples opprimés : le principe de l'émancipation, qui donne les moyens de se libérer d'une tutelle étrangère le plus souvent pesante. Puisque les démocraties approuvent pleinement, et même encouragent, depuis le début du XIXe siècle, le combat des peuples grec, arménien, bulgare pour leur indépendance et leur unité, pourquoi n'approuveraient-elles pas celui du peuple juif ?

Cette intuition, qui surgit dans son esprit à cette époque même, guidera toute sa vie. Mais la restauration de la nation ne saurait être seule en cause. Celle de la langue en est intimement solidaire. Et Ben Yehuda franchit le pas que les autres ne se résolvaient pas à franchir, en raison de leur conception de la langue écrite. Par là, Ben Yehuda ne faisait que s'inscrire dans une logique millénaire de l'histoire juive. On l'a vu ci-dessus à propos de la restauration de Néhémie et d'Esdras, on l'a vu de nouveau au sujet de la révolte des Maccabées, on l'a vu encore lors du rappel des événements qui marquèrent l'insurrection de Bar Kochba. Partout et toujours, chez les enfants d'Israël, l'attachement à l'hébreu est lié à l'indépendance nationale, ou, si elle fait défaut, au projet de sa restauration. Partout et toujours, la perte de la liberté, ou pis encore, l'asservissement, est accompagné ou suivi de l'oubli de l'hébreu, et la dispersion achève l'œuvre des armes, en tuant la langue. Tels avaient été les faits après la destruction du Premier temple, celui de Salomon, où s'incarnait la splendeur de Juda. Tels ils furent, de nouveau, quand le Second temple fut anéanti à son tour. Tel est le destin d'Israël : la langue suit la nation ; elle meurt avec elle. Elles ne peuvent donc renaître que solidairement. Le sionisme de Ben Yehuda est linguistique parce qu'il est politique.

Ainsi, le lien entre la restauration de la nation et celle de la langue est chez, Ben Yehuda, une obsession précoce. Non qu'il s'agisse en soi d'une spécificité juive. Dans d'autres cultures, l'action des restaurateurs de l'État a illustré ce même lien. Lorsque les Rois catholiques viennent d'achever la Reconquête après la chute de l'émirat de Cordoue, en 1492, A. de Nebrija ne fait que refléter l'idéologie monarchique quand il écrit dans sa *Grammaire* du castillan, publiée à ce moment même : « toujours, la langue accompagne le pouvoir ».

Mais ce qui est particulier dans le cas de Ben Yehuda, c'est que la restauration de l'hébreu, si elle est associée à celle de l'identité nationale et liée à une terre, ne postule pas encore ouvertement une indépendance politique. Le plus urgent est la langue. Ben Yehuda était sioniste. Mais mort en 1922, il n'a pu connaître l'État d'Israël. On peut seulement supposer que s'il avait été contemporain de sa création, il aurait considéré qu'elle s'insérait dans la continuité de l'histoire juive. Qu'il soit permis d'ajouter, néanmoins, une considération annexe : Ben Yehuda s'intéressait à la langue arabe, à laquelle il recommandait d'emprunter beaucoup de mots ; il connaissait bien les grands ouvrages juifs de l'âge d'or, qui purent éclore, au Moyen Âge, dans des pays musulmans ouverts à l'épanouissement de la culture juive ; on peut présumer qu'il aurait mal accepté le style moderne de rapports avec les populations arabes de Palestine. Mais c'est là un autre débat.

LES DÉBUTS DE L'ACTION
AVANT LE DÉPART

Le séjour à Paris et l'Appel

Les grands desseins sont conçus dès le printemps de l'âge. Ben Yehuda n'a pas dépassé vingt et un ans lorsqu'il rédige son Appel au peuple juif. Les circonstances qui l'y poussent sont très particulières. Il se trouve à Paris, où il est venu avec l'intention précise d'étudier les principes de formation des États. Il est impressionné par les cours de Renan, au Collège de France, sur la transcendance de la raison, ainsi que par le sens du bien public et l'idéal de justice et de paix sociale qu'il a trouvés chez Gambetta, en qui il voit le modèle à suivre, une sorte de réplique laïque des anciens prophètes hébreux. En quête de grands exemples, il rencontre aussi d'autres illustres personnages chargés d'années et de renom, comme Victor Hugo. Mais il est déçu par l'accueil des dirigeants juifs, auxquels il s'est ouvert de ses projets, et qui ne voient en lui qu'un rêveur de ghetto, espèce de météores aussi prompts à se dissiper dans la nuit qu'à surgir pour la trouer. Or un épisode dramatique va précipiter le cours de sa vie. Dans les cafés où, avec ses amis, il refait le monde et parle un jour en hébreu pour la première fois, il se nourrit seulement, en même temps que de projets grandioses, d'une tasse de thé. Epuisé par le surmenage et la misère, il contracte la tuberculose. On ne savait pas la traiter à cette époque, et les médecins ne lui cachent pas leur diagnostic.

Ben Yehuda décide donc de ne pas mourir avant d'avoir livré au monde son message, qui est contenu dans un *Appel*. Ce dernier est accepté par Smolenski, éditeur du mensuel juif viennois *Ha-Shahar*, dont l'inspiration générale est, dans la continuité de la *Haskala*, d'aider les lecteurs à prendre conscience de l'importance de la science pour le peuple juif, ainsi que d'augmenter le nombre des fervents de la langue hébraïque. Pas plus que ses contemporains Smolenski ne pouvait aller jusqu'à concevoir la nécessité, ni même la possibilité, de faire de l'hébreu la langue parlée d'une nation juive restaurée. Mais c'est un esprit ouvert, et il permet à Ben Yehuda, alors étudiant inconnu, d'exprimer des idées qu'il « ne partage pas entièrement ». L'*Appel* est publié en 1879 sous le titre « Une question importante ». C'est le tout premier acte de la résurrection de l'hébreu.

La lettre à Smolenski : 1880

D'Alger, où il s'est rendu en espérant y recouvrer la santé ainsi que pour y entendre la prononciation sépharade de l'hébreu, seule fidèle à la langue ancienne contrairement à la prononciation achkénaze des Juifs européens, Ben Yehuda écrit à Smolenski une lettre ouverte, que celui-ci publie dans son journal en 1880. Le passage principal, où il expose son credo, est ainsi rédigé :

> « Pourquoi en êtes-vous arrivé à la conclusion que l'hébreu est une langue morte, qu'elle est inutilisable pour les arts et les sciences, qu'elle n'est valable que pour les "sujets qui touchent à l'existence d'Israël" ? Si je ne croyais dans la rédemption du peuple juif, j'aurais écarté l'hébreu comme une inutile entrave. J'aurais admis que les Maskilim de Berlin avaient raison de dire que l'hébreu n'avait d'intérêt que comme un pont vers les lumières. Ayant perdu l'espoir dans la rédemption, ils ne peuvent voir d'autre utilité à cette langue. Car, Monsieur, permettez-moi de vous demander ce que peut bien signifier l'hébreu pour un homme qui cesse d'être hébreu. Que représente-t-il de plus pour lui que le latin ou le grec ? Pourquoi apprendrait-il l'hébreu, ou pourquoi lirait-il sa littérature renaissante ?
>
> Il est insensé de clamer à grands cris : "Conservons l'hébreu de peur que nous ne périssions !" L'hébreu ne peut être que si nous faisons revivre la nation et la ramenons au pays de ses ancêtres. C'est la seule voie pour réaliser cette rédemption qui n'en finit pas. Sans cette solution nous sommes perdus, perdus pour toujours.
>
> [...] Il ne fait guère de doute que la religion juive sera capable de survivre, même en terre étrangère. Elle changera son visage selon l'esprit du moment et du lieu, et son destin sera celui des autres religions. Mais la nation ? La nation ne pourra vivre que sur son sol, et c'est sur cette terre qu'elle renouvellera sa jeunesse et qu'elle produira de magnifiques fruits, comme dans le passé. »

Les convictions de Ben Yehuda sont claires. Il est inutile de les commenter davantage. Les débats sur la légitimité de l'hébreu dans l'État d'Israël ne sont plus aujourd'hui des débats d'idées. Ce qui s'est produit répond à ce qu'il souhaitait, bien que de son temps il ne se soit agi que d'un rêve de visionnaire. Que serait l'histoire des hommes, s'il n'y avait eu quelquefois, ici ou là, des êtres de cette stature ?

Ben Yehuda et les projets linguistiques des Juifs de son temps

• Attitude des Juifs d'Europe, au XVIIIᵉ siècle, face à l'existence de deux langues : une écrite et une parlée

En dépit des efforts qu'ils prodiguaient pour adapter l'hébreu à l'expression des réalités de leur temps, aucun des écrivains et théoriciens de la *Haskala* ne pouvait songer à le faire renaître en tant que langue parlée. Pour comprendre cette attitude, il convient de se représenter le cadre culturel dans lequel ils vivaient, celui de l'Europe chrétienne à l'âge classique. Bien que les langues nationales se fussent affirmées comme monuments littéraires dès la fin du Moyen Âge, le latin demeurait langue de culture savante, et il gardait une part du prestige que lui avait longtemps valu son statut de langue écrite unique. Il n'était donc pas choquant, même à la fin du XVIIIᵉ siècle, de se servir d'une langue littéraire distincte de celle que l'on parlait. À cet état d'esprit général des milieux lettrés, il s'ajoutait, dans le cas de l'hébreu, trois considérations : d'une part, l'antiquité de son âge de gloire, qui était celle des temps bibliques, d'autre part le fait que son statut était celui d'une langue sacrée, et enfin l'absence d'un lieu de déploiement de la vie nationale, notion avec laquelle l'idée d'un hébreu vivant était liée dans la pensée juive.

Le statut de l'hébreu par rapport au yidiche ne reflétait pas exactement cette idée classique d'une opposition entre l'écrit et le parlé. Car l'hébreu avait une tout autre finalité que le latin. Jusqu'à la fin du XVIIIᵉ siècle, les Juifs d'Europe centrale et orientale étaient habitués à l'opposition entre la langue sacrée, jamais employée dans l'échange oral, et le yidiche, qui avait, pour l'essentiel, cette dernière fonction, bien qu'il eût aussi été utilisé dans des œuvres écrites depuis longtemps. Pour autant, les réformateurs juifs du XVIIIe siècle ne voyaient pas dans le yidiche une langue d'avenir, et lui tournaient le dos.

• Gloire du yidiche au XIXe siècle

Les idées de l'âge classique sur le yidiche allaient être remises en cause plus tard. Sa rénovation et l'acquisition d'une dignité littéraire furent les faits marquants de la seconde moitié du XIXe siècle. Devenant alors langue écrite de plein droit, il occupe de plus en plus résolument tous les domaines, par une sorte d'explosion : prose, poésie, théâtre, essais, etc. En 1908, à la conférence de Tchernowitz, il reçoit la reconnaissance des élites juives d'Europe centrale.

• Les risques de fracture : la sécularisation de la langue sacrée face aux conquêtes littéraires du yidiche, ou les Juifs d'Europe centrale et orientale en possession de deux langues d'identité

Les rabbins utilisaient le yidiche pour commenter aux masses, qui ne comprenaient plus l'hébreu, les textes qu'ils écrivaient en langue sacrée sur des thèmes religieux. Mais lorsque le yidiche commença de conquérir avec un dynamisme croissant la littérature, bien plus qu'il ne l'avait jamais fait, les communautés juives se trouvèrent disposer de deux langues écrites. En effet, au moment même où le yidiche obtenait une véritable promotion littéraire, il apparaissait aussi une floraison d'écrivains remarquables qui se servaient de l'hébreu. Ils le faisaient plus encore que ceux de l'âge d'or espagnol, qui avaient aussi écrit en arabe. Et surtout, contrairement à ces derniers, ils traitaient des sujets profanes (romans, théâtre et poésies essentiellement). Ces écrivains juifs de la seconde moitié du XIXe siècle, dont j'ai cité quelques noms plus haut, réalisaient donc une entreprise presque sans précédent dans la culture juive : la sécularisation de la langue sacrée. Dès lors, une concurrence de fait s'installait entre le yidiche et l'hébreu, tous deux devenus langues de la littérature juive.

Les mêmes Juifs qui avaient été, à l'époque précédente, parmi les hérauts de la doctrine romantique de la langue nationale unique, en laquelle s'exprime l'âme de chaque peuple (cf. Fishman 1994, 432), surgissaient sur la scène culturelle avec deux langues d'identité !

• Le choix de Ben Yehuda

Cette époque est celle-là même de la maturité de Ben Yehuda. Bien que porté par un courant puissant, il sera seul à conduire le dessein vers sa conclusion logique. Certes, les nombreux sionistes et socialistes qu'il a lus et rencontrés aimaient et respectaient l'hébreu, l'utilisaient, de préférence au yidiche, dans leurs publications, en s'efforçant, pour la plupart, d'imiter les prophètes, et en prônant une norme puriste. Mais la langue dont le choix, en cas de retour à Sion, paraissait s'imposer était celle que tous les Juifs d'Europe centrale et orientale parlaient dans leur vie quotidienne : le yidiche. Ce dernier était, au surplus, promu par ceux qui, dans les dernières années du XIXe siècle, avaient fondé le Bund, parti socialiste des travailleurs de Lituanie, Pologne et Russie, plus tard lié aux mencheviks, et préoccupé non pas des droits nationaux du peuple juif, mais plutôt de la lutte contre l'antisémitisme, et des moyens de faire attribuer une pleine citoyenneté aux Juifs dans leurs pays respectifs. Le yidiche, cela dit, n'avait pas uniquement des amis. Il suscitait aussi des réticences, qui reprenaient celles des temps de la *Haskala*. Langue du ghetto, il apparaissait à certains comme le symbole, sans prestige, d'une tradition de misère et d'oppression. D'autres encore tantôt voulaient le promouvoir et tantôt s'en dépreniaient. Du moins Ben Yehuda, face à ces antagonismes et à ces palinodies, proposait-il une solution claire, même si elle paraissait utopique.

En 1881, pour réaliser le projet que décrit clairement sa lettre à Smolenski, Ben Yehuda émigre en Palestine. Son action, dès lors, s'exercera dans cinq directions précises (cf. Hadas-Lebel 1980 a) : l'adoption de l'hébreu comme langue familiale, le journalisme, l'enseignement, le dictionnaire, le Comité de la langue.

Les débuts : l'hébreu en famille, le journalisme

• La première famille hébréophone du monde moderne

Ben Yehuda fonde la première famille hébréophone du monde moderne, ayant pris la décision d'élever en hébreu les enfants que lui donne son épouse, rencontrée autrefois à Polotsk. Non content de mettre ainsi ses idées en pratique dans sa vie privée, il lance en outre des appels à la population locale comme à la diaspora, pour encourager chacun à parler l'hébreu en famille. Pourtant, les sarcasmes ne manquent pas, ni les avertissements ; quelqu'un lui dit un jour : « Si vous ne parlez qu'une langue morte à vos enfants, vous en ferez des idiots ! » Mais il demeure sourd aux admonestations.

L'effort pour convaincre les familles de faire entendre l'hébreu aux enfants dès le berceau n'aura pas de résultat convaincant. De l'aveu même de Ben Yehuda, seules quatre familles de Jérusalem, dix ans après son immigration, n'utilisaient que l'hébreu. Selon le journal *Hashkafa* (n° 19), les familles de ce type étaient au nombre de dix en 1900. En 1930, Y. Klausner, qui, d'Odessa, était venu joindre ses efforts à ceux de Ben Yehuda, pouvait encore écrire : « La majorité de ceux qui arrivent en Palestine ne font pas de l'hébreu leur langue propre et habituelle, la langue de leur foyer et de leur vie. » Peut-être un tel jugement, à une telle date, est-il un peu pessimiste. Quoi qu'il en soit, c'est dans la décennie suivante, et surtout après 1945, que l'hébreu est devenu la langue courante de tous les Juifs de Palestine.

• Le journalisme

Si Ben Yehuda peut lancer ses appels en faveur de l'hébreu dans les foyers, c'est grâce à sa deuxième activité : le journalisme. Il fonde en effet un journal dont il surveille l'impression, pour lequel il n'a que peu de collaborateurs, et qu'il distribue lui-même, au prix d'un labeur exténuant. D'autres journaux succéderont à celui-là, et tous connaîtront de nombreuses vicissitudes. Ben Yehuda utilisera la presse non seulement pour promouvoir l'utilisation de l'hébreu, mais aussi pour faire connaître ses créations néologiques.

La suite de l'action en Palestine : l'enseignement de l'hébreu (en hébreu) à l'école maternelle comme facteur essentiel de la renaissance de la langue

L'activité de journalisme ne produit pas tous les fruits attendus, faute de moyens et de temps. En revanche, l'enseignement aura un effet puissant à court et à long terme. Cependant, le mérite n'en revient pas au seul Ben Yehuda. En effet, recruté dans une école de l'Alliance Israélite où il était devenu solidaire du directeur, en butte à l'hostilité des parents qui dénonçaient la sécularisation de l'hébreu, Ben Yehuda tombe malade après trois mois, et doit renoncer à l'expérience.

Mais la méthode d'enseignement direct, qui consiste à ne parler qu'en hébreu, sera appliquée après lui par une pléiade d'excellents maîtres, qui croyaient à son œuvre, l'avaient suivie depuis longtemps et ne demandaient qu'à participer à cette folle entreprise. Ils rédigèrent des manuels, et s'en servirent dans les classes. En 1889, des jardins d'enfants étaient, créés, où l'hébreu seul était pratiqué (cf. Masson 1983, 455). On doit considérer ce moment comme décisif dans l'histoire de la renaissance de l'hébreu. Car jusqu'alors seuls des adultes le parlaient, qui, quels que fussent leur enthousiasme et leur bonne volonté, avaient été habitués, depuis leur enfance, à formuler leur pensée dans une autre langue. Désormais, au contraire, des êtres au début de leur vie apprenaient à exprimer leurs premières pensées en hébreu. C'est alors seulement que l'hébreu entrait sur la voie qui pouvait le conduire à être une langue comme les autres.

L'étape suivante de l'action en Palestine : le Grand Dictionnaire de la langue hébraïque ancienne et moderne

• Un travail non dépassé jusqu'à nos jours

L'œuvre la plus importante aux yeux de Ben Yehuda, et à laquelle il consacra la plus grande partie de son activité en Palestine, n'était pas tout à fait sans précédents. Même si l'on ne remonte pas à l'Égyptien Saadia ben Yosef, *gaon* (chef) d'une grande école syrienne de traducteurs et fondateur de la tradition grammairienne hébraïque, qui rédigea des travaux lexicographiques au début du Xe siècle, on peut au moins rappeler qu'au XIXe siècle avaient été publiés des dictionnaires et lexiques bibliques ou talmudiques, dont aucun n'embrassait une très large période. Le seul qui le fît, et dont on puisse considérer l'auteur comme un véritable précurseur de Ben Yehuda, est un ouvrage paru en Allemagne. Il s'agit du *Dictionnaire général complet néohébreu-allemand*, que M. Schulbaum, traducteur de poésies et de traités scientifiques allemands en hébreu, entreprit de composer à partir de 1880, pour résoudre les difficultés considérables de cette tâche. Il puisa la matière de son dictionnaire dans un corpus étendu, tenant compte du yidiche (imprégné d'hébreu) autant que de l'hébreu biblique. Il refusait les périphrases complexes des *mas-kilim*, et recommandait de s'inspirer des autres langues sémitiques pour renouveler de l'intérieur le lexique de la langue, fort peu adapté à l'expression des actes et objets de l'existence quotidienne, car, disait-il, « il manque presque tout en hébreu ».

Ben Yehuda connaissait sans doute le dictionnaire de Schulbaum. Constatant lui aussi l'indigence de l'hébreu quant à l'expression des choses de la vie moderne et quoti-dienne, il commence par publier des lexiques de termes usuels de divers domaines. Mais bientôt, il comprend qu'en dépit de son absence de formation en lexicographie, il lui faut engager des recherches beaucoup plus impor-tantes, afin de parvenir, sur la base de matériaux aussi vastes que possible, à une connaissance véritable des sens des mots et de leurs évolutions. Il va donc, en utilisant une méthode comparable à celle de Schulbaum, couvrir la tota-lité de la littérature en hébreu, depuis la Bible jusqu'aux ouvrages des auteurs classiques, modernes et contempo-rains, en passant par la Michna, les deux Talmuds, les livres exégétiques, les recueils de poésie, de philosophie, de grammaire, la Cabbale, les écrits médiévaux, les emprunts hébraïques de tous niveaux dans les langues juives. Labeur titanesque...

Ben Yehuda n'apprécie que modérément les pastiches bibliques de la *Haskala*. Mais il accorde une attention par-ticulière à la période talmudique, et davantage encore à la langue michnique, où il reconnaît, à juste titre, l'état le plus récemment attesté de l'hébreu parlé. Il nourrit une grande estime pour l'âge d'or espagnol, et il puisera dans l'arabe, comme le faisaient les auteurs juifs de cette période. Il s'intéresse également aux écrits des Karaïtes, cette communauté de croyants qui, contestant le caractère obligatoire de la Michna et du Talmud, issus de commen-taires oraux, et ne reconnaissant d'autorité qu'à la Loi écrite, étudient soigneusement le texte de la Tora.

Ainsi, Ben Yehuda n'examine pas seulement l'hébreu, mais aussi les judéo-langues, les formes successives de l'araméen hébraïsé, et d'autres idiomes encore. Il est heureux pour l'hébreu que Ben Yehuda n'ait pas été linguiste, car seul un amateur pouvait avoir assez de témérité, ou d'inconscience, pour se lancer dans une aventure semblable. Non seulement un linguiste professionnel n'aurait pas cru à la possibilité de faire renaître l'hébreu, mais en outre, il n'aurait pas essayé de se mesurer, pour affronter un tel défi, à la tâche dans laquelle Ben Yehuda a sacrifié une santé déjà compromise.

Pour accomplir cette tâche, Ben Yehuda ne se contente pas de travailler dans les bibliothèques de Jérusalem. Il se rend dans celles d'un grand nombre de villes du monde, afin d'y consulter les ouvrages nécessaires à sa recherche. Le dictionnaire devient un véritable Thesaurus. Bien que, selon H. N. Bialik, il n'ait couvert que le centième de la matière totale, Ben Yehuda lira ou parcourra 40 000 ouvrages, et copiera 500 000 citations, en travaillant dix-huit heures par jour. Pour trouver les fonds nécessaires, il est beaucoup aidé par sa seconde épouse (sœur de la première, décédée), qui rend visite à divers philanthropes et savants, dont elle sollicite le concours financier ou les recommandations. Et le 5e volume, qui se clôt avec la page 3000, paraît avant que Ben Yehuda ne meure en 1922. Les épreuves des deux suivants, prêts du vivant de l'auteur, sont corrigées par ses disciples. Les 11 derniers volumes, du 6e au 16e, sont préparés et complétés, dans le respect de son esprit, par une équipe d'élèves et amis.

Le *Dictionnaire* de Ben Yehuda contient, pour chaque entrée, une traduction en allemand, en russe, en français et en anglais, ainsi que l'indication de la racine arabe correspondante. En outre, l'auteur marque ses créations d'un signe, afin de laisser le lecteur libre de les accepter ou de les refuser. L'ouvrage est loin d'être sans défaut, et on y a relevé bien des erreurs et omissions, aisément explicables quand on songe que Ben Jehuda a conduit presque seul, ou

avec des collaborateurs chargés de tâches purement techniques, un travail qui aurait nécessité une importante
équipe. Cela dit, l'œuvre est sans équivalent jusqu'à nos
jours. Aucun dictionnaire comparable, en dépit des
moyens modernes, n'a encore été mené à son terme.

• Les apports personnels de Ben Yehuda inventeur de mots

En hébreu israélien comme dans d'autres langues, les
mots forgés par des écrivains aimés du public rivalisent
avec les néologismes des savants. 500 mots d'aujourd'hui
seraient dus à H. N. Bialik, alors que l'on crédite Ben
Yehuda de 200 mots environ. Ben Yehuda ne se flattait pas
d'être un grand façonneur de néologie devant l'Eternel. Il
souhaitait qu'une partie, au moins, de ses créations s'inté-
grât assez pour que personne ne se souvînt plus qu'il en
détenait la paternité. Il évitait d'inventer quand d'autres
solutions étaient possibles. Il appliquait, avec toute la
modération d'un homme d'étude, assez bien informé pour
un quasi-autodidacte en lexicographie, les principes qu'ont
appliqués bien d'autres réformateurs de langues, qu'il
s'agisse du hongrois, du finnois, de l'amharique, du turc,
du mongol, du chinois, du coréen ou d'autres encore (cf.
Hagège 1983) : ne recourir à un terme d'origine étrangère
(ou, dans le cas particulier de l'hébreu, à un terme araméen hébraïsé), que lorsqu'aucune des couches successives de l'histoire de la langue n'a pu fournir de terme
autochtone ; ne créer de termes, si l'on ne peut procéder
autrement, que sur la base de racines attestées, ou du
moins présentes dans une langue génétiquement apparentée, ce qui, dans le cas de l'hébreu, signifie l'araméen ou
l'arabe ; ne pas introduire de mot qui ne soit indispensable
(comblant une lacune du lexique) et bien formé (respec-
tant les règles structurelles de la morphologie).

Ainsi, Ben Yehuda a remplacé des composés assez
gauches, dus aux *maskilim*, par des mots plus légers, qui se
sont imposés dans la langue contemporaine : au lieu de

beyt-'okhel (= « maison – (à) manger ») pour « restaurant »,
sefer-milim (= « livre – (de) mots », calque de l'allemand
Wörterbuch) pour « dictionnaire », *ich-tsava* (« homme –
(d') armée ») pour « soldat », il a forgé, respectivement,
mis ʃada (préfixe *mi-* de nom de lieu sur une racine signifiant « prendre un repas »), *milon* (terme formé sur le
radical de *mila* « mot », non pas mis au pluriel *milim*, mais
élargi du suffixe *-on*), *xayal* (sur une racine signifiant
« force »). Ben Yehuda donne parfois un sens profane à des
mots religieux de la Bible. Parmi les termes qu'il emprunte
à l'araméen biblique, on trouve *ketiv* « orthographe », à
l'araméen talmudique, *hitnagdut* « opposition », *'adich*
« indifférent ». Et calquant l'arabe, qui, à partir de *huwa*
« il », dérive *huwiyya* « identité », il forme *zehut* « identité » sur le démonstratif *zeh* « ce ».

Le dernier aspect de l'action en Palestine : le Comité de la langue ; la renaissance de l'hébreu est une œuvre collective

Ben Yehuda ne travaillait pas tout à fait seul, il s'en
faut. Après un essai infructueux, il crée en 1904 un Comité
de la langue, dont les travaux couvriront un demi-siècle.
Une des raisons de cette décision est facile à comprendre.
Après les grandes difficultés initiales pour implanter
l'hébreu en Palestine, de nombreux maîtres avaient été
recrutés par les écoles hébraïques, en plein essor depuis les
premières années du XXe siècle. Ils commençaient à
résoudre selon leurs choix individuels les problèmes phonétiques et lexicaux que posait leur enseignement. Ben
Yehuda et ses amis jugèrent qu'une instance consultative
capable de répondre aux soucis des maîtres était devenue
nécessaire. L'effectif du Comité de la langue passa de sept
membres au début à onze en 1910. Il avait pour tâche de
publier des listes de mots, ainsi que de veiller à faire respecter une certaine norme, comme il arrive en période
d'ébullition linguistique, et d'autant plus qu'il ne s'agissait

pas d'une langue ordinaire, mais d'une langue morte que l'on exhumait d'un très ancien passé.

De toutes les parties de la Palestine, un abondant courrier parvenait au Comité, dont les réunions, d'abord mensuelles, deviennent hebdomadaires en 1912, date à laquelle il est reconnu comme autorité supérieure en matière de langue hébraïque. Les enseignants proposaient leurs innovations terminologiques, et le Comité donnait son avis. Le rôle joué par ce type de collaboration dans la résurrection de l'hébreu a été essentiel. Cette résurrection apparaît en pleine lumière ici pour ce qu'elle a été : une œuvre collective. Il ne s'agit en aucune façon de nier le mérite de Ben Yehuda, dont la persévérance et le dévouement à une cause forcent le respect. Mais on ne peut oublier que l'entreprise de restauration de l'hébreu n'aurait pu réussir sans deux éléments, dont le premier, à savoir l'action des maîtres d'écoles maternelles, a été rappelé plus haut, le second étant cette vaste consultation de tout un peuple, qui construit, ou reconstruit, une langue, par une participation concertée de chacun, et sous la pression des problèmes concrets que pose l'expression quotidienne.

Les consultations du Comité ne se limitaient pas aux enseignants. Des particuliers qui s'intéressaient à la construction de la langue envoyaient aussi de multiples questions, faisaient de multiples propositions. Et l'action du Comité n'est que la plus significative, mais il y avait bien d'autres échanges en dehors de cette instance. Beaucoup de promoteurs de la langue écrivaient dans des journaux, qui tous contenaient une importante tribune linguistique. Certains pionniers ne se considéraient pas comme moins compétents que Ben Yehuda, et pour de nombreux mots, il y eut plusieurs propositions, entre lesquelles le débat, mais aussi les caprices individuels, et souvent l'habitude, finirent par décider. Certains des mots que l'usage a consacrés sont nés dans ces circonstances, sans que la plupart des usagers sachent qui en est l'auteur, ce dernier étant parfois un diasporique qui participe à l'enthousiasme néologique.

Ainsi, des termes aussi courants aujourd'hui que *yaroq* « vert » ou *mišqefayim* « lunettes » sont dus à H. Hazzan, de Grodno (cf. Klausner 1935). Du moins est-on, dans ces cas, informé des circonstances d'apparition. Mais si étrange qu'il paraisse, on ne connaît, pour la plupart des néologismes, ni la source, ni le contexte de naissance (cf. Masson 1983). On ne connaît pas davantage ce que, pour la plupart des langues bien étudiées, l'on trouve dans les ouvrages spécialisés : l'histoire du mot, les formes de son implantation. Veut-on une meilleure preuve du caractère collectif de l'entreprise ? Et le succès d'un mot nouveau ne se mesure-t-il pas, notamment, au fait qu'il est assez bien intégré dans l'usage pour que la plupart ignorent son étymologie, ou ne s'interrogent guère sur elle ?

Le Comité de la langue devait devenir en 1953 l'Académie de la langue hébraïque, dont les créations de mots sont intégrées aux programmes scolaires ; et de nombreux érudits, dont Aba Bendavid, grammairien notoire, consolidèrent encore par la suite le travail des premiers constructeurs. Pourtant, la résurrection de l'hébreu israélien n'a pas été une œuvre véritablement planifiée. Les propositions surgissaient ici et là. Le Comité a été fondé précisément pour réagir à cette souriante anarchie, qui coexistait, sans contradiction, avec un sérieux et une tension d'individus résolus à faire revivre leur langue sacrée plusieurs fois millénaire. Sans doute l'hébreu serait-il pour de bon resté un mort sans rémission, si sa résurrection avait été une entreprise savamment et minutieusement orchestrée. Ce qu'elle a été, en réalité, c'est une œuvre de passion : passion sioniste, passion nationaliste, passion de révolte contre les persécutions antisémites. C'est là tout ce que signifiait le délirant projet de ressusciter l'hébreu. Mais la passion était évidemment collective. Le volontarisme des promoteurs n'a pu réussir que parce qu'il coïncidait avec les aspirations de toute une communauté.

Adversaires et détracteurs

• Le combat contre les autres langues, dont l'allemand

Ben Yehuda n'eut pas seulement à affronter la maladie et l'impécuniosité. Il dut faire face à la concurrence ouverte des autres langues, et des autorités politiques qui les soutenaient. Car la cour d'Istanbul poussait à l'enseignement du turc, celle de Saint-Pétersbourg finançait l'expansion du russe, et surtout, celle de Berlin entretenait de nombreuses écoles allemandes relevant d'une association d'aide aux Juifs, Hilfsverein der Juden (à cette époque, l'Allemagne, au vrai la Prusse, était favorable aux Juifs...). En fait, Berlin préparait sa domination sur une Turquie en pleine décadence, en s'introduisant, notamment, dans sa province de Palestine, où Guillaume II, poursuivant sur de nombreux fronts une politique d'affirmation nationaliste, n'accordait pas sans arrière-pensées son soutien à Herzl.

Ben Yehuda, secondé par les professeurs et les élèves en grève de cours, se bat pour empêcher l'ouverture d'écoles techniques où l'allemand serait la seule langue d'enseignement. Il finit par l'emporter. Il était temps, et il s'en était fallu de peu que l'allemand ne supplantât l'hébreu en Palestine. Mais l'histoire en décida autrement. Le dénouement de la première Guerre mondiale, qui aboutit à la débâcle turque et à la défaite prussienne, fit perdre à l'allemand son crédit. Le sort servait les desseins de Ben Yehuda.

• L'anathème des religieux

Ben Yehuda dut aussi lutter contre les Juifs orthodoxes de Palestine, pour qui le retour du peuple d'Israël en Terre sainte ne pouvait s'accomplir qu'avec la venue du messie. Ils jugeaient sacrilège, également, l'enseignement de l'hébreu comme langue vivante. Les mêmes qui jetaient des pierres sur l'école de l'Alliance où Ben Yehuda enseigna l'hébreu pendant une courte période n'admettaient pas qu'il détournât de l'étude des textes sacrés les jeunes talmudistes, en les engageant à travailler la terre dans des colonies de peuplement. Ces censeurs, résolus à ne pas le laisser agir, se démenèrent et firent tant, qu'ils réussirent à faire incarcérer Ben Yehuda, sous le prétexte, tout à fait fallacieux, d'un article offensant qu'il aurait écrit. Il fut vite libéré.

Plus troublante est la condamnation prononcée contre l'œuvre de Ben Yehuda par un éminent spécialiste de la Kabbale, G. Scholem, auteur, notamment, d'un livre célèbre parmi les kabbalistes modernes (cf. Scholem 1962). Dans une lettre de décembre 1926 à F. Rosenzweig, publiée soixante ans plus tard, on peut lire (cf. Mosès 1985) :

> « Les initiateurs du mouvement de renaissance de l'hébreu avaient une foi aveugle, quasi fanatique, dans le pouvoir miraculeux de cette langue. Ce fut là leur chance. Car s'ils avaient été doués de clairvoyance, ils n'auraient jamais eu le courage démoniaque de ressusciter une langue vouée à devenir un espéranto [...]. Quant à nous, la peur nous saisit lorsque dans un discours nous sommes soudain frappés par un terme religieux employé sans discernement [...]. Cette langue est grosse de catastrophes à venir [...]. En vérité, ce sont nos enfants, eux qui ne connaissent plus d'autre langue, [...] qui devront payer le prix de ces retrouvailles que nous leur avons préparées, sans leur avoir posé la question, sans nous l'être posée à nous-mêmes. Un jour viendra où la langue se retournera contre ceux qui la parlent [...]. Ce jour-là, aurons-nous une jeunesse capable de faire face à la révolte d'une langue sacrée ? [...] Les noms hantent nos phrases, écrivains ou journalistes jouent avec, feignant de croire, ou de faire croire à Dieu, que tout cela n'a pas d'importance. Et pourtant, dans cette langue avilie et spectrale, la force du sacré

semble souvent nous parler. Car les noms ont leur vie propre [...].

Parmi les mots hébreux, tous ceux qui ne sont pas des néologismes [...] sont chargés de sens jusqu'à en éclater. Une génération comme la nôtre, qui reprend en charge la part la plus fertile de notre tradition, je veux dire sa langue, ne pourra pas vivre sans tradition. Lorsque viendra l'heure où la puissance enfouie au fond de la langue hébraïque se manifestera de nouveau, [...] notre peuple se trouvera de nouveau confronté à cette tradition sacrée [...]. Alors, il lui faudra se soumettre ou disparaître. Car au cœur de cette langue où nous ne cessons pas d'évoquer Dieu de mille façons – le faisant revenir ainsi, en quelque sorte, dans la réalité de notre vie –, Dieu lui-même, à son tour, ne restera pas silencieux. Mais cette inéluctable révolution du langage, où la Voix se fera entendre à nouveau, est le seul sujet dont on ne parle jamais dans ce pays. Car ceux qui avaient entrepris de ressusciter la langue hébraïque ne croyaient pas en la réalité du jugement auquel ils nous soumettent tous. Fasse le ciel que la légèreté avec laquelle nous avons été entraînés sur cette voie apocalyptique ne nous mène pas à notre perte. »

• Du divorce entre linguistes et philosophes de la religion quant à ce qu'est une langue

Le débat que soulève ce texte est certainement important, au moins pour deux raisons. Le texte, en premier lieu, représente assez bien la vision que la tradition rabbinique a de l'hébreu ; cette vision est la cause du déni violent que Ben Yehuda dut affronter de la part des religieux. En second lieu, ces lignes projettent une lumière éclatante sur les différences de conceptions quant à ce qu'est la nature d'une langue, et plus spécifiquement, sur le divorce entre linguistes et philosophes de la religion, pour ne pas dire l'impossibilité radicale où se trouvent certains, parmi les seconds, de comprendre le travail des premiers. On a vu qu'E. Ben Yehuda est né, et a reçu sa première éducation, dans un milieu religieux, comme la plupart des Juifs d'Europe orientale qui ont participé au mouvement sioniste. L'inspiration même de ce mouvement, au moins pour ceux qui ne voyaient d'autre foyer possible qu'en Palestine, ne pouvait être totalement exempte d'implications religieuses, y compris chez les esprits qui, en cette fin du XIXᵉ siècle, s'en tenaient à revendiquer l'affirmation nationale du peuple juif à l'image de celle d'autres peuples opprimés. Pourtant, le choix de l'hébreu par Ben Yehuda, et l'adhésion de ses premiers alliés puis d'un nombre croissant de Juifs, ne s'inspiraient pas d'autre chose que l'histoire même d'Israël depuis la plus haute antiquité : une histoire où, comme je l'ai souligné, la restauration de la nation implique celle de la langue.

Dès lors, Ben Yehuda, bien qu'il ne fût pas linguiste, adoptait une attitude proche de celle qu'aurait adoptée un linguiste, s'il s'en était trouvé un qui fût capable de croire à l'entreprise et de la réaliser. Le point de départ de Ben Yehuda était nationaliste et religieux, certes. Mais son point d'aboutissement était une conception de la langue comme instrument de communication avant toute chose. La résurrection de l'hébreu ne pouvait être à ses yeux que celle de la langue nationale des Juifs, seule concevable, dans le contexte historique et culturel de la Palestine, face à toute langue diasporique quelle qu'elle fût. Il s'ensuivait tout naturellement que cette langue devait être adaptée à l'âge moderne. Les réformateurs de beaucoup d'autres langues, dans le passé et surtout au XXᵉ siècle, notamment après l'accession à l'indépendance de nombreux pays décolonisés, n'ont pas eu d'autre objectif (cf. Hagège, 1983). Cependant, la position des rabbins orthodoxes et celle de G. Scholem dans le texte ci-dessus se fondent sur une ancienne tradition, selon laquelle l'hébreu est une langue sacrée, ce fait constituant un obstacle dirimant à tout usage oral. S'il n'était pas mort pendant dix-sept siècles, où il n'eut d'autre usage que liturgique, peut-être alors sa sacralisation chez les religieux aurait-elle été plus difficile.

Il ne faut pas oublier qu'aux temps bibliques, la langue de la Tora connaissait une variante parlée, parfaitement vivante, celle qui, à travers ses états successifs de langue qui change comme toutes celles des hommes, fut utilisée par les Hébreux durant les longs siècles de leur histoire pré-exilique. Il n'est donc pas nécessairement sacrilège d'avoir, à l'époque moderne et contemporaine, façonné un hébreu qui puisse se parler. La question ici posée est, dès lors, de savoir si G. Scholem a raison de considérer qu'en modernisant l'hébreu, on a altéré la puissance d'évocation religieuse de ses mots. Je tenterai plus bas de répondre à cette question.

L'ultime exaucement de Ben Yehuda

Ben Yehuda, rapporte-t-on, avait coutume de dire, par référence au délire auquel il donna corps : « Il faut un fou pour chaque chose. » Du moins put-il voir son idée folle devenir un état de faits raisonnable : dix mois, environ, après la déclaration Balfour, qui, le 2 novembre 1917, informait le monde de la faveur avec laquelle le gouvernement britannique envisageait « l'établissement en Palestine d'un foyer national pour le peuple juif », l'hébreu était, le 31 août 1918, déclaré langue officielle de la Palestine, au même titre que l'arabe et l'anglais. À cet instant unique, le rêve n'en est plus un. Ben Yehuda n'aura plus d'occasion de pleurer de joie, ni le temps de faire profiter ses contemporains de nouvelles folies. Il meurt, d'épuisement, à un âge où les hommes faits d'un pareil métal peuvent encore accomplir beaucoup de grandes choses : soixante-quatre ans.

De quelques particularités de l'hébreu israélien

UNE ENTREPRISE UNIQUE
DANS L'HISTOIRE DES LANGUES

Le volontarisme des pionniers
et l'affirmation d'identité

Le sionisme s'inscrivait, comme on l'a vu, dans le cadre des nationalismes d'Europe centrale et orientale de la fin du XIXᵉ siècle. Ben Yehuda eut le mérite de convaincre les esprits d'un fait primordial : si la seconde composante du concept de nation est la langue, l'autre étant le territoire, cette langue ne pouvait être que l'hébreu. En fait, bien des sionistes étaient d'autant plus disposés à l'admettre, même si en soi l'idée paraissait délirante, que tout choix d'une des langues des Juifs, par exemple le russe au lieu de l'allemand, etc., aurait rencontré l'opposition des locuteurs, ou partisans, d'une autre langue. Mais puisqu'il fallait faire revivre l'hébreu, il ne pouvait s'agir que d'une entreprise volontariste, toute pratique naturelle et spontanée de l'hébreu ayant disparu depuis des temps immémoriaux. D'autre part, si les pionniers comprenaient qu'en reconstituant cette langue, on ne pouvait éviter d'emprunter à d'autres, ils étaient convaincus, néanmoins, que l'hébreu devait affirmer le plus possible sa présence, puisque leur identité culturelle se définissait par le choix même qu'ils en avaient fait.

Une langue parlée construite à partir
d'un ensemble de langues écrites

L'hébreu israélien possède, entre bien d'autres, une étonnante particularité : c'est une langue parlée fabriquée à partir d'une langue écrite. Dans tous les autres cas, c'est le processus inverse qui se déroule. Bien entendu, l'hébreu israélien s'écrit aussi, mais l'hébreu, à toutes les étapes de son histoire, n'avait jamais cessé de s'écrire, et l'événement révolutionnaire est justement de lui avoir rendu après si longtemps un statut de langue vivante, parlée.

C'est là le fait qui va à rebours de tout ce qui est attesté. Les langues romanes sont les produits, par ailleurs naturels, et non pas construits, du latin vulgaire, qui était une langue parlée ; et c'est précisément quand elles ont accédé à l'écriture qu'elles se sont imposées comme langues de plein droit (cf. p. 72). Le néo-norvégien a été construit à partir des dialectes parlés en Norvège occidentale (cf. p. 348-350). Selon la même inspiration nationaliste, Atatürk a voulu construire un vocabulaire turc moderne aussi éloigné que possible de la norme ottomane foisonnante d'emprunts arabo-persans, et il a demandé que l'on puisât notamment, pour cela, dans les langues turques parlées par les nomades de l'est. Les prākrits sont les formes variées qui, au début du moyen-indien, succèdent au sanskrit, langue écrite. Loin d'être une reconstitution orale d'un état écrit, l'arabe littéraire, sémitique comme l'hébreu, et incarnant la norme dans tous les pays arabes, est au contraire une langue en principe uniquement écrite, et les nombreux dialectes arabes, uniquement oraux, n'en sont pas comme on le croit les issues historiques ; ce ne sont pas davantage des reconstructions, mais des héritages vivants. On pourrait multiplier les exemples.

Mais il y a plus. L'hébreu israélien n'est pas seulement une langue parlée refaite sur de l'écrit. C'est, de surcroît, une langue refaite sur plusieurs langues écrites, et non sur une seule. L'hébreu biblique et l'hébreu michnique sont des langues assez différentes l'une de l'autre, pour ne rien dire de la différence entre l'hébreu médiéval, langue au demeurant uniquement écrite, et l'araméen du *Talmud*. La pratique s'installa, chez Ben Yehuda comme chez les autres promoteurs de la langue, de solliciter à la fois, selon le besoin, tous ces corpus, et la modicité des sources face à l'immensité de l'exprimable fut une raison de plus pour les y encourager.

Reviviscence plutôt que renaissance

On parle, pour simplifier, de renaissance de l'hébreu. Mais ce qui précède fait apparaître que le terme n'est pas absolument exact. Car « renaissance » impliquerait que l'hébreu ait repris son évolution de langue vivante là où la mort l'a interrompue. Et par ailleurs, faire renaître un organisme implique qu'un seul organisme est mort. L'hébreu israélien est, en réalité, la reviviscence de plusieurs langues. Le plus surprenant est qu'un tel défi aux évolutions naturelles, et, pour dire vrai, un tel artifice, ait pu réussir.

L'HÉBREU COMME BASE ET COMME MODÈLE DOMINANT

Fidélité à l'hébreu

Dès lors que par un décret de leur volonté, les pionniers avaient créé une nouvelle langue hébraïque, la fidélité aux différentes couches de l'hébreu comme bases de la construction, au moins dans tous les cas où cette fidélité pouvait être maintenue, s'imposait à eux de manière radicale. C'est ainsi qu'ont été conservés tous les procédés de formation des mots typiques des langues sémitiques comme l'hébreu. Ces procédés, qu'on appelle schèmes, consistent, à partir d'une racine, le plus souvent de trois consonnes, à faire varier les voyelles et à préfixer, intercaler ou suffixer divers éléments, pour obtenir des noms, des adjectifs, des verbes, etc. L'opposition entre masculin et féminin a également été conservée, même dans des mots qui, empruntés à l'hébreu par le yidiche, langue maternelle de beaucoup de pionniers, y étaient passés au neutre, comme *dalut* « pauvreté », *hitlahavut* « enthousiasme » (en yidiche, *dales, islajves*). L'introduction de nouveaux schèmes a été rejetée, même quand ils s'inspiraient étroitement de la structure des schèmes attestés. Les schèmes existants ont été fortement exploités, ou réactivés quand ils avaient perdu leur productivité au cours de l'histoire de l'hébreu.

L'un des plus productifs aujourd'hui est le schème à préfixe *hit-* et à voyelles *a* puis *e*, souvent formé à partir d'un nom ; ce schème, illustré par l'hébreu michnique *hitmazel* « avoir de la chance », correspond aux verbes français pronominaux ou de sens réciproque ; on trouve, par exemple, *hityaded* « se lier d'amitié » (sur *yadid* « ami »), *hitmazreax* « s'orienter » (sur *mizrax* « orient »), et aussi beaucoup de verbes à base étrangère, que ce schème contraint à revêtir une physionomie tout à fait hébraïque : *hitgaletš* « faire des glissades » (sur le yidiche *glitš* « glissade »), *hizdangef* « flâner sur le boulevard Dizengof » (célèbre avenue de Tel-Aviv ; on note que dans ce verbe, où se perçoit, comme dans beaucoup de mots israéliens, un clin d'œil de connivence, les consonnes *d* et *z* sont inversées, et le *t* du préfixe *hit-* disparaît, car l'hébreu n'admet ni la succession *-tdz-*, ni la succession *-dz-*).

On a repris beaucoup de procédés classiques utilisés pour la formation des noms. L'un d'eux consiste à créer des sigles en intercalant une voyelle *a* entre les consonnes obtenues par abréviation. Ce procédé sert même, depuis longtemps, à abréger les patronymes. Ainsi, le nom hébreu traditionnel du philosophe appelé Maïmonide par les Occidentaux est Rambam, car il s'appelait Rabbi Moché ben Maïmon. De même, on a formé en langue moderne des sigles devenus noms communs, comme *tsahal* (*tsava* « armée » + *hagana* « défense » + *l'israel* « d'Israël »), nom de l'armée israélienne.

La construction de la langue apparaît donc, en bien des cas, comme marquée par l'idéologie sioniste, réservée à l'égard de ce qui n'est pas spécifiquement hébreu dans les structures. Surtout dans les premiers temps, parler hébreu, c'était transmettre un message, comme en toute langue, mais c'était aussi davantage : c'était participer à une grande œuvre de reviviscence, d'autant plus assurée de réussir que l'on se conformait plus aux règles de l'hébreu biblique, auxquelles pouvaient s'ajouter celles de l'hébreu michnique pour les moins rigoristes.

L'hébraïsation des emprunts

Cette loyauté à l'égard de l'âge classique de l'hébreu a pour conséquence, quand la chose est possible, le rejet de tout élément appartenant aux langues nationales. Ce rejet ne concerne que le domaine grammatical, c'est-à-dire celui des outils, comme les prépositions ou conjonctions. Dans le domaine du vocabulaire, n'ont été introduits, au début, que les mots se retrouvant à la fois, et sous une forme analogue, dans diverses langues européennes, auquel cas ils sont sentis comme internationaux, et acceptés, mais non sans habillage hébraïque.

Ainsi, on a formé beaucoup de verbes sur des racines étrangères, mais en les intégrant à une structure hébraïque, celle qui présente une voyelle *i* après la première consonne (ou à l'initiale) et une voyelle *e* après la consonne centrale, ou les deux consonnes centrales. Sur le modèle des verbes d'hébreu biblique ou michnique comme *iben* « pétrifier », *diyer* « mettre dans une bergerie », *pirkes* « embellir », *ligleg* « railler », *gimgen* « bégayer », etc., ou des verbes du même type à racine hébraïque moderne, tels que *inyen* « intéresser », *ixzev* « décevoir », *kiyef* « mener la bonne vie » (d'après *kef* « bon temps », emprunt à l'arabe), on a formé des verbes comme les suivants, où la racine est un mot international, mais où le schème est hébraïsé : *pider* « poudrer », *bilef* « bluffer », *tilfen* « téléphoner »,

pitrel « patrouiller », *kitleg* « cataloguer », *hipnet* « hypno-
tiser », etc. Dans tous, on reconnaît les mots anglais ou
français.

L'idéologie peut modeler une langue

Ce que paraissent prouver les faits ci-dessus, c'est
qu'une idéologie consciente peut parvenir à laisser volontairement sa marque dans une langue. On le savait, certes,
par les cas des nombreuses langues dont les réformateurs,
quand il a fallu bâtir un vocabulaire adapté à l'époque
moderne, ont souvent préféré des solutions nationales à
des emprunts internationaux. Mais nulle part l'action n'est
aussi radicale qu'en hébreu israélien, langue refaçonnée
sur une vaste échelle par des pionniers qu'animait un certain idéal (cf. Masson 1986).

La chose est encore plus vraie pour le noyau dur de
la langue, c'est-à-dire la grammaire. Les conjugaisons
passives, qui sont morphologiquement complexes, ont été
maintenues, comme en général le système du verbe. Dans
le nom, la marque de duel (parfois considérée comme
trait linguistique de sociétés archaïques, attentives aux
petits nombres, dont ceux des objets se présentant par
paires) a également été préservée. A même été conservé
un mot grammatical, *'et*, marquant qu'un nom est complément d'objet d'un verbe transitif. Phénomène étonnant, dont l'histoire des langues offre bien peu
d'exemples, le problème du maintien ou de l'abandon de
cette préposition *'et*, alors qu'il s'agit d'un débat de pure
syntaxe, que l'on croirait réservé aux seuls linguistes de
profession, a fait l'objet de longues controverses, dans
lesquelles prit position le Premier ministre D. Ben Gou-
rion lui-même, un des fondateurs de l'État d'Israël (cf.
Hagège 1993c, 34-35).

Hébreu israélien et espéranto

Les confins baltes et russo-polonais ont été parmi les terres d'élection d'esprits novateurs, habités des idéaux de liberté qui traversaient l'intelligentsia d'Europe de l'Est à la fin du XIXe siècle. L'inventeur de l'espéranto, L. Zamenhof, naquit, un an après Ben Yehuda, au nord-est de la Pologne soumise à la tutelle russe, dans une ville où les Juifs étaient en majorité, Bialystok, située à quelques centaines de kilomètres de Louchki ainsi que de Polotsk. On ne peut manquer d'être frappé par la relation entre le désir insensé qu'avait Ben Yehuda de ressusciter la seule langue d'union possible entre tous les diasporiques, et celui que Zamenhof nourrissait, à la même époque, comme d'autres hommes de paix en Europe, d'abattre les barrières dues, selon lui, à la multiplicité des langues. L'adoption idéaliste d'une langue dont l'usage n'obéit pas à des motivations d'intérêt (économique, politique, etc.) suppose l'adhésion à une morale internationaliste. C'était là le point commun entre les deux projets. Mais cette adoption suppose aussi (cf. Hagège 1983, 19-20) une puissance symbolique enracinée dans une histoire. L'hébreu seul répondait à cette seconde exigence, ce qui, évidemment, résultait du fait qu'il concernait une seule nation, et non le monde entier comme l'espéranto.

De plus, il existe une différence essentielle entre les deux entreprises, même si l'invention d'une langue internationale et la reviviscence d'une langue morte ont des points communs. Zamenhof a créé l'espéranto de toutes pièces, bien qu'en s'inspirant fortement du latin, des langues romanes, des langues slaves, etc. Ben Yehuda n'a pas recréé l'hébreu à lui seul, comme on l'a vu ; en outre, il s'est servi de matériaux existants, quoique la synthèse qu'il en a faite soit, pour une part, artificielle ; et ses néologismes s'inscrivent dans des schèmes hébraïques attestés.

OCCIDENTALITÉ DE L'HÉBREU
ISRAÉLIEN

En dépit de leur attachement aux formes classiques de l'hébreu, les constructeurs n'ont pu faire qu'il ne possédât aussi des aspects de langue occidentale. C'est ce qui apparaît dans la relation avec les langues juives, ainsi que sur de nombreux points, dont je choisis ci-dessous quelques-uns.

La part des Juifs européens : prestige des langues européennes et du judéo-araméen, absence de prestige des langues de Sefardim : judéo-espagnol et dialectes judéo-arabes

• Pressions du russe et du yidiche, langues d'Achkénazim

Un fait surprenant est que le judéo-espagnol et les diverses formes du judéo-arabe n'ont fourni presque aucun élément de vocabulaire à l'hébreu israélien. L'arabe en a fourni beaucoup, mais en revanche, on ne trouve aucun élément morphologique arabe dans la grammaire hébraïque moderne. Les pionniers qui ont façonné l'hébreu étaient, dans leur majorité, des Juifs européens (*Achkenazim* en hébreu). Ils introduisirent un grand nombre de mots communs au russe, à l'allemand, à l'anglais et au français, le plus souvent sous leur forme russe ; car le russe était, à côté du yidiche et, pour certains, du polonais ou de l'allemand, la langue d'origine de nombre d'entre eux, à commencer par Ben Yehuda, et de beaucoup de grands écrivains, comme H. N. Bialik. L'influence russe a donc été très importante sur les premières étapes de la recréation de l'hébreu. On trouve ainsi en hébreu israélien *obyekt, keramika, galanteria* (« articles de fantaisie »), *tsenzura* (« censure »), etc. (cf. Masson

1976). La présence du yidiche est aussi très importante, alors même que, langue des ghettos d'Europe centrale, il était considéré par une partie des pionniers comme dépourvu de tout prestige.

Les Juifs occidentaux (*Sefardim* en hébreu, de *Sefarad* « Espagne ») n'étaient, quant à eux, qu'en très petit nombre avant 1948, et ceux qui immigrèrent après ne furent jamais très nombreux. Le djudezmo n'avait pas le prestige des langues d'Europe du Nord. L'arabe, quant à lui, n'était apprécié de Ben Yehuda et des autres promoteurs que sous sa forme littéraire. Il y vit une source d'emprunts lexicaux, mais non de modèles morphologiques, et encore moins les promoteurs d'après 1948, pour lesquels l'arabe devient langue des adversaires, ou ensemble de dialectes sans prestige des immigrés du Yémen et d'Afrique du Nord, tous de culture traditionnelle. Pour toutes ces raisons, l'hébreu israélien apparaît clairement comme une création d'Achkénazim. Parmi bien des procédés de néologie où l'humour yidiche laisse sa trace, on peut rappeler celui qui consiste à répéter un mot en ajoutant, avant la partie répétée, un préfixe de dérision *m-* ou *šm-*, comme dans *igen-migen* « Israélien d'origine hongroise » (car *igen* = « oui » en hongrois), *um-šmum*, désignation péjorative de l'ONU (d'après son sigle en hébreu : *um*).

• Statut du judéo-araméen

Paradoxalement, le judéo-araméen, dans lequel Ben Yehuda et les autres reconstructeurs de l'hébreu moderne puisent abondamment, est une langue de prestige à leurs yeux, alors qu'il s'agit d'une langue d'Orient, et, qui plus est, de celle des persécuteurs du temps jadis, ces Babyloniens qui l'avaient adopté comme idiome véhiculaire longtemps avant la destruction du Premier temple et la déportation des élites de Judée. Ces graves événements, et ceux qui suivirent, firent de l'araméen, en quelque sorte, une langue juive, ou du moins, une langue de Juifs, comme je l'ai écrit plus haut. Et pourtant, l'hébreu israélien, qui y a puisé tant de mots de vocabulaire, ne lui a emprunté aucun, ou quasiment aucun, élément ni procédé de formation des mots, n'introduisant que des mots araméens tout faits, non analysés.

La prononciation de l'hébreu israélien : officiellement sépharade, mais en pratique achkénaze

La prononciation officielle de l'hébreu est, comme le voulaient les promoteurs, fidèle à ce qu'elle a probablement été autrefois : elle se règle sur celle des communautés sépharades d'Afrique du Nord ou d'Orient, qui, comme en arabe, possèdent dans leur articulation des consonnes gutturales, c'est-à-dire articulées dans les zones du pharynx et du larynx. Mais en pratique, du fait que les premiers immigrés sionistes, à la fin du XIX⁰ siècle, étaient usagers du yidiche, qui ne connaît pas ces sons, la prononciation courante les ignore. L'un d'entre eux, le *ḥ* (celui que l'on trouve dans le prénom arabe Mohamed) est prononcé comme le *ḥ* de l'allemand *machen*, alors que l'hébreu possède par ailleurs ce phonème, distinct du *ḫ*. Il s'ensuit une perte des possibilités distinctives.

L'expression de l'affectivité : les diminutifs, les carences de l'hébreu et la pression des langues des Juifs européens

L'emprunt d'éléments formateurs de mots à d'autres langues que l'hébreu a été évité par les pionniers dans tous les cas possibles ; mais ils y ont quelquefois été contraints. On rapporte que les premiers dirigeants de l'État d'Israël, dans les moments de colère, s'insultaient en yidiche. Le yidiche était aussi utilisé, au début, dans le dialogue tendre, comme si l'expression des élans ne se concevait que dans la langue apprise dès l'enfance (cf. p. 181-186, à propos du grec chez les patriciens romains). Cela est encore plus vrai lorsque celle dont on devrait se servir est largement artificielle, car reconstituée par un acte volontariste. De surcroît, l'hébreu était vécu comme transcendant, de par la transcendance de la Bible aux yeux des pionniers de Palestine. Mais il est un domaine où une seconde cause s'ajoutait à celle-là. C'est le domaine des diminutifs et de ce que les linguistes appellent les hypocoristiques, c'est-à-dire les mots marqués d'affectivité, moqueuse ou tendre, que les registres oraux de toutes les langues humaines possèdent. La langue de la Bible, peut-être parce qu'il s'agit d'un texte littéraire, en est presque entièrement dépourvue. Au contraire, le yidiche et le russe en possèdent abondamment. L'hébreu israélien a donc emprunté à ces langues des suffixes diminutifs. L'un d'eux est *-tšik*, qui peut avoir un sens d'affection, de moquerie ou de péjoration : on le trouve dans *baxurtšik, xamortšik, xayaltšik, xamudtšik, šamentšik, askantšik*, signifiant, respectivement, « petit jeune homme », « petit âne » (en fait mot affectueux !), « petit soldat », « petit trésor », « petit gros », « politicard », diminutifs de *baxur, xamor, xayal, xamud* (« aimé »), *šamen* (« gras »), *askan* (« politicien »). Un autre suffixe affectif et diminutif est *-le*, attesté dans *abale*, « petit papa », *yaldale* « petite enfant », etc.

Le russe a également fourni, par l'intermédiaire du yidiche, un suffixe *-nik*, d'assez haut rendement, qui, ajouté à des radicaux hébraïques ou plus rarement étrangers, ou à des sigles ou expressions diverses, perd son implication affective pour désigner les auteurs de nombreuses activités : *igudnik* « membre d'un syndicat », *yudalefnik*, « élève de la classe de sixième » (désignée par les lettres *yud* et *alef*), *xelavirnik* « aviateur », *klumnik* « bon à rien » (*klum* = « rien »), *kdainik* « opportuniste » (*kdai* = « il vaut la peine »), *loixpatnik* « je m'en fichiste » (*lo ixpat (lo)* (araméen) = « peu (lui) importe »), *olraitnik* « un type bien » (anglais *allright*), *phudnik* « raseur à PHD » (se dit d'un chercheur exhibant ses connaissances et ses diplômes). On note le goût de la dérision (d'autres parleront d'humour juif) inhérent à certains de ces mots. On note aussi que parmi les formations expressives citées ci-dessus, les cinq dernières appartiennent à la langue familière. Il était difficile que l'hébreu, étant donné, non seulement ce qu'étaient ses moyens, mais aussi ce qu'il symbolisait, fournît à lui seul un tel matériau.

L'expression de l'identité par l'accentuation des mots

L'hébreu est une langue à accent tonique sur la dernière syllabe, alors que le yidiche tend à accentuer la syllabe précédente. Dans aucune de ces langues on ne peut donc trouver d'opposition, pour un même mot, entre deux places de l'accent. Mais un fait assez original de l'hébreu israélien, langue hybride, est qu'une telle opposition y est née. Les pionniers se sont mis, en effet, à accentuer à la yidiche les mots référant à des réalités typiquement israéliennes, donc liées au monde culturel des locuteurs du yidiche, et au contraire à prononcer à l'hébraïque, c'est-à-dire avec un accent final, ces mêmes mots quand ils réfèrent à des réalités plus générales. On oppose ainsi, par exemple, *bimá* « scène » et *bíma* « Théâtre de la Bima », ou *tikvá* « espérance » et *tíkva* « hymne israélien (contenant ce mot) » (cf. Hagège et Haudricourt 1978, 152). C'est encore une « infraction » au culte de l'hébreu que cette intrusion, naturelle, d'habitudes articulatoires liées aux langues des diasporiques.

L'afflux massif des composés nominaux

L'hébreu biblique et l'hébreu michnique ont de nombreux mots dérivés (= formés avec des préfixes et des suffixes), mais sont très peu propices aux composés nominaux, du type du français *garde-malade, lave-vaisselle, faux-semblant, ex-mari*, etc. On n'en trouve à peu près aucun dans la Bible. Les promoteurs de l'hébreu ont donc senti le procédé comme moderne, par sa structure comme par le

sens des mots qu'il permet d'obtenir. Conscients de son utilité dans l'entreprise néologique, et sachant qu'il est attesté
dans la plupart des langues d'Europe, ils ont créé un
nombre considérable de composés, le plus souvent en calquant ceux de l'allemand, du russe, du français, de
l'anglais. À titre d'illustration, on retiendra *ramkol* « haut
parleur » (*ram* « haut » + *kol* « voix »), *šmartaf* « garde
d'enfant » (*šamar* « garder » + *taf* « enfant »), *dumašmaut*
« ambiguïté » (*du* « deux » + *mašmaut* « sens »), *rakével*
« téléphérique » (condensation de *rakévet* « chemin de
fer » + *kével* « câble »), *tapuz* « orange » (condensation de
tapuah « pomme » + *zahav* « or » ; création de Y. Avinéri),
beynmemšalti « intergouvernemental » (*beyn* « entre »
+ *memšalat* « gouvernement » + *-i* suffixe d'adjectifs), *ale-
noši* « surhumain » (*al* « sur » + *enoši* « humain »), *parat-
moše-rabénu* « coccinelle » (*parat* « vache de » + *moše*
« Moïse » + *rabénu* « notre maître », car on ne pouvait cal-
quer que partiellement le russe *božja korovka* « petite
vache de Dieu », sauf à blasphémer ouvertement, ce qui
aurait saisi d'horreur les pionniers).

L'association implicite entre composés nominaux et
modernité ou occidentalisation en hébreu d'aujourd'hui
est encore prouvée par le fait que les industriels et marchands s'en servent abondamment pour désigner leurs
produits.

Les libertés prises avec le sens : l'hébreu israélien, langue sémitique par sa morphologie et européenne par ses calques sémantiques

• Les manipulations du sens et le bouleversement du système
des concepts

L'attachement à l'hébreu ancien, en réalité, concerne
surtout les formes : mots hérités, structures des noms, des
verbes et des adjectifs fidèlement conservés. Mais sur le
plan du sens, l'hébreu israélien offre l'image d'une manipu-

lation qui peut expliquer l'hostilité des rabbins conserva-
teurs ; c'est cette légèreté, pour reprendre le mot de
G. Scholem, qui inspire les sombres prophéties de ce dernier dans le texte cité plus haut (cf. p. 319-320). Pour un
linguiste, il importe peu. Les langues sont utilisées pour
communiquer, quels que soient les moyens qu'elles mettent en œuvre à cette fin. L'action humaine sur les langues
est un phénomène universel (cf. Hagège 1983), et le succès
de l'entreprise de résurrection de l'hébreu, dans des formes
si contraires à celles que l'on connaît ailleurs, est plutôt un
sujet d'émerveillement. C'est un fait qu'il offre beaucoup de
cas de très fortes altérations sémantiques, qui, au surplus,
ont été décrétées, et non pas produites par une évolution
naturelle comme dans toute langue. Les calques des
langues européennes produisent des associations qui, en
hébreu ancien, n'auraient eu aucun sens, comme *nkuda
meta* « point mort » ou *širat ha-barbur* « chant du cygne ».
Mais en outre, on a détourné des sens classiques, pour traduire des notions absentes, dans les anciens textes, parce
que les objets correspondants étaient eux-mêmes absents.
Ainsi, *kacran, totax, kinor, psanter* sont passés, respectivement, de leurs sens anciens « homme concis », « massue »,
« cithare », « harpe antique » à ceux de « sténographe »,
« canon », « violon », « piano ».

Par ailleurs, le système relationnel des concepts de
l'hébreu classique (aussi bien michnique que biblique) est
bouleversé. Un exemple peut le montrer. Le verbe *ḥana*
s'employait en langue biblique pour indiquer que les
Hébreux s'arrêtent dans le désert ou dans un lieu de cam-
pement (Exode, XIII, 20 ; Nombres, XXXIII, *pass.*). On a
choisi ce verbe pour former par préfixation de *ta-*, selon un
schème classique, le mot *taxana*, référant à la gare comme
lieu de station. Mais le mot qui a ce dernier sens étant
employé, dans les langues comme l'anglais et le français,
en combinaison avec beaucoup d'autres, pour référer à
toutes espèces de stations, on a, par décalque, formé en
hébreu (cf. Rosen, 1970, 97 s.) *taxanat šidur* « station

émettrice » (*šidur* = « émission »), *taxanat délek* « station service » (*délek* = « carburant »), *taxanat 'ezra rišona* « poste de premier secours », etc. Ainsi, les réseaux sémantiques de l'hébreu sont réorganisés sur le modèle des langues européennes.

• Les calques paronymiques et calembours

Les créations de mots nouveaux par calembour ne sont pas une exclusivité de l'hébreu israélien. Les promoteurs du hongrois ont créé, pour traduire les mots français et anglais *élément/element*, un terme *elem*, qui a le double avantage de ressembler à la fois à ces derniers et au mot purement hongrois *elő* « ce qui est en avant ». Pour rendre *école* et *school*, les créateurs du turc moderne ont formé *okul*, qui évoque immédiatement *oku* (-*mak* en ajoutant le suffixe d'infinitif) « lire ». Le grand réformateur de l'estonien J. Aavik a inventé, notamment, d'après le français *crime*, le mot *roim*, qui avait l'avantage de ressembler à un terme appartenant à une langue sœur, soit le finnois *rikos*, de même sens (cf. Hagège 1983, 51, 57).

On voit en quoi consiste le procédé. Non sans le sourire implicite qui accompagne quelques-unes des interventions très sérieuses, mais aussi ludiques, sur le tissu des langues, les inventeurs de néologie ont profité des hasards heureux par l'effet desquels certains mots de la langue à enrichir se trouvaient avoir une forme et un sens qui ressemblaient, l'un et l'autre, à ceux du mot de la langue prise comme modèle. En hébreu, les calques paronymiques de ce type sont assez nombreux. L'un d'entre eux est *ilit* « élite », rapprochement astucieux avec *ili*, mot hébreu signifiant « supérieur » ; un autre exemple est *déme* « simulacre », qui ressemble à la fois à l'anglais *dummy*, de même sens, et au verbe hébreu *dama* « paraître ».

La sécularisation des termes religieux

L'emploi en un sens profane de mots empruntés par les créateurs de néologie à un stade antique et prestigieux d'une langue est loin d'être une spécificité de l'hébreu. Le hindi moderne, pour ne mentionner qu'un exemple, a donné, aux mots sanskrits *urj*ā « force », *rājpath*, « voie royale », *ākāśvāṇī* « voix des dieux », les sens respectifs de « énergie » (acception technique), « autoroute », « radio indienne ». En hébreu, un grand nombre de termes du vocabulaire religieux ont changé de sens par un processus de sécularisation (cf. Hadas-Lebel 1980 b). Cette relation dialectique entre le sacré et le profane est loin d'être un phénomène récent dans l'histoire de l'hébreu. Elle remonte au moins au Moyen Âge.

Mais elle a connu au XXᵉ siècle une extension sans précédent. Car en choisissant de se battre pour faire revivre la langue de la Bible, les promoteurs ont, si on évalue cette action à l'aune du judaïsme, installé le sacré dans le quotidien. Le vocabulaire politique, en particulier, s'est enrichi par ce biais. *tora*, le terme vénérable qui se réfère à la Loi de Moïse telle que l'expose le Pentateuque, peut s'employer aujourd'hui au sens de « doctrine politique » quelle qu'elle soit. *ḥerem*, qui signifie dans la Bible « objet d'anathème », a reçu aujourd'hui celui d'« embargo » ou de « boycott ». *keneset*, mot d'hébreu michnique signifiant « assemblée des fidèles », a été repris pour désigner, comme on sait, le parlement israélien (ceux des autres pays étant appelés *parlament*). *minyan*, autre terme michnique qui désignait (et désigne toujours chez les Juifs pratiquants) le nombre minimal de dix hommes nécessaire pour réciter la prière en public, a été spécialisé au sens profane de « quorum ». *sar* et *nasi*, aujourd'hui « ministre » et « président » respectivement, se référaient dans l'Antiquité à des fonctions et dignités religieuses. *qorban*, « sacrifice sur l'autel » en hébreu biblique, a reçu le sens moderne de « victime (de guerre, ou parfois d'accident) ». G. Scholem ne pouvait considérer toutes ces adaptations que comme des détournements sacrilèges.

Destins de l'hébreu

Deux phénomènes relativement récents agissent aujourd'hui sur l'hébreu, qui ne pouvaient être prévus par ceux qui l'ont recréé à l'époque héroïque. Il s'agit de la diglossie et de l'américanisation.

LA DIGLOSSIE, OU LES FAUTES ET LA VIE

On entend par diglossie (cf. Hagège 1996 a, 253-255) l'existence conjointe de deux usages, dont l'un est une forme plus écrite et l'autre une forme plus parlée de la même langue (cf. p. 78 à propos du cas particulier de l'arabe). Les dictionnaires actuels ne font quasiment aucune mention d'un phénomène important de l'hébreu contemporain : le développement croissant d'une langue parlée dont j'ai cité ci-dessus quelques exemples, et qui se constitue, dans une partie de la société israélienne, en un argot assez éloigné de la norme écrite. Les différences entre celle-ci et la langue parlée atteignent même la forme des pronoms personnels, l'expression de la possession, la négation des verbes. La langue parlée est plus analytique que la langue écrite, prolongeant en cela une différence qui remonte assez haut, puisque c'est aussi celle qui sépare de l'hébreu biblique les étapes ultérieures. L'écart pourrait donc s'expliquer, en partie, par l'hétérogénéité des sources qu'utilisèrent les promoteurs de l'hébreu moderne.

La relation qu'ont avec l'hébreu les locuteurs actuels de moins de quarante ans ne peut plus être celle qu'entretenaient avec lui les pionniers. Cette relation n'est plus de vénération, mais d'usage quotidien. L'hébreu n'est pas pour les générations actuelles un objet sacré. C'est leur langue. L'étonnant succès du volontarisme linguistique portait en lui-même les forces opposées à ce purisme qu'il a tout naturellement professé durant les années de gestation. Dès lors, la condamnation normative des formes parlées, bannies, par certains puristes d'aujourd'hui, comme autant d'écarts, pourrait bien être une méprise. C'est parce que l'hébreu est redevenu une langue vivante qu'il est ouvert aux tournures « fautives ». Une langue morte se reconnaît notamment au fait qu'on n'a pas le droit d'y faire de fautes. C'est pourquoi l'hébreu parlé d'aujourd'hui pourrait dessiner les formes d'une évolution, qui est à reconnaître dans les innovations mêmes qu'il propose.

Si une nouvelle langue devait naître de cette évolution, serait-ce assez pour juger qu'en dépit de tout, le rêve de Ben Yehuda est resté un rêve, et que l'hébreu qu'il a cru restaurer est une chimère ? On pourrait, au contraire, considérer que les pionniers ont donné à cette langue ressuscitée une véritable existence, c'est-à-dire la vie linguistique telle qu'elle est, puisqu'ils ont reconstruit un objet capable de changer, alors même que l'hétérogénéité des sources en fait bien une chimère, au sens d'objet imaginaire un peu monstrueux. De surcroît, ce nouveau produit issu de la communication quotidienne est en train de recevoir une dignité littéraire, puisque certains écrivains choisissent dans leurs œuvres un style proche de la langue parlée. C'est une sorte de révolution. Car l'hébreu des écrivains, du Moyen Âge au début du XXe siècle, était une référence, et a été intégré au corpus de Ben Yehuda. Les choix des écrivains tendent donc à constituer une caution, et l'usage qu'ils encouragent pourrait un jour apparaître comme la norme de l'hébreu.

LE RAZ DE MARÉE DE L'ANGLOPHONIE

Deux raisons expliquent, sans la justifier, l'invasion de l'anglais dans l'État d'Israël à l'époque contemporaine. D'une part, l'hébreu est une langue inconnue (sauf de certains Juifs de la diaspora) en dehors de ses frontières. D'autre part, les relations privilégiées avec les États-Unis, et la conviction qui habite beaucoup d'Israéliens quant au soutien indéfectible des Américains dans le malheureux affrontement avec le monde arabe donnent à l'anglais une position très forte. Soutenu par les moyens audiovisuels omniprésents, notamment par les films en version originale, l'anglo-américain s'est forgé le statut d'une langue de culture, désormais capable de rivaliser avec l'hébreu dans plus d'un domaine.

En dépit de ces signes inquiétants, un fait demeure : de même que les Hébreux, depuis la haute antiquité des temps bibliques, se sont affirmés comme une nation distincte, de même leur langue a été ressuscitée au XXe siècle à la différence de toutes les langues mortes.

Pourtant, la renaissance de l'hébreu ne devrait pas être un fait unique. Certes la volonté, la passion collective, l'opiniâtreté ne sont pas faciles à trouver souvent réunies, ni les circonstances très particulières que constituaient la très longue persécution et le désir de libération. Il reste, néanmoins, que la renaissance d'une langue morte n'est pas une chose impossible. L'hébreu en a apporté la preuve, et même s'il y faut un vouloir immense et quelque folie, l'exemple est disponible pour tous ceux qui ne prennent pas leur parti de la mort des langues.

CHAPITRE XI

Renaissances, langues nouvelles, créoles, promotions

Renaissances locales

Je ne reviendrai pas, car il ne s'agit pas là de renaissances au sens strict, sur les entreprises courageuses dans lesquelles se sont engagés quelques enthousiastes, qui refusent de se résigner à voir leurs langues mourir. J'ai déjà mentionné, à ce propos, les cas du maori (p. 244-245), du hawaïen (p. 245-246), du mohawk (p. 254-255), du hualapai (p. 255), du rama (p. 256), de l'urat (p. 262), de l'atacameño (p. 262). Au moins pour le maori, il semble que les actions, jusqu'ici, soient des succès.

Les cas attestés de langues mortes ou moribondes qui reviennent à la vie se distinguent de l'hébreu en ceci qu'il ne s'agit pour aucune d'entre elles de la langue d'un État constitué et indépendant. Jusqu'ici, l'hébreu seul, à ma connaissance, est devenu, par exhumation succédant à un très long silence, la langue d'un État. C'est pourquoi je parlerai de renaissances locales pour les cas qui me sont connus. Ce sont ceux du cornique, du gaélique écossais et du yidiche.

PERSÉVÉRANCE EN CORNOUAILLES

Le cornique, qui appartient, avec le breton et le gallois, à la branche dite brittonique des langues celtiques, fut refoulé jusqu'à l'extrémité de la Cornouailles par la progression des Saxons, qui l'éloignèrent de ses deux cousins, le coupant du gallois et l'isolant du breton. Le cornique fut victime de la Réforme au XVIe siècle, et entra dans un déclin irréversible à partir de cette époque. Il s'éteignit presque totalement vers 1800. Il était alors sorti de l'usage dans la plus grande partie de son ancien territoire depuis un siècle au moins : selon les témoignages que l'on possède, N. Boson, qui tenta de le ranimer à la fin du XVIIe siècle, appartenait à une famille où, déjà, les domestiques recevaient l'ordre de ne pas parler en cornique aux enfants. Pourtant, des liens étroits continuèrent d'attacher la population de Cornouailles à ses traditions.

La renaissance celtique, qui fut, non sans quelques dérives (cf. p. 32), un des faits marquants des époques romantique et postromantique, profita au cornique, dans lequel le savant allemand G. Sauerwein composa même des poèmes en 1861 ! L'idée de refaire du cornique une langue vivante fut suggérée dès la fin du XIXe siècle, et une société d'études corniques fut créée en 1901, qui fut éphémère, mais vécut assez pour introduire dans les esprits le projet d'une revitalisation. Les études, aussi bien folkloriques que savantes, se multiplièrent. Après la Première Guerre mondiale, deux hommes déterminés, A. S. D. Smith et R. M. Nance (morts en 1950 et 1959), prenant pour base le moyen cornique revu, recréèrent une grammaire, et un vocabulaire adapté à l'époque contemporaine et riche d'emprunts à des langues celtiques encore vivantes, bien que leur vie soit précaire : le breton et le gallois. Ils établirent également une orthographe, non sans débats ni difficultés (cf. George 1989).

En 1680 déjà, un érudit nostalgique se demandait comment on pouvait, pour une langue évanouie depuis si longtemps, garder une espérance de retour à la vie. Aujourd'hui, grâce à l'effort des deux promoteurs et à l'opiniâtreté d'un groupe d'enthousiastes, mille à mille cinq cents personnes au moins parlent couramment le cornique. C'est là, certes, une proportion très faible pour un comté de 417 000 habitants. Néanmoins le résultat est remarquable si l'on songe à la très longue période durant laquelle aucun mot de cornique ne franchissait plus les lèvres des Cornouaillais, et si l'on tient compte de ce qu'est la pression de l'anglais dans le monde d'aujourd'hui. Nul n'ignore, en Cornouailles, l'existence du « Revived Cornish ». Nombre de bénévoles donnent des cours pour répandre l'emploi du cornique comme langue parlée. De nombreux manuels ont été élaborés. Il existe des familles dans lesquelles, au moins jusqu'à l'âge où les enfants vont à l'école, on s'efforce de n'employer que le cornique. Comme le faisait Ben Yehuda avec l'hébreu, seul à Jérusalem, vers la fin du XIXᵉ siècle...

LE GAÉLIQUE ÉCOSSAIS
ET LA LUTTE DES PROMOTEURS

Le gaélique écossais est considéré comme celle des langues celtiques dont l'état de déshérence est le plus avancé. Un ouvrage qui a contribué à solliciter l'attention du monde savant face au problème de la mort des langues (cf. Dorian 1981) est précisément consacré à un de ses parlers. On a vu plus haut (cf. p. 118-119) qu'en Nouvelle-Écosse, les plus âgés se servent encore d'adresses de connivence, qui ne donnent que l'illusion de la vie. On a vu, également (cf. p. 141-142), en quels termes en parlaient ceux qui recommandaient son éradication. En Écosse, le recensement le plus récent, qui date de trente ans, donnait seulement 477 locuteurs unilingues, tous les autres (82 500) étant bilingues. Cette langue reléguée dans les Highlands pourrait donc être considérée comme assez menacée. Néanmoins, depuis les années 1980, une sorte de renaissance s'est esquissée. Des écoles de tous les niveaux, y compris les jardins d'enfants, ont été fondées en grand nombre, des ouvrages pédagogiques de bonne qualité ont été publiés, des moyens audiovisuels perfectionnés ont été mis au service de l'enseignement linguistique, le nombre des émissions en gaélique à la télévision s'est accru, les compositeurs de musiques populaires emploient de plus en plus le gaélique. L'avenir dira si tout cela est le reflet d'un vouloir assez puissant et assez organisé pour sauver la langue de l'extinction.

RENAISSANCE DU YIDICHE

J'ai rappelé qu'à la fin de la Seconde Guerre mondiale, le yidiche était moribond, et pour cause. Quelle est donc cette langue qui ne veut pas vraiment mourir ? Vers le début du XIIIe siècle, les Juifs, fuyant, à la suite des Croisades, l'Italie septentrionale et la France, et abandonnant donc leurs parlers judéo-romans, avaient formé le yidiche sur la base d'un dialecte haut-allemand, mais en y joignant d'importantes strates d'hébreu rabbinique, c'est-à-dire d'hébreu et de judéo-araméen. Le yidiche fut bientôt le lieu d'une différenciation entre une branche occidentale et une orientale, cette dernière se subdivisant, elle-même, en trois groupes de dialectes (cf. Szulmajster sous presse) : d'une part ceux d'Ukraine, Russie blanche et Roumanie, d'autre part ceux des pays baltes, enfin ceux du centre : Pologne, Galicie occidentale, Slovaquie orientale, Ruthénie. Les apports slaves ont donc enrichi encore le yidiche, déjà rendu composite par ce croisement du germanique et du sémitique.

Les masses ne parlaient plus l'hébreu, mais elles vivaient d'une façon permanente à son contact. Il s'est ainsi réalisé une impressionnante symbiose, visible non seulement dans les emprunts de vocabulaire même pour des notions très courantes, mais aussi dans la grammaire, les tournures de phrases, les expressions idiomatiques, les connotations et tout l'univers de pensée et de référence.

Tel est le yidiche, étonnant mélange, qui parvient à exprimer profondément l'identité juive, mais le fait à partir d'une langue de Gentils ! Le yidiche, que l'on dit en grave danger, semble vouloir prendre beaucoup de temps pour organiser sa mort ! Selon J. Fishman (1994, 434), dans l'album des manchettes que l'on peut imaginer pour l'année 2050, le journal *Jerusalem Post* inclut l'annonce suivante : « Yidiche toujours moribond ! ». Il existe aujourd'hui un théâtre yidiche à Tel-Aviv, des concerts et des lectures de poésies en yidiche, mais les spectateurs auraient rarement moins de 65 ans. Il en est de même des quelque deux cents écrivains et journalistes israéliens qui appartiennent aux diverses associations littéraires existant dans le pays. Les activités culturelles yidiches sont nombreuses en Israël, une pléiade de spécialistes, à l'Université hébraïque de Jérusalem, se consacrent au yidiche et le parleraient entre eux, de même qu'un bon nombre d'étudiants. Il est une matière enseignée dans les cinq universités et dans cinquante écoles (surtout religieuses).

On ne peut plus dire que le yidiche ne vive plus guère que dans les milieux juifs ultra orthodoxes d'Israël et des États-Unis. Dans ce dernier pays, le nombre d'enfants d'âge scolaire ne parlant que yidiche, à New York, serait plus important que dans les années 1920. La Compagnie des téléphones newyorkais aurait cautionné une publicité en yidiche recommandant aux usagers de ne pas encombrer les lignes en décrochant leur téléphone durant le sabbat ; et d'autre part, l'hôpital Beth Israel, à Manhattan, fournirait aux nouveaux entrants une liste d'informations écrite en yidiche (cf. Fishman 1994, 435). D'importantes activités culturelles en yidiche existent à New York.

Certes, tout cela ne signifie pas que le yidiche soit redevenu, dans la vie quotidienne, une langue orale tout à fait courante ni utilisée sur une vaste échelle. Le tissu socioculturel qui sous-tendait l'usage vivant de cette langue avant 1939 a disparu. Mais une volonté existe de rendre une vie réelle au yidiche. Le XXIᵉ siècle dira si cet embryon de renaissance annonçait un retour, ou si ce n'était qu'un rêve.

Naissance d'une langue européenne et de plusieurs langues créoles

LE BAPTÊME DU NÉO-NORVÉGIEN

L'histoire est connue des redoutables marins vikings qui firent trembler l'Europe du Nord jusqu'au milieu du IXᵉ siècle. C'est alors que, comme leurs ancêtres scandinaves du IIIᵉ siècle, ils envahirent, notamment, l'Angleterre, en apportant de nombreux mots nordiques à l'anglo-saxon. Mais lorsque la Norvège fut christianisée vers l'an 1000, les petits royaumes vikings avaient déjà été unifiés en un seul depuis plus d'un siècle, sous Harald Iᵉʳ (cf. Sturluson). L'Union de Kalmar (1397) intégra la Norvège à une fédération nordique sous l'autorité du Danemark. De ce fait, le norvégien fut fortement imprégné par le danois, dont il était déjà très proche génétiquement. Cette influence ne dura pas moins de quatre cent dix-huit ans, jusqu'à 1815, date de l'union personnelle entre les couronnes norvégienne et suédoise. Cette date est non seulement le prélude à l'indépendance de la Norvège, qui fut réalisée en 1905, mais aussi celle à laquelle des politiques et écrivains patriotes préconisent la création d'une langue norvégienne authentique, différente du dano-norvégien des classes dominantes. Le philologue I. Aasen, qui publie en 1850 son *Dic-*

tionnaire, entreprend, pour s'opposer au norvégien danicisé, qu'on appelait *riksmål* (« langue de l'État »), la création d'un *landsmål* (« langue du pays »), fondé sur ceux des dialectes de l'ouest qui s'étaient le mieux conservés et qui ressemblaient le moins au danois. Étant en usage dans certaines zones campagnardes, ils étaient sentis par Aasen et ses amis comme plus nationaux, car plus populaires.

En 1885, le *landsmål* est reconnu comme seconde langue officielle à côté du *riksmål*, lequel, depuis 1929, est dit *bokmål* (« langue des livres »). Des conflits aigus opposèrent les partisans de ce dernier à ceux du *landsmål*, que l'on appelle aujourd'hui *nynorsk*, c'est-à-dire néo-norvégien. Ils furent finalement reconnus tous deux comme langues d'enseignement au même titre, et ils constituent à présent en Norvège les deux normes, dont les statuts graphiques ont été fixés par diverses réformes de l'orthographe. En fait, selon les spécialistes (cf., par exemple, Gundersen 1983), 90 % des Norvégiens parlent le *bokmål*, et la minorité dont le *nynorsk* est la langue se concentre dans certaines zones de l'ouest et du sud du pays. Néanmoins, tout fonctionnaire est tenu de comprendre au moins, sinon de parler, le *nynorsk*, afin que ses locuteurs naturels ne soient pas victimes, s'ils veulent l'utiliser dans leurs relations avec les services publics, d'une discrimination. Un grand linguiste américano-norvégien, E. Haugen, a qualifié de *schizoglossie* cette situation de la Norvège, partagée entre deux normes linguistiques (cf. Hagège 1994, 212-213).

Quoi qu'il en soit des antagonismes entre partisans de l'une ou de l'autre norme, un fait demeure : le *nynorsk* est une langue nouvelle de l'époque moderne, et dont on peut dater précisément la naissance. Certes, Aasen ne l'a pas plus « inventée » que Ben Yehuda n'a inventé l'hébreu d'aujourd'hui. En outre, à la différence de l'hébreu israélien, le *nynorsk* n'est pas une résurrection. Mais comme ce dernier, il est le résultat d'une construction à partir de matériaux existants. Comme ce dernier, son succès, même s'il est contesté par une partie des Norvégiens, prouve que les hommes peuvent, comme des démiurges du dicible, donner naissance, ou rendre naissance, à une langue.

LE XIXᵉ ET LE XXᵉ SIÈCLES, ÂGES D'OR DE NOUVEAUX CRÉOLES

La privation de langue et la naissance des créoles

• Les langues européennes comme prêteuses de vocabulaire

L'étude des langues créoles connaît, depuis plus de trente ans, un renouveau d'intérêt si considérable parmi les milieux scientifiques, que la créolistique apparaît à présent comme une discipline de pointe dans les travaux sur le langage. Il s'agit, dans la plupart des cas, de langues qui, depuis le XVIIᵉ siècle, et sans doute plus tôt pour certaines, se sont formées à partir du vocabulaire de langues européennes. Les linguistes désignent ces langues européennes du nom de *relexificateurs*, parce qu'elles ont fourni leurs lexiques, moyennant diverses modifications, à des usagers qui avaient, au bout de périodes de longueur variable, « perdu » leur langue. Les raisons, les circonstances et les conséquences de cette perte, ainsi que l'étendue des domaines de la langue qu'elle affecte, font l'objet, parmi les créolistes, de débats dont l'enjeu n'est pas mince.

L'exemple des créoles parlés dans la zone des Caraïbes montre clairement de quoi il s'agit. Leurs usagers sont les descendants d'esclaves arrachés à leurs villages africains, et transportés, durant les XVIIᵉ et XVIIIᵉ siècles en particulier, dans les plantations antillaises. Les relexificateurs ont été les langues des planteurs et négriers blancs, c'est-à-dire, principalement, l'anglais et le français (d'où notamment, sur la base de ce dernier, les créoles martiniquais, guadeloupéen et guyanais), ainsi que quelques autres idiomes européens.

• Substrat africain ou *bioprogramme* ?

Mais on constate des traits tout à fait exotiques, en tout cas étrangers à ceux des langues d'Europe occidentale, dans le système qui organise cette matière lexicale européenne, à savoir la grammaire. Et d'autre part, ces traits se retrouvent dans tous les créoles, alors que les communautés noires étaient réparties entre lieux de plantations différents, que les colons prenaient soin de maintenir sans contact entre eux. Certains linguistes voient dans ces traits grammaticaux communs un substrat africain, c'est-à-dire un ensemble de caractéristiques appartenant aux langues d'origine, langues apparentées entre elles, que les esclaves n'avaient pas complètement oubliées, et qui avaient laissé des traces sous forme de mécanismes morphologiques et syntaxiques. À ces linguistes, dits substratistes, s'opposent ceux qui considèrent, au contraire, que le substrat africain est négligeable, et que les points communs entre créoles s'expliquent par l'existence d'une aptitude universelle à la construction de certaines catégories grammaticales. Elle ferait partie du code génétique de tout individu humain. Ceux qui en défendent l'idée appellent cette aptitude innée *bioprogramme* (cf. Bickerton 1981). J'ai essayé de montrer (cf. Hagège 1993 c, chapitre IV) qu'en dépit des arguments de cet auteur et de ceux qui le suivent, la part du substrat ne peut pas être ignorée.

• Les créoles comme réaction humaine à la mort des langues

Que l'on adopte l'une ou l'autre des deux thèses ici opposées, il reste que les créateurs des créoles ont réagi à une situation qu'aucune société humaine, depuis l'*homo sapiens*, n'a jamais tolérée : la privation de langue. Les créoles ne sont pas des langues ressuscitées, puisque les langues ancestrales des peuples dont il s'agit n'étaient pas mortes. Mais il faut assigner les créoles au dossier de la lutte des hommes contre la mort des langues, car ils constituent la solution que des communautés ont trouvée pour maintenir en leur sein, en dépit de circonstances violentes et hostiles, cette activité vitale de toute société : l'échange verbal.

L'invention de nouveaux créoles à l'époque contemporaine

Il se trouve qu'aux XIXe et XXe siècles, de nouveaux créoles sont nés, dans des circonstances fort éloignées de celles des créoles classiques que je viens de rappeler. Il s'agit, cette fois, de langues dont la naissance est assez récente pour qu'on puisse immédiatement les rapporter à leurs sources, parfaitement identifiables. Les unes sont des mélanges de langues locales et de langues européennes, comme le mitchif, que j'ai mentionné plus haut (cf. p. 242-243). D'autres sont intéressantes par la manière dont elles se distinguent des créoles antillais. Car les sources de ces autres créoles ne sont pas des langues de maîtres étrangers dont des travailleurs contraints de fournir une main-d'œuvre servile empruntent le lexique. Ce sont, au contraire, des langues autochtones, que leurs usagers et ceux d'autres langues adaptent à la communication, pour servir d'idiomes véhiculaires en milieu plurilingue. On trouve un grand nombre d'idiomes de ce type. Je n'en présenterai que quelques-uns, parmi les plus connus. Je les choisirai dans trois continents : l'Afrique centrale et méridionale, l'Asie (Inde du Nord-Est), l'Océanie (Timor).

• Les nouveaux créoles-pidgins d'origine africaine
en Afrique centrale

Les linguistes créolistes distinguent généralement les créoles et les pidgins. Ces derniers sont des idiomes véhiculaires qui naissent sur les marchés et dans d'autres lieux plurilingues de contact, et qui y servent pour la communication entre individus dont les langues maternelles sont différentes et, souvent, connues de leurs seuls usagers. Les pidgins, n'ayant d'autre fonction que véhiculaires, ne se transmettraient pas dans les familles. Au contraire, les créoles sont d'anciens pidgins devenus langues maternelles. En réalité, cette distinction n'est pas toujours évidente. Le tok pisin (à base anglaise) et le police motu (à base indigène) de Papouasie-Nouvelle-Guinée sont, en principe, des pidgins, mais ils sont utilisés très largement, l'un sur la côte septentrionale et dans la capitale, l'autre dans de vastes régions, et sont bien davantage que des langues répondant au besoin d'une communication d'urgence. Il en est de même du bichelamar, pidgin devenu langue véhiculaire sur toute l'étendue du Vanuatu. Un cas comparable est celui des trois langues véhiculaires africaines dont il va être question maintenant.

En République Centrafricaine, le sango a été décrété langue nationale en 1963 (le français, connu acceptablement des seules populations scolarisées, a le statut de langue officielle). Le sango est à l'origine un des dialectes, dit « sango du fleuve », d'une langue bantoue dont deux autres dialectes sont le yakoma et le gbandi, les trois étant mutuellement intelligibles. À la fin du XIXe siècle, il a commencé d'être utilisé sous une forme simplifiée, et par des populations de plus en plus nombreuses, lorsque s'est développée la navigation sur le fleuve Oubangui, pour transporter le personnel des exploitations coloniales. Il est en outre devenu, sur les marchés des villes, un idiome véhiculaire entre usagers de nombreuses langues différentes. Bien qu'il soit la grande langue de communication du pays, et qu'il existe même une Commission de la langue sango, il n'est pas un créole au sens traditionnel auquel paraissent attachés beaucoup de créolistes, car il est pour la plupart des Centrafricains une langue seconde, non maternelle, à fonction véhiculaire.

C'est aussi une forme pidginisée d'une langue africaine qui, en République démocratique du Congo, est devenue idiome véhiculaire dans la capitale, Kinshasa, et dans une partie du pays. Il s'agit du lingala, dont la source est le bobangi. Ce dernier, à l'origine parlé le long du cours moyen du fleuve Congo, avait été choisi comme langue de communication par les Européens, qui avaient remarqué son utilité en tant qu'idiome de relations commerciales. Il en fut de même, dans la région du bas-Congo, pour le kikongo-kimanyanga, sur la base duquel s'est formée la troisième langue véhiculaire dont il est question ici, à savoir le kituba. Un exemple emprunté à ce dernier peut faire apparaître le processus de pidginisation : les locuteurs les plus âgés, à la fin des années 1970, disaient *munu imene kuenda* (mot à mot « je PASSÉ-SIMPLE aller ») « j'(y) suis allé », tandis que chez les plus jeunes, l'expression, avec le même sens, s'était condensée en *mu-me-kuenda* (cf. Hagège 1993 c, 129).

D'autres langues que les trois que je viens de citer illustrent aussi, en Afrique, cette naissance, vers la même époque, fin du XIXe et début du XXe siècle, de variétés véhiculaires pidginisées en milieu urbain. Tel est le cas du bemba des villes, du swahili du Shaba (cf. Mufwene 1998), ou du fanakalo ; ce dernier est un pidgin à base de zoulou, assorti de mots d'anglais et d'afrikaans, créé, en Afrique du Sud, par les travailleurs des mines d'or, qui appartenaient à des peuples et à des langues d'origines assez diverses. Les variétés urbaines peuvent aussi répondre au projet de n'intégrer qu'un groupe en excluant les autres. C'est, par exemple, ce que fait l'isicamtho, délibérément développé à Soweto, en Union sud-africaine, à partir d'afrikaans et de nguni (cf. Childs 1997).

• Les pidgins arabes en Afrique

L'arabe a, lui aussi, servi de base, au début du XIXe siècle, à diverses formes pidginisées. En effet, des Soudanais arabophones venus du nord du Soudan se rendaient alors au sud, zone moins arabisée et moins islamisée ; ils s'installaient près de camps militaires pour faire commerce, notamment d'esclaves. Après l'expulsion du pouvoir égyptien, l'arabe du Soudan, parmi les populations non arabes, connut un processus de restructuration, qui aboutit à ces variétés pidginisées, dont l'arabe de Juba, langue de près de la moitié de la ville du même nom, servant d'idiome véhiculaire dans tout le sud du Soudan (cf. Mufwene 1998, 15-16). Les variétés d'arabe qui ont ainsi été créées se sont étendues aux centres urbains de plusieurs pays, notamment l'Ouganda, le Tchad et le Kénya (cf. Hagège 1973, monographie descriptive et interprétative sur le pidgin arabe du Tchad).

• Le nagamais, pidgin-créole des hautes montagnes indo-birmanes

C'est en 1963 que le gouvernement de Delhi reconnut le statut d'État de l'Union indienne au Nagaland, à l'issue d'une guérilla très violente, qui avait longtemps rendu dangereuse cette région de hautes forêts denses, située à l'extrémité orientale du pays entre Assam et Birmanie, et entourée des États et Territoires indiens récemment créés (cf. p. 236-237). Les vingt-trois langues des nombreuses tribus de ce petit territoire ne permettent pas toujours, bien qu'elles appartiennent toutes à la branche dite « naga » de la famille tibéto-birmane, et qu'une partie des Nagas en parlent plusieurs, la communication entre ces tribus, et encore moins avec les Assamais ; des relations de troc, non exemptes d'hostilité, existaient entre ces derniers et les Nagas, qui descendaient dans la plaine du Brahmapoutre pour écouler leurs marchandises, et peut-être pour des razzias d'esclaves. Ces relations entraînèrent la formation progressive, à partir du début du XIXᵉ siècle, d'une sorte de pidgin à base lexicale presque entièrement assamaise, qu'on appelle nagamais, sans doute un mot-valise (cf. Hagège 1987, 28), construit par amalgame de *Naga* + *(Bur) mese*.

Le nagamais, langue de naissance probablement récente, connaît, depuis la promotion politique du Nagaland, un certain développement. Bien qu'il ne soit langue maternelle de personne, et fonctionne comme une deuxième langue à rôle véhiculaire, non sans différences entre degrés de pidginisation, les domaines d'utilisation du nagamais se sont étendus. Il apparaît aujourd'hui comme une langue fort utile, ce qui n'est pas sans rappeler le cas du sango en République Centrafricaine.

Selon M. V. Sreedhar, linguiste indien qui a étudié la possibilité d'une promotion du nagamais par la normalisation (cf. Bhattacharjya and Sreedhar 1994), certains des Nagas ignorent, ou affectent d'ignorer, que cette langue est une forme pidginisée d'assamais. Au Nagaland, l'anglais est langue officielle et le hindi langue de l'Union, apprise dans les écoles à partir du cinquième degré. Pour une autre partie des Nagas, christianisés, et qui ne partagent pas nécessairement les thèses d'un linguiste indien, le prestige de l'anglais est bien supérieur à celui du nagamais, et c'est là, en particulier, la position de ceux qui, connaissant l'origine de ce dernier, le regardent avec condescendance comme un assamais rudimentaire (communication de F. Jacquesson). Néanmoins, le projet de normalisation et d'adaptation aux besoins d'une langue moderne, alors qu'il s'agit d'un pidgin né, peut-être, depuis moins de deux cents ans, mérite d'être souligné, même s'il était vrai que ce projet ne soit pas celui de tous les Nagas. Le nagamais n'est pas vernaculaire, il est récent et son prestige n'est pas certain, mais il n'est pas sans signification au Nagaland.

• Le tetum-praça, langue mixte des Timorais

Le tetum, langue de la grande famille austronésienne, est parlé par plus de 300 000 Timorais de l'Est, et dépasse en importance les autres langues de cette partie de l'île, dont les unes sont austronésiennes et les autres papoues, certaines étant en situation fort précaire. Une des trois zones où le tetum est présent est la région de la capitale, Dili, qui était le siège du pouvoir colonial portugais jusqu'à 1974. Une forme lusitanisée de tetum s'y est développée à une date récente, probablement au début du XXᵉ siècle, que l'on a appelée tetum-praça, c'est-à-dire le tetum de la place (portugais *praça*) commerciale et militaire de Dili. Le vocabulaire contient un grand nombre de mots portugais, la phonétique est assez proche de celle du portugais, dont plusieurs sons ont été empruntés, et la grammaire s'écarte beaucoup de celle du tetum vernaculaire. Elle tend, comme dans tous les pidgins du monde, vers des structures analytiques et invariables, que l'on considère souvent comme l'effet d'une simplification. En particulier, le verbe n'y a pas, comme en tetum autochtone, de formes conjuguées.

Le tetum-praça est compris par un grand nombre des Timorais de l'Est, et leur a permis, entre autres choses, avec le concours de l'église catholique, restée lusophone après le départ des Portugais, de résister à l'indonésianisation, à laquelle sont soumis les habitants de la partie occidentale de l'île (cf. Hull 1994). En effet, le gouvernement de Djakarta, comme on sait, a, dès 1975, annexé Timor oriental en profitant du départ des Portugais un an plus tôt ; il s'est dès lors efforcé de compenser la présence importante et ancienne de la langue et de la culture portugaises dans cette partie de l'île, aujourd'hui sous mandat de l'ONU, par une promotion accrue de la bahasa indonesia (langue officielle d'origine malaise) dans la partie occidentale, où les milices pro-indonésiennes continuent d'inquiéter les Timorais orientaux qui y vivent.

Comme le nagamais, le tetum-praça, bien qu'il soit un pidgin, est l'objet d'une entreprise de réforme et de standardisation. Ainsi, cette langue est considérée comme exprimant partiellement, en dépit de sa jeunesse, l'identité nationale de l'île de Timor orientale.

La promotion politique d'une langue comme facteur de vie renouvelée : histoire moderne du croate

Je ne reviendrai pas ici sur l'histoire de la langue littéraire croate (cf. Franolić 1980). Je n'insisterai pas non plus sur la Convention littéraire de Vienne, lors de laquelle, en 1850, les patriotes de Belgrade et de Zagreb créèrent, en accord avec les Slovènes, et à partir de la forme dialectale la plus commune aux Serbes et aux Croates, la langue qu'on appelle serbo-croate (cf. Hagège 1994, 138-141). Je ne retracerai pas une fois de plus les épisodes du long antagonisme apparu dès la fondation, au lendemain de la Première Guerre mondiale, d'un royaume ou étaient unis Serbes, Croates et Slovènes, antagonisme qui s'accentua après 1931 (date à laquelle ce royaume prit le nom de Yougoslavie) (cf. Hagège, *ibid.*). Je ne rappellerai pas le détail, bien analysé, des causes opposant les Croates, catholiques romains qui écrivent leur langue en alphabet latin, aux Serbes, orthodoxes qui pratiquent l'écriture cyrillique. Je n'énumérerai pas les mesures prises par Belgrade, ne mentionnant que celle qui, en 1972, condamna le nouvel alphabet croate et interdit l'emploi, dans la vie publique, de nombreux mots croates (pour une liste de ces mots et d'autres précisions, cf. Hagège 1993 b). Je n'analyserai pas, non plus, les points de phonétique, de grammaire et de vocabulaire, depuis longtemps étudiés, que l'on peut retenir en tant qu'indices de distinction entre le serbe et le croate vus comme deux langues différentes (cf., entre autres, Franolić 1983, Hagège 1993 a et b).

Le point qui me paraît intéressant dans le contexte du présent chapitre est le suivant : quel est le critère qui permet de dire que deux langues considérées comme deux variantes d'une seule et même sont en fait deux langues distinctes ? Car c'est là aujourd'hui le problème que pose le croate. En fonction de quoi peut-on dire qu'une langue nouvelle est née en Croatie depuis l'indépendance du pays, c'est-à-dire depuis le début des années 1990 ? Le gouvernement et les intellectuels croates prennent la question au sérieux, et y consacrent beaucoup de temps et d'énergie, du moins pour le moment. En juin 1997, me trouvant à Zagreb à l'occasion d'un colloque de linguistique auquel j'étais invité, j'eus un entretien avec un collègue croate sur ce problème. L'entretien fut publié dans l'hebdomadaire *Hrvatsko Slovo* (« La parole croate ») du 27 juin, sous un titre que l'on peut traduire par « La différence entre le croate et le serbe n'est pas une plaisanterie ». Répondant aux questions que l'on me posait, j'y indiquais qu'une volonté de différenciation très forte peut justifier que l'on parle de deux langues distinctes, même quand la communication est possible.

En d'autres termes, ce que les linguistes appellent depuis longtemps le serbo-croate peut être considéré comme une seule et même langue si deux locuteurs dont l'un parle serbe et l'autre croate, en n'employant pas de formes dialectales trop marquées comme telles, parviennent à se comprendre sans difficulté réelle, et sans hésitations, incertitudes ou prière de répéter. Une difficulté de cet ordre est celle qui apparaît quand deux locuteurs des langues scandinaves (danois, norvégien et suédois) parlent entre eux chacun dans sa langue, et c'est pourquoi l'on peut dire qu'il s'agit, en dépit de leur forte ressemblance, de trois langues distinctes. Telle n'est pas aujourd'hui la situation pour le croate et le serbe.

C'est donc là un critère interne, propre aux systèmes formels de deux langues, et déduit des degrés de facilité que deux locuteurs éprouvent à communiquer quand chacun parle la sienne. Mais il existe un autre critère, externe, lié à la manière dont les usagers regardent leurs langues et les vivent. Selon ce critère, le croate peut être tenu pour une autre langue que le serbe. Il y a plus. Si les efforts présentement déployés en Croatie pour dégager une norme aussi distincte que possible du serbe se poursuivent encore longtemps, alors il n'est pas exclu qu'un jour, la communication étant devenue difficile, on doive dire qu'il s'agit de deux langues distinctes.

Pour l'heure, on peut considérer que les Croates, par la promotion politique de leur langue, corollaire de la récente accession de leur pays à l'indépendance, sont en train de donner à l'Europe une langue de plus. Les amoureux des langues ne s'en plaindront pas, s'ils songent aux ravages que décrit la IIe partie de ce livre. On verra cependant, dans la Conclusion, que les phénomènes de ce type présentent des faces variables selon le point de vue que l'on adopte.

Conclusion

Le rythme auquel les langues disparaissent dans le monde contemporain a de quoi inspirer beaucoup de pessimisme. On peut lire dans un texte relativement récent (Mohan and Zador 1986, 318) :

> « La grande purge des langues du monde a déjà commencé ; elle continuera jusqu'à ce qu'une petite poignée demeure, ou peut-être seulement une cargaison d'anglais pour l'âge nouveau de la terre reliée aux autres planètes par vaisseaux spatiaux. Dans la mythologie hindoue, l'extinction marque la fin du *kaliyuga*, l'âge sombre où l'homme et le monde vivent dans le désespoir et la souffrance. Cette extinction est salutaire, car elle fait place à un monde nouveau et meilleur. »

Je ne suis pas certain que les locuteurs de langues menacées envisagent l'extinction de ces dernières comme la promesse d'un monde meilleur, ni qu'ils puisent dans cette exaltante espérance la sérénité du sage. Les linguistes, pour leur part, sont le plus souvent très inquiets de la situation actuelle des langues. Leurs sentiments sont ceux qu'exprimait plus récemment l'un d'entre eux, écrivant après un constat terrible sur les langues en voie d'extinction dans une partie du monde (Australie, Indonésie, Océanie) :

> « Rien ne peut être fait pour inverser ni arrêter le mouvement de réduction continue du nombre de langues distinctes parlées dans le monde, bien que le rythme de réduction puisse être ralenti. Il y avait à l'origine quatre à cinq mille langues séparées ; vers 2100, il y en aura beaucoup moins – peut-être seulement quelques centaines. » (Dixon 1991, 234).

Ces chiffres sont beaucoup plus pessimistes que ceux que je produis ici dès les premières lignes de l'Introduction. J'ignore quelle base cet auteur adopte pour son calcul. La mienne est simple : je me fonde sur le rythme actuel de disparition des langues, tout en tenant compte d'une accélération probable de ce rythme au cours du xxie siècle.

Il existe une circonstance aggravante. L'entreprise de normalisation, dont j'ai souligné dans ce livre l'utilité pour favoriser la promotion d'une langue par rapport à la dispersion des dialectes dont elle fait initialement partie, a aussi des effets pervers. La différenciation dialectale est un des facteurs qui, précisément, portent en eux la possibilité d'apparition de nouvelles langues. Dans les conditions naturelles, les langues nouvelles se développent à partir de dialectes divergents. En d'autres termes, dans le passé, quand un pouvoir politique établissait son dialecte propre dans un lieu, il conférait par là à ce dialecte, au bout de peu de temps, le statut de langue, que renforçait encore, le cas échéant, une production écrite, administrative, juridique, littéraire. Mais les autres dialectes, c'est-à-dire ceux qui, n'ayant pas bénéficié des mêmes circonstances, n'étaient pas devenus des langues, ne s'arrêtaient pas, pour autant, de vivre. Aujourd'hui, la presse, la radio, la télévision, les voyages toujours plus faciles favorisent la langue principale au détriment des variations dialectales. Quand il s'y ajoute une entreprise de promotion volontaire, la situation des dialectes devient encore plus précaire.

J'ai rappelé, cependant, que des langues nouvelles sont nées, ou ont été ressuscitées, au XIXe et au XXe siècles. Mais il est clair que le nombre de ces naissances ne compense nullement celui des disparitions. Il n'y a d'autre action possible, quand on sait qu'une langue est sur le point de s'éteindre, que d'en garder les traces par tous les moyens disponibles. J'ai insisté sur le combat que mènent les linguistes de terrain pour faire parler la mémoire des témoins encore vivants. La littérature joue aussi son rôle, comme on l'a vu pour l'hébreu : bien que disparu de l'emploi quotidien, il ne cessa jamais d'être utilisé dans les livres, et les pionniers de sa résurrection puisèrent nombre de matériaux dans ces précieux dépôts.

On peut ressusciter une langue. On peut même jouer à compter, pour sa résurrection, sur celle des hommes eux-mêmes, et par conséquent, écrire cette langue alors qu'elle est moribonde. C'est là le message malicieux du prix Nobel de littérature Isaac B. Singer, à qui un journaliste demandait pourquoi il écrivait en yidiche, alors que cette langue est aux portes de la mort. « J'aime les histoires de fantômes », répliqua Singer. « Et je crois aussi à la résurrection. Qu'auront donc à lire tous ces Juifs, lorsqu'ils reviendront à la vie, si je n'écris pas en yidiche ? »

Il se pourrait fort que l'usage d'Internet réserve des surprises. Il n'est pas exclu que l'anglo-américain, dont on pensait qu'il envahirait presque seul le réseau et qu'il y trouverait un puissant moyen supplémentaire de diffusion mondiale, passe, des 54 % d'internautes anglophones dont il pouvait se prévaloir en 1999, à 43 % en 2005 (cf. Singer 2000). Certes, le chinois et l'espagnol sont en bonne place parmi les langues qui viennent ainsi s'imposer. Mais ils ne sont pas seuls. Les défenseurs des langues menacées, ainsi que les entreprises commerciales de traduction, ont compris tout le parti que l'on peut tirer de l'introduction de tribunes sur cette toile, et l'on voit déjà en profiter un grand nombre de langues, dont le yidiche, précisément, de même que les langues régionales de France, et bien d'autres. Ainsi se multiplient les échanges par Internet au moyen de ces langues. Ce n'est certes pas assez pour réintroduire dans la réalité vivante et sonore du dialogue quotidien, en situation de communication naturelle, des langues que menace l'extinction. Mais il s'agit d'un support qui donne une nouvelle voix, même dans le mirage du virtuel, à des idiomes qu'on risquait de ne plus entendre. Tout cela entretient l'espérance, à condition, bien entendu, qu'Internet ne devienne par une menace pour tout ce qui se sert de l'écriture, et que les cultures humaines ne passent pas entièrement, comme si c'était là un progrès, de l'écrit à l'écran.

Le combat d'Internet doit certainement être pris au sérieux par les défenseurs des idiomes apparemment en bonne santé, comme le français, l'allemand, l'espagnol, l'italien, le portugais, toutes langues que j'ai appelées fédératrices (cf. Hagège 1994, chapitres 1-4). Car à bien y réfléchir, elles ne sont pas à l'abri. L'anglo-américain est engagé dans un processus d'expansion dont, à moins d'événements imprévisibles, on ne voit pas, actuellement, les limites possibles. On pourrait, certes, considérer que cela n'est pas un malheur pour l'humanité, et qu'au contraire, il est bon qu'il existe une langue à vocation de plus en plus manifestement internationale, qui s'ajouterait naturellement à la langue maternelle de chacun. J'ai plaidé pour le bilinguisme, ou plutôt le multilinguisme, mais non pas au bénéfice de l'anglo-américain (cf. Hagège 1996a).

L'anglo-américain ne peut pas être une véritable langue internationale, c'est-à-dire un instrument neutre permettant à chacun de communiquer partout. Il est le vecteur d'une culture qui risque d'engloutir toutes les autres en faisant d'elles des objets négociables. Par ailleurs, il n'est pas simplement, dans un univers idéal de quatre milliards de bilingues, un des partenaires d'un couple d'avenir, où il figurerait harmonieusement aux côtés d'une langue nationale. Il a les moyens, sinon la vocation, d'être un jour langue unique. Le processus peut, certes, être long. Mais une des conclusions que l'on devrait tirer du présent livre est la suivante : tous les facteurs de la mort des langues, qu'ils soient politiques, économiques ou sociaux, sont capables d'agir au détriment de toute langue autre que l'anglais, et au bénéfice de ce dernier. La dévalorisation explicite du bilinguisme dans les plus grands pays anglophones en est une illustration frappante, parmi d'autres. Et surtout, du fait des techniques modernes de communication, la puissance et la rapidité qui caractérisent la diffusion actuelle de l'anglais dans le monde entier dépassent de très loin celles qui, dans le passé, ont permis à d'autres idiomes, comme le latin il y a deux mille ans, de conduire à l'extinction totale un grand nombre de langues.

Une conséquence inattendue de cette situation doit être soulignée. La promotion de langues dont les défenseurs entendent réagir contre une politique centralisatrice ou contre une ancienne domination coloniale est, qu'on le veuille ou non, un phénomène à deux visages. En tant qu'acte d'affirmation, de liberté et de défense des langues minoritaires, il ne peut qu'être chaudement soutenu. En tant qu'acte politique dirigé contre la langue dominante d'autrefois, il peut toujours être utilisé comme une arme par les avocats de la suprématie de l'anglais. Car la promotion des langues minoritaires présente deux avantages : d'une part, l'anglais n'a rien à craindre de langues locales où s'exprime l'identité culturelle d'un peuple légitimement habité d'un désir de reconnaissance ; d'autre part, l'anglais a tout à gagner dans les courants d'idées où l'on accuse d'être des « instruments d'oppression » les langues qui, comme le français, lui tiennent tête et ont une vocation internationale.

La menace que fait peser la suprématie de l'angloaméricain sur les langues les plus parlées du monde doit, certes, être relativisée, dans les circonstances actuelles : du chinois mandarin (près de 900 millions de locuteurs) au japonais (125 millions), en passant par le malais, l'arabe, le hindi, le bengali, le russe, ces langues ont encore devant elles une ample carrière. Mais la situation évolue vite. Je n'inclus pas ici, par exemple, l'espagnol (266 millions environ) ni le portugais (à peu près 170 millions), en dépit de ces chiffres qui le justifieraient pleinement, car la plus grande partie des hispanophones et des lusophones se trouvent sur le nouveau continent, et qu'il suffit d'avoir vécu au Mexique, au Brésil ou en Argentine, pour savoir combien l'américanisation y est forte, et surtout, y progresse.

Or le français, qui ne figure pas même, avec les quelque 100 millions de locuteurs qu'il compte sans doute à travers le monde, parmi les 9 langues les plus parlées, continue néanmoins, aujourd'hui comme hier, de tenir la seconde position derrière l'anglais, en termes, non pas de volume démographique, mais de diffusion universelle, ainsi que de présence dans les institutions internationales et dans l'activité mondiale de traduction. Dès lors, le français, même si cette seconde place est souvent plus théorique que réelle, même si, dans bien des organismes, son statut d'égalité avec l'anglais est fréquemment violé, ne peut pas ne pas apparaître comme un rival encombrant, dont on souhaite, consciemment ou non, l'éviction. C'est pourquoi sa promotion face à l'anglais revêt une valeur symbolique. Sa défense et son illustration sont depuis longtemps liées à celles de la place qu'occupent la culture française et la francophonie dans le monde.

Le français est une affaire éminemment politique. Chacun sait, y compris ceux qui s'en gaussent ou s'évertuent à la vilipender, que la défense de l'exception culturelle par les acteurs de la politique française n'est pas une petite guerre d'opérette. En défendant la culture, c'est-à-dire la vie, le français défend sa vie. Il défend aussi, et par là même, celle de l'allemand, de l'italien et d'autres langues d'Europe, pour ne parler que d'elles.

Ainsi, la longue réflexion, alimentée de faits variés, que j'ai conduite dans ce livre sur le thème dramatique, et ignoré, de la mort des langues trouve son point d'orgue dans une prise de conscience de l'omniprésence du danger. On pourra sourire de ces vaticinations. On pourra arguer du fait que les États-Unis, en dépit des violences de la vie quotidienne, de l'impérialisme croissant, etc., sont une grande démocratie, que beaucoup aiment à s'y rendre ou à y vivre, et que l'anglais est une belle langue, porteuse de modernité, qui séduit la jeunesse dans presque tous les pays, puisqu'elle la fait danser et chanter, et ne fait gronder que des censeurs attardés. Quelque argument que l'on produise, la menace de mort qui pèse sur les langues prend aujourd'hui le visage de l'anglais. Et je gage que les plus avisés des anglophones ne sauraient vouloir d'un monde qui n'aurait plus, pour se dire, qu'une seule langue.

Références

ADELAAR, W. F. H., 1991, « The endangered languages problem : South America », *in* Robins and Uhlenbeck eds., 45-91.

AUROUX, S., sous la direction de, 2000, *Histoire des idées linguistiques*, tome 3, « L'hégémonie du comparatisme », coll. « Philosophie et langage », Liège, Mardaga.

BADER, F., sous la direction de, 1994, *Langues indo-européennes*, coll. « Sciences du langage », Paris, CNRS Éditions.

BALLY, C.,1965 (1ʳᵉ éd. 1932), *Linguistique générale et linguistique française*, Berne, Francke.

BANNIARD, M. 1992, *Viva voce*, Communication écrite et communication orale du IVᵉ au IXᵉ siècle en Occident latin », Paris, Institut des Études augustiniennes.

BAUMGARTEN, J., R. ERTEL, I. NIBORSKI, A. WIEVIORKA, dirigé par, 1994, *Mille ans de culture ashkénaze*, Paris, Liana Levi.

BERTHELOT-GUIET, Karine, 1997, *L'apport de la publicité à la langue quotidienne des locuteurs de Paris et de la région parisienne*, Thèse de l'École Pratique des Hautes Études, IVᵉ Section, soutenue sous la direction de C. Hagège.

BHATTACHARJYA, D. and M. V. SREEDHAR, 1994, « Two decades of Nagamese Language Reform », *in* Fodor et Hagège, dir., vol. VI, 101-122.

BICKERTON, D., 1981, *Roots of language*, Chicago, Karoma.

BLIKSTEIN, I., 1995, *Kaspar Hauser, ou a Fabricação da Realidade*, São Paulo, Editora Cultrix.

BRADLEY, D., 1989, « The disappearance of the Ugong in Thailand », *in* Dorian ed., 33-40.

BRENZINGER, M. ed., 1992, *Language Death, Factual and Theoretical Explorations with Special Reference to East-Africa*, Berlin / New York, Mouton de Gruyter.

BRIANT, P., 1996, *Histoire de l'Empire perse de Cyrus à Alexandre*, Paris, Fayard.

BRIQUEL, D., 1994, « Étrusque et indo-européen », *in* Bader, dir., 319-330.

BRIXHE, C., 1994, « Le phrygien », *in* Bader, dir., 165-178.

BRIXHE, C. et A. PANAYOTOU, 1994 a, « Le thrace », *in* Bader, dir., 179-203.

BRIXHE, C. et A. PANAYOTOU, 1994 b, « Le macédonien », *in* Bader, dir. 205-220.

BRUNOT, F., 1966 (1ʳᵉ éd. à partir de 1906), *Histoire de la langue française des origines à nos jours*, XIII tomes, Paris, A. Colin.

BUYSSENS, E., 1970, *La communication et l'articulation linguistique*, Bruxelles, Presses Universitaires de Bruxelles / Paris, P.U.F.

CALVET, L. J., 1987, *La guerre des langues et les politiques linguistiques*, Paris, Payot.

CAMPBELL, L., 1988, compte rendu de Greenberg 1987, *Language*, 64, 3, 591-615.

CAMPBELL, L. and M. MITHUN eds., 1979, *The Languages of Native America : Historical and Comparative Assessment*, Austin, University of Texas Press.

CAMPBELL, L. and M. C. MUNTZEL, 1989, « The structural consequences of language death », *in* Dorian ed., 181-196.

CERRÓN-PALOMINO, R., 1987, *Lingüística Quechua*, Cuzco, GTZ et Centro de estudios rurales andinos « Bartolomé de las Casas ».

CHAFE, W. L., 1962, « Estimates regarding the present speakers of North American Indian languages », *International Journal of American Linguistics*, 28, 162-171.

CHAMOREAU, C., 1999, « Description du purepecha, une langue mexicaine menacée de disparition », *Travaux du SELF*, VII, 131-146, Paris, Université René-Descartes-Paris-V, U.F.R. de Linguistique générale et appliquée.

CHAVÉE, H. J., 1862, *Les langues et les races*, Paris.

CHILDS, T., 1997, « The status of Isicamtho, a Nguni-based urban variety of Soweto », in *The structure and status of pigins and creoles*, ed. by A. K. Spears and D. Winford, 341-367, Amsterdam/Philadelphia, John Benjamins.

CLAIRIS, C., 1991, « Le processus de disparition des langues », *La Linguistique*, 27-2, 3-13.

COJTÍ- CUXIL, D., 1990, « Lingüística e idiomas Mayas en Guatemala. Lecturas sobre la lingüística Maya », ed. by N. C. England

and S. R. Elliott, 1-25, Guatemala, Centro de Investigaciones regionales de Mesoamérica.

CRAIG, C., 1992, « A constitutional response to language endangerment : the case of Nicaragua », *Language*, 68, 1, 17-24.

DARWIN, C., 1859, *The origin of species*, Londres.

DECIMO, M., 1998, « La celtomanie au XIXᵉ siècle », *Bulletin de la Société de Linguistique de Paris*, XCIII, 1, 1-40.

DESMET, P., 1993, « La Revue de linguistique et de philologie comparée (1867-1916), organe de la linguistique naturaliste en France », Preprint nr. 147. Katholieke Universiteit Leuven.

DESMET, P. et P. SWIGGERS, 1993, « La nature et la fonction du langage dans l'œuvre linguistique d'Abel Hovelacque », *in* « Geschichte der Sprachtheorie : Studien zum Sprachbegriff der Neuzeit », sous la direction d'U. Hoinkes, *Münstersches Logbuch zur Linguistik*, 4, 129-148.

DIXON, R. M. W. , 1980, *The languages of Australia*, Cambridge, Cambridge University Press.

DIXON, R. M. W., 1991, « The endangered languages of Australia, Indonesia and Oceania », *in* Robins and Uhlenbeck eds., 229-255.

DIXON, R. M. W., 1998, *The rise and fall of languages*, Cambridge, Cambridge University Press.

DORIAN, N. C., 1977, « The problem of semi-speakers in language death », *International Journal of the Sociology of Language*, 12, 23-32.

DORIAN, N. C., 1981, *Language death : the life cycle of a Scottish Gaelic dialect*, Philadelphia, The University of Pennsylvania Press.

DORIAN, N. C. ed., 1989, *Investigating obsolescence*, Studies in Language contraction and death, coll. « Studies in the Social and Cultural Foundations of Language », Cambridge, Cambridge University Press.

DRESSLER, W., 1981, « Language shift and language death, a Protean challenge for the linguist », *Folia Linguistica*, XV, 1-2, 5-28.

DUBOIS, J., 1962, *Étude sur la dérivation suffixale en français moderne et contemporain*, Paris, Librairie Larousse.

DUBUISSON, M., 1980, « Toi aussi, mon fils ! », *Latomus*, XXXIX, 4, 881-890.

DUBUISSON, M., 1981, « Utraque lingua », *L'antiquité classique*, L, 1-2, 274-286.

DUHAMEL, H., 1995, *Pillotage*, Mémoires de lecture 1985-1995, Orléans, Éditions Paradigme.

DURAND, J.-M., 1997, *Les documents épistolaires du palais de Mari*, Paris, Éditions du Cerf.

FISHMAN, J. A., 1968, « Some contrasts between linguistically homogeneous and linguistically heterogeneous polities », in J. A. Fishman ed., *Language problems of developing nations*, John Wiley & Sons, Inc., 53-68.

FISHMAN, J. A., 1994, « Sociologie du yiddish », in Baumgarten *et al.*, dir., 427-436.

FODOR, I. et C. HAGÈGE, sous la direction de, 1983-1994, *La réforme des langues : Histoire et avenir / Language Reform : History and Future*, 6 volumes, Hamburg, Buske.

FRANOLIĆ, B., 1980, *A short history of literary Croatian*, Paris, Nouvelles éditions latines.

FRANOLIĆ, B., 1983, « The development of literary Croatian and Serbian », in Fodor et Hagège, dir., vol. II, 85-112.

GAL, S., 1989, « Lexical innovation and loss : The use and value of restricted Hungarian », in Dorian ed., 313-331.

GEORGE, K. J., 1989, « The reforms of Cornish. Revival of a Celtic language », in Fodor et Hagège, dir., vol. IV, 355-376.

GREENBERG, J. H., 1987, *Language in the Americas*, Stanford, Stanford University Press.

GRENOBLE, L. A. and L. J. WHALEY eds., 1998 a, *Endangered languages*, Cambridge, Cambridge University Press.

GRENOBLE, L. A. and L. J. WHALEY, 1998 b, « Toward a typology of language endangerment », in Grenoble and Whaley eds., 22-54.

GUILLAUME, G., 1969, *Langage et science du langage*, Paris, Nizet / Québec, Presses de l'Université Laval.

GUNDERSEN, D., 1983, « On the development of modern Norwegian », in Fodor et Hagège, dir., vol. II, 157-173.

HAACKE, W. H. G., 1989, « Nama : revival through standardization ? », in Fodor et Hagège, dir., vol. IV, 397-429.

HADAS-LEBEL, M., 1976, *Manuel d'histoire de la langue hébraïque*, Paris, Publications Orientalistes de France.

HADAS-LEBEL, M., 1980 a, « Eliezer Ben Yehuda et la renaissance de la langue hébraïque », *Yod (INALCO)*, 12, 21-31.

HADAS-LEBEL, M., 1980 b, « La sécularisation des termes religieux dans le vocabulaire politique de l'hébreu israélien », *Yod (INALCO)*, 12, 63-68.

HADAS-LEBEL, M., 1992, *L'hébreu, 3 000 ans d'histoire*, Paris, Albin-Michel.

HAGÈGE, C., 1973, *Profil d'un parler arabe du Tchad*, Groupe Linguistique d'études chamito-sémitiques, Supplément 2, Atlas linguistique du monde arabe, Paris, Geuthner.

HAGÈGE, C., 1975, *Le problème linguistique des prépositions et la solution chinoise (avec un essai de typologie à travers plusieurs groupes de langues)*, « Collection linguistique publiée par la Société de linguistique de Paris », Paris/Louvain, éditions Peeters.

HAGÈGE, C., 1981, *Le comox lhaamen de Colombie britannique. Présentation d'une langue amérindienne*, in *Amerindia*, numéro spécial 2, Paris, Association d'Études Amérindiennes.

HAGÈGE, C., 1983, « Voies et destins de l'action humaine sur les langues », *in* Fodor et Hagège, dir., vol. I., 11-68.

HAGÈGE, C., 1985, *L'homme de paroles*, coll. « Le temps des sciences », Paris, Fayard.

HAGÈGE, C., 1987, *Le français et les siècles*, Paris, Odile Jacob.

HAGÈGE, C., 1993 a, compte rendu de O. M. Tomić ed., *Markedness in Synchrony and Diachrony*, Berlin/New York, Mouton de Gruyter, 1989, *Bulletin de la Société de Linguistique de Paris*, LXXXVIII, 2, 34-44.

HAGÈGE, C., 1993 b, compte rendu de J. Čemerikić, G. Imart, O. Tikhonova-Imart, *Paronymes russo-/serbo-croates (« amis » et « faux-amis »)*, Aix-en-Provence, Université de Provence, 1988, *Bulletin de la Société de Linguistique de Paris*, LXXXVIII, 2, 284-290.

HAGÈGE, C., 1993 c, *The Language Builder, An Essay on the Human Signature in Linguistic Morphogenesis*, coll. « Amsterdam Studies in the Theory and History of Linguistic Science, series IV – Current Issues in Linguistic Theory », Amsterdam/Philadelphia, John Benjamins.

HAGÈGE, C., 1994 (1re éd. 1992), *Le souffle de la langue*, Paris, Odile Jacob.

HAGÈGE, C., 1995, « Le rôle des médiaphoriques dans la langue et dans le discours », *Bulletin de la Société de Linguistique de Paris*, XC, 1, 1-19.

HAGÈGE, C., 1996 a, *L'enfant aux deux langues*, Paris, Odile Jacob.

HAGÈGE, C., 1996 b, *Le français, histoire d'un combat*, Paris, Éditions Michel Hagège.

HAGÈGE, C., 1998, « Grammaire et cognition. Pour une participation de la linguistique des langues aux recherches cognitives », *Bulletin de la Société de Linguistique de Paris*, XCIII, 1, 41-58.

HAGÈGE, C., sous presse, « Le multilinguisme dans la sphère judéo-tunisienne », *Actes* d'un colloque (1999).

HAGÈGE, C. et A. G. HAUDRICOURT, 1978, *La phonologie panchronique*, coll. « Le Linguiste », Paris, P.U.F.

HALE, K., 1992, « Language endangerment and the human value of linguistic diversity », *Language*, 68, 1, 35-42.

HALL, E. T., 1966, *The hidden dimension*, New York, Doubleday & C°.

HANSEGÅRD, N.-E., 1968, *Tvåspråkighet eller halvspråkighet ?* (= « Bilinguisme ou semi-linguisme ? »), Stockholm, Aldus/ Bonniers.

HAUGEN, E., 1989, « The rise and fall of an immigrant language : Norwegian in America », *in* Dorian ed., 61-73.

HEATH, S. B., 1972, *Telling tongues : language policy in Mexico, colony to nation*, New York, Teachers College Press.

HILL, J. H., 1987, « Women's speech in Mexicano », *in* Philips *et al.* eds., 121-160.

HILL, J. et K. HILL, 1977, « Language death and relexification in Tlaxcalan Nahuatl », *International Journal of American Linguistics*, 12, 55-69.

HOVELACQUE, A., 1878, « La vie du langage », *in* A. Hovelacque et J. Vinson, *Études de linguistique et d'ethnographie*, Paris.

HUFFINES, M. L., 1989, « Case usage among the Pennsylvania German sectarians and nonsectarians », *in* Dorian ed., 211-226.

HULL, G., 1994, « A national language for East Timor », *in* Fodor et Hagège, dir., vol. VI, 347-366.

ISEBAERT, L., 1994, « *Le tokharien* », *in* Bader, dir., 85-100.

JACQUESSON, F., 1998, « L'évolution et la stratification du lexique. Contribution à une théorie de l'évolution linguistique », *Bulletin de la Société de Linguistique de Paris*, XCIII, 1, 77-136.

JAZAYERY, M. A., 1983, « The modernization of the Persian vocabulary and language reform in Iran », *in* Fodor et Hagège, dir., vol. II, 241-267.

JOCKS, C., 1998, « Living words and cartoon translations : Longhouse "texts" and the limitations of English », *in* Grenoble and Whaley eds., 216-233.

KIBRIK, A. E., 1991, « The problem of endangered languages in the USSR », *in* Robins and Uhlenbeck eds., 257-273.

KING, R., 1989, « On the social meaning of linguistic variability in language death situations : Variation in Newfoundland French », *in* Dorian ed., 139-148.

KLAUSNER, I., 1935, « Ḥalutsei ha-dibbur ha-'ivri be'artsot ha-Gola », (« Pionniers de l'expression en hébreu dans les pays de la diaspora »), *Leshonenu la'am*, XV, 1-2.

KOSZTOLÁNYI, D., 1996 (1ʳᵉ éd. 1935), *L'étranger et la mort*, Paris, Éditions IN FINE. Traduction française par Georges Kassai.

KRAUSS, M., 1992, « The world's languages in crisis », *Language*, 68, 1, 4-10.

LADEFOGED, P., 1992, « Another view of endangered languages », *Language*, 68, 4, 809-811.

LAMBERT, W. E., 1967, « A social psychology of bilingualism », *Journal of social issues*, 23, 91-109.

LANDABURU, J, 1979, *La langue des Andoke (Amazonie colombienne)*, Paris, Société d'Études Linguistiques et Anthropologiques de France.

LANDABURU, J., 1995, « Las lenguas indígenas de Colombia : lenguas en peligro », Rapport dactylographié de l'Universidad de los Andes.

LAUNEY, M., sous presse, « Les langues de Guyane, des langues régionales pas comme les autres ? », *Actes* d'un Colloque (1999).

LAYCOCK, D. C., 1973, « Sepik languages : checklist and preliminary classification », *Pacific Linguistics* B, n° 25.

LEROY, M., 1985, « Honoré Chavée et l'édification de la grammaire comparée », *Quaderni della cattedra di linguistica dell'università di Pisa*, Serie monografica VI, 209-225.

MAHAPATRA, B. P., 1991, « An appraisal of Indian languages », *in* Robins and Uhlenbeck eds., 177-188.

MASSON, M., 1976, *Les mots nouveaux en hébreu moderne*, Paris, Publications Orientalistes de France, coll. « Études ».

MASSON, M., 1983, « La renaissance de l'hébreu », *in* Fodor et Hagège, dir., vol. II, 449-478.

MASSON, M., 1986, *Langue et idéologie. Les mots étrangers en hébreu moderne*, Paris, éditions du CNRS.

MATISOFF, J. A., 1991, « Endangered languages of mainland South-East Asia », *in* Robins and Uhlenbeck eds., 189-228.

MEILLET, A., 1958, *Linguistique historique et linguistique générale*, « Collection linguistique publiée par la Société de linguistique de Paris », Paris, Champion.

MERTZ, E., 1989, « Sociolinguistic creativity : Cape Breton Gaelic's linguistic "tip" », *in* Dorian ed., 103-116.

MITHUN, M., 1989, « The incipient obsolescence of polysynthesis : Cayuga in Ontario and Oklahoma », *in* Dorian ed., 243-257.

MITHUN, M., 1998, « The significance of diversity in language endangerment and preservation », *in* Grenoble and Whaley eds., 163-191.

MOHAN, P. and P. ZADOR, 1986, « Discontinuity in a life cycle : the death of Trinidad Bhojpuri », *Language*, 62, 2, 291-319.

MOSÈS, S., 1985, « Une lettre inédite de Gershom Scholem à Franz Rosenweig. À propos de notre langue. Une confession », *Archives des sciences sociales et religieuses*, 60, 1, 83-84.

MOUGEON, R. and E. BENIAK, 1989, « Language contraction and linguistic change : the case of Welland French », *in* Dorian ed., 287-312.

MOUNIN, G., 1992, « Discussion. Sur la mort des langues », *La Linguistique*, 28, 2, 149-158.

MUFWENE, S., 1998, « Past and recent population movements in Africa. Their impact on its linguistic landscape », article présenté à la 29ᵉ Annual Conference of African Linguistics, Yale University.

MUFWENE, S., 1999, « Language endangerment : what have pride and prestige got to do with it ? », manuscrit.

MYERS-SCOTTON, C., 1992, « Codeswitching as a mechanism of deep borrowing, language shift and language death », *in* Brenzinger ed., 31-58.

PHILIPS, S.U., S. STEELE and C. TANZ eds., 1987, *Language, gender & sex in comparative perspective*, coll. « Studies in the Social and Cultural Foundations of Language », Cambridge, Cambridge University Press.

PI HUGARTE, R., 1998, *Los Indios del Uruguay*, Montevideo, Ediciones de la Banda Oriental.

POULSEN, J.H.W., 1981, « The Faroese language situation », *in* Haugen, E., J.D. McLure & D.S. Thompson eds., *Minority languages to-day*, Edinburgh, Edinburgh University Press.

PURY-TOUMI, S. de, 1994, « Si le nahuatl avait été langue générale...Politique linguistique et idéologie nationaliste au Mexique », *in* Fodor et Hagège, dir., vol. VI, 487-511.

REY, A., sous la direction de, 1992, *Dictionnaire historique de la langue française*, 2 volumes, Paris, Dictionnaires Le Robert.

ROBINS, R. H. and E. M. UHLENBECK eds., 1991, *Endangered Languages*, Oxford / New York, Berg.

ROSEN, H. B., 1970, « La politique linguistique, l'enseignement de la langue et la linguistique en Israël », *Ariel*, 21, 93-115.

ROSETTI, A., 1985, *Linguistique balkanique*, Bucarest, Editura Univers.

ROUCHDY, A., 1989, « "Persistence" or "tip" in Egyptian Nubian », *in* Dorian ed., 91-102.

SAMPSON, G., 1980, *Making sense*, Oxford, Oxford University Press.

SASSE, H. J., 1990, « Theory of language death », *Arbeitspapier* 12, Cologne, Universität zu Köln : Institut für Sprachwissenschaft.

SAUSSURE, F. de, 1878, *Mémoire sur le système primitif des voyelles en indo-européen*, Leipzig.

SAUSSURE, F. de, 1962 (1ʳᵉ éd. 1916), *Cours de linguistique générale*, publié par C. Bally, A. Sechehaye et A. Riedlinger, Genève.

SCHILLING-ESTES, N. and W. WOLFRAM, 1999, « Alternative models of dialect death : dissipation vs. concentration », *Language*, 75, 3, 486-521.

SCHLEICHER, A., 1860, *Die deutsche Sprache*, Leipzig.

SCHLEICHER, A., 1865, *Über die Bedeutung der Sprache für die Naturgeschichte des Menschen*, Leipzig.

SCHOLEM, G., 1962, *Von der mystischen Gestalt der Gottheit*, Zurich, Rhein Verlag.

SEGAL, M. H., 1927, *A grammar of Mishnaic Hebrew*, Oxford.

SEPHIHA, H. V., 1977, *L'agonie des Judéo-espagnols*, Paris, Éditions Entente.

SINGER, A., 2000, « Le net délie les langues rares », journal *Libération*, 12 juillet, 22.

SMITH STARK, T.C., 1995, « El estado actual de los estudios de las lenguas mixtecas y zapotecas », *in* D. Bartholomew, Y. Lastra, L. Manrique (coord.), *Panorama de los estudios de las lenguas de México*, tome II, 8-9, Quito, Abya-Yala.

STURLUSON, S., 2000 (1ʳᵉ rédaction 1230), *Histoire des rois de Norvège*, traduit du vieil islandais, introduit et annoté par F.-X. Dillmann, coll. « L'aube des peuples », Paris, Gallimard.

SZULMAJSTER-CELNIKIER, A., 1991, *Le yidich à travers la chanson populaire*, Les éléments non germaniques du yidich, « Bibliothèque des Cahiers de l'Institut de linguistique de Louvain », Louvain-la neuve, Peeters.

SZULMAJSTER-CELNIKIER, A., sous presse, « Le yidiche », *in* Perrot, sous la direction de, *Les langues du monde*.

TORT, P., 1980, *Évolutionnisme et linguistique. L'histoire naturelle des langues*, Paris, Vrin.

TOSCO, M., 1992, « Dahalo : an endangered language », *in* Brenzinger ed., 137-155.

TSITSIPIS, L. D., 1989, « Skewed performance and full performance in language obsolescence : The case of an Albanian variety », *in* Dorian ed., 117-137.

TURNIANSKY, C., 1994, « Les langues juives dans le monde ashkénaze traditionnel », *in* Baumgarten *et al.*, dir., 418-426.

VAKHTIN, N., 1998, « Copper Island Aleut : A case of language "resurrection" », *in* Grenoble and Whaley eds., 317-327.

VAUGELAS, C. F. de, 1647, *Remarques sur la langue française*, Paris, chez la veuve Camusat.

VENDRYES, J. 1934, « La mort des langues », in *Conférences de l'Institut de Linguistique de l'Université de Paris*, 5-15, Paris, Boivin.

VILLAGRA-BATOUX, 1996, *Le guarani paraguayen. De l'oralité à la langue littéraire*, Villeneuve d'Ascq, Presses Universitaires du Septentrion.

WATSON, S., 1989, « Scottish and Irish Gaelic : the giant's bedfellows », *in* Dorian ed., 41-59.

WHITNEY, W. D., 1867, *Language and the study of language*, Londres, Trubner.

WURM, S. A., 1991, « Language death and disappearance : causes and circumstances », *in* Robins and Uhlenbeck eds., 1-18.

ZANANIRI, G., 1978, « Ben Yehuda et la renaissance de la langue hébraïque », *Sens*, 1, 3-17.

ZEPEDA, O. and J. H. HILL, 1991, « The condition of native American languages in the United States », *in* Robins and Uhlenbeck eds., 135-155.

Index des notions

(sont imprimés en gras les termes et expressions introduits par l'auteur)

koinê : 72.

langue.
    agglutinante : 28.
    analytique : 339, 357.
    ancienne : 67, 68, 91.
    archaïque : 91, 123.
    artificielle : 18, 19, 20, 21, 32, 75,
        190, 252, 282, 333.
    auxiliaire : 18, 21.
    calque : 293.
    classique : 67, 75, 90.
    d'identité : 307, 308.
    d'insulaire : 215.
    de culture : 186, 306, 341.
    de prestige : 68, 72, 74, 75, 79, 154,
        155, 156, 157, 159, 160, 161,
        162, 163, 165, 166, 167, 169,
        171, 172, 175, 179, 180, 186,
        188, 191, 198, 206, 231, 235,
        250, 260, 266, 294, 306, 330,
        331, 356.
    dominante : 27, 102, 106, 109,
        113, 134, 145, 163, 237, 365.
    dominée : 27, 100, 106, 109, 134,
        158, 163, 244, 247.
    écrite : 69, 72, 74, 80, 177, 250, 294,
        296, 306, 307, 323, 324, 339.
    flexionnelle : 28.
    générale : 169, 170.
    hybride : 240, 241.
    initiatique : 221.
    internationale : 170.
    isolante : 28.
    juive : 215, 217, 218, 291, 293, 312,
        330, 331.
    littéraire : 68, 72, 158, 159, 282,
        290, 296, 306.
    majoritaire : 144.
    minoritaire : 141, 144, 149, 204,
        237, 245, 365.
    mixte : 87, 108, 240, 242, 356.
    morte : 43, 67, 68, 78, 79, 80, 90,
        95, 230, 309, 316, 329, 340, 341,
        343.
    nationale : 21, 138, 150, 166, 247,
        306, 321, 327, 353.
    naturelle : 19, 22.
    officielle : 102, 148, 163, 179, 198,
        203, 204, 206, 247, 248, 249,
        250, 251, 253, 254, 279, 322,
        353, 356.
    parlée : 75, 79, 102, 149, 178, 192,
        196, 204, 271, 280, 281, 282,
        290, 293, 294, 306, 323, 324,
        339, 340, 345.

    régionale : 61, 138, 140, 142, 143,
        148, 149, 215, 217, 364.
    religieuse : 77, 292.
    sacrée : 76, 77, 306, 307, 317, 319,
        321.
    secrète : 119, 221, 232.
    véhiculaire : 111, 164, 165, 166,
        167, 169, 170, 171, 172, 186,
        206, 279, 291, 331, 352, 353,
        354, 355, 356.
    vernaculaire : 73, 77, 103, 104,
        118, 121, 132, 146, 149, 199,
        204, 245, 282.
    vivante : 44, 67, 78, 90, 95, 97, 195,
        230, 293, 319, 324, 325, 340,
        344.
    vulgaire : 68, 72.
langue en danger : 197.
langue menacée : 197, 260, 261.
lexiologie : 30.
lingua franca : 164, 165.
linguicide : 141, 251.
linguistique des langues : 257.
linguistique du langage : 257.
locuteurs de naissance : 94, 95, 121,
    122, 133, 172, 200.

médiaphoriques : 226.
multilinguisme : 144, 364.

naturalisme : 29, 31, 33, 34.
néologie : 61, 121, 148, 159, 176,
    297, 298, 310, 314, 316, 317, 320,
    329, 331, 335, 337, 338.
normalisation : 187, 189, 190, 191,
    192, 251, 256, 356, 362.

obsolescence : 96, 99, 100, 102, 108,
    110, 117, 122, 124, 188, 191, 229,
    261.
ontogenèse : 25, 54.
organicisme : 32, 35.
origine des langues : 31.
origine du langage : 32.

parole : 10, 37, 41, 43, 158.
patois : 138, 140, 142.
perte.
    d'une langue : 123, 169, 219, 350.
    de distinctions linguistiques : 110,
        111, 124, 139, 332.
    de prestige : 154, 157, 160, 162,
        171, 231.
    de sens : 55.

Index des langues

yugh : 210.
yukaghir : 191, 200, 246.
yupik : v. eskimo-aléoute.

zend : 24.
zoulou : 354.
zuni : 224, 227.

Index des noms propres

Table

TABLE • 391

II

LES LANGUES ET LA MORT

Table • 393

TABLE • 395

TABLE • 397

III

LES LANGUES ET LA RÉSURRECTION

TABLE • 399

TABLE • 401

CET OUVRAGE A ÉTÉ TRANSCODÉ ET ACHEVÉ D'IMPRIMER
SUR ROTO-PAGE PAR L'IMPRIMERIE FLOCH À MAYENNE EN DÉCEMBRE 2000
N° d'imp. : 50235. N° d'éd. : 7381-0897-3. D. L. : octobre 2000.
Imprimé en France.